Silver Water

HAYLEN BECK

Silver Water

Traduit de l'anglais (Irlande) par
CATHERINE RICHARD-MAS

Titre original :
HERE AND GONE

Éditeur original : Crown/Penguin Random House LLC, New York.

© 2017, Haylen Beck.
© 2018, HarperCollins France pour la traduction française.

Le visuel de couverture est reproduit avec l'autorisation de :
Peluche : © ARCANGEL/ROBIN VANDENABEELE
Réalisation graphique couverture : R. PÉPIN
Tous droits réservés.

HARPERCOLLINS FRANCE
83-85, boulevard Vincent-Auriol, 75646 PARIS CEDEX 13
Tél. : 01 42 16 63 63

www.harpercollins.fr

ISBN 979-1-0339-0179-2 — ISSN 2551-0096

Pour mes enfants

I

La route sinuait, à gauche puis à droite, en une succession de courbes dont le rythme soporifique alourdissait les paupières d'Audra Kinney. Elle avait renoncé à compter les panneaux kilométriques, le trajet n'en paraissait que plus lent. Les articulations de ses doigts gémirent quand elle ouvrit les mains puis les referma sur le volant, les paumes empoissées de sueur.

Dieu merci, elle avait fait réviser au début de l'année la climatisation de son vieux break de huit ans. Il arrivait que les étés soient chauds à New York, mais pas à ce point. Pas comme dans l'Arizona. Une chaleur sèche, disait-on. Ouais, sèche comme la surface du soleil, pensa-t-elle. Même à 5 heures et demie de l'après-midi, alors que la clim lui soufflait sur les avant-bras un air assez froid pour qu'elle ait la chair de poule, sa main reculait instinctivement quand elle l'approchait de la vitre, comme au contact d'un récipient d'eau bouillante.

— M'man, j'ai faim, lança Sean depuis la banquette arrière. D'un ton plaintif révélant qu'il était fatigué, grognon, et risquait de devenir pénible. Louise somnolait à côté de lui, sur son rehausseur, bouche ouverte, en sueur, mèches blondes collées au front. Avec son Gogo sur les genoux, vestige dépenaillé du lapin en peluche qu'elle avait depuis toute petite.

Sean était un gentil garçon. Tous ceux qui le connaissaient le disaient. Mais ça n'avait jamais été aussi évident que ces derniers jours. Il avait été mis à rude épreuve, et il avait tenu bon. Audra le regarda dans le rétroviseur. Les traits acérés et les cheveux clairs de son père, mais les membres déliés de sa mère. Son fils avait grandi ces derniers mois, ce qui lui rappela qu'à presque onze ans il approchait de la puberté. Il ne s'était pas beaucoup plaint depuis leur départ de New York, tout compte fait, et il avait bien aidé sa petite sœur. S'il n'avait pas été là, Audra y aurait laissé sa santé mentale.

Sa santé mentale ?

Cette histoire ne pouvait que la rendre folle.

— Il y a une ville dans quelques kilomètres, dit Audra. On pourra se trouver de quoi manger. Et peut-être aussi un endroit où passer la nuit.

— J'espère, dit Sean. J'ai pas envie de dormir encore dans la voiture.

— Moi non plus.

À cet instant précis, douleur entre les omoplates, comme si les muscles d'Audra lâchaient dans son dos. Comme si elle se désagrégeait et que la bourre de l'intérieur risquait de bientôt jaillir des coutures.

— Vous en êtes où du côté de l'eau, là-derrière ? demanda-t-elle en le regardant dans le rétroviseur.

Elle le vit abaisser le regard, entendit l'eau glouglouter dans la bouteille en plastique.

— Il m'en reste un petit peu. Louise a bu toute la sienne.

— D'accord. On va en reprendre quand on s'arrêtera.

Sean retourna à la contemplation du monde qui défilait derrière sa vitre. Montagnes rocailleuses couvertes de broussailles, s'élevant de part et d'autre de la route, cactus au garde-à-vous, les bras dressés vers le ciel comme des soldats qui se rendent. Au-dessus, une étendue bleu foncé ponctuée de faibles traînées blanches, se teintant de jaune à mesure que le soleil se déplaçait vers l'ouest et l'horizon. Un beau territoire, dans son genre. Audra aurait savouré ce paysage, s'en serait gorgée, si la situation avait été différente.

Si elle n'avait pas dû s'enfuir.

Elle n'était pas vraiment obligée de fuir, pas véritablement. Elle aurait pu attendre, laisser les choses suivre leur cours, mais l'attente avait été une torture, toutes ces secondes et ces minutes et ces heures à ne pas savoir. Elle avait donc tout emporté et s'était enfuie. Comme une lâche, dirait Patrick. Il avait toujours dit qu'elle était faible. Même s'il ajoutait aussitôt qu'il l'aimait.

Un instant lui revint en mémoire, quand, dans leur lit, elle sentait le torse de son mari contre son dos, et sa main refermée sur son sein. Patrick disant qu'il l'aimait. Qu'il l'aimait malgré tout. Comme si la femme qu'elle était ne méritait pas son amour. Il avait toujours manié la langue comme une douce lame avec laquelle la poignarder, si douce qu'elle n'en sentait la blessure que bien après coup, lorsqu'elle gisait dans son lit et que les propos de Patrick lui revenaient en mémoire. Roulaient dans sa boîte crânienne comme du gravier dans un bocal, s'entrechoquant comme...

— Maman !

Elle redressa brusquement la tête et vit le camion arriver sur eux, tous phares allumés. Elle donna un coup de volant vers la droite qui les ramena sur leur voie, et le camion les croisa, le chauffeur lui dardant au passage un regard mauvais. Audra s'ébroua, cligna des paupières pour chasser la poussière qui lui desséchait les yeux, inspira à fond par le nez.

Pas vraiment failli. Mais failli quand même. Elle jura entre ses dents.

— Ça va ? demanda-t-elle.

— Ouais, répondit Sean d'une voix de gorge, comme quand il ne voulait pas laisser voir à sa mère qu'il avait peur. On devrait peut-être s'arrêter bientôt.

Louise lança alors d'une voix ensommeillée :

— Qu'est-ce qui s'est passé ?

— Rien, dit Sean. Rendors-toi.

— J'ai pas sommeil, protesta-t-elle. Puis elle toussa. Son souffle était encombré depuis le matin, et la toux devenait plus fréquente.

Audra regarda sa fille dans le rétroviseur. Que Louise tombe malade serait vraiment l'ultime catastrophe. Elle avait toujours été plus fragile que son frère, petite pour son âge, et menue. Elle serra Gogo sur son cœur, sa tête roula en arrière et ses yeux se refermèrent.

Au sommet d'une côte, la voiture déboucha sur une vaste plaine, le désert se déployant tout autour, cerné de montagnes au nord. Était-ce le massif des San Francisco Peaks ? Ou les monts de la Superstition ? Audra n'en savait rien, elle allait devoir consulter une carte pour se remettre en mémoire la géographie. Ça n'avait pas d'importance. La seule chose qui en avait, en cette seconde même, c'était la petite supérette, un peu plus loin sur le bord de la route.

— M'man, regarde.

— Ouais, je vois.

— On s'y arrête ?

— Ouais.

Ils auraient peut-être du café. Une bonne tasse de café fort lui permettrait de tenir encore quelques kilomètres. Audra mit le clignotant pour signaler qu'elle tournait à droite, s'engagea sur la petite route, puis à gauche en passant sur une grille à bétail, et arriva sur l'aire sablonneuse qui s'étendait devant la supérette. L'enseigne, au-dessus du magasin, annonçait ÉPICERIE-GRAVURES, en grosses lettres rouges sur fond blanc. C'était un bâtiment trapu, en bois, avec une véranda pourvue de bancs sur toute sa longueur et des fenêtres sombres où se discernaient à peine quelques points de lumière électrique derrière les vitres poussiéreuses.

Audra s'aperçut trop tard que le seul véhicule garé devant était une voiture de police. Police de la route ou shérif du comté, elle ne discernait pas, de loin.

— Merde, lâcha-t-elle.

— Tu as dit un gros mot, m'man.

— Je sais. Pardon.

Audra ralentit, gravier et cailloux crissant sous les pneus du break. Fallait-il qu'elle fasse demi-tour, qu'elle regagne la route ? Non. Shérif ou policier, qui que soit le type qui se trouvait dans cette voiture, il l'avait remarquée, maintenant. Rebrousser chemin éveillerait les soupçons. Le flic commencerait à s'intéresser à elle.

Elle se gara devant le magasin, aussi loin de la voiture de patrouille qu'elle le pouvait sans avoir l'air de garder ses distances. Le moteur brouta en s'arrêtant, Audra pressa la clé contre ses lèvres. *Sortir*, se dit-elle, *acheter ce qu'il nous faut. Rien de mal à ça. Je suis juste quelqu'un à qui il faut un café, peut-être un ou deux sodas, et des chips.*

Ces quelques derniers jours, Audra avait pris garde à tous les véhicules de police qu'elle voyait. La cherchaient-ils ? Le bon sens lui disait que non, sûrement pas. Elle n'était pas une fugueuse, bon sang ! Pourtant, ce petit coin terrorisé de son cerveau refusait de chasser la peur, lui serinait sans cesse qu'elle était surveillée, recherchée. Pourchassée, même.

Or, s'ils recherchaient quelqu'un, c'étaient les enfants.

— Attends ici avec Louise, dit-elle.

— Mais je veux venir aussi, dit Sean.

— Il faut que tu surveilles ta sœur. Ne discute pas.

— Bon, bon.

— C'est gentil.

Elle prit son sac à main sur le siège passager, ses lunettes dans le porte-gobelet. La chaleur s'engouffra dans l'habitacle quand elle ouvrit sa portière. Elle descendit le plus vite possible, referma aussitôt pour garder fraîcheur dedans, chaleur dehors. Le soleil gifla ses joues et ses avant-bras, sa peau claire piquée de taches de rousseur peu familière d'une telle férocité. Elle avait réservé aux enfants le reste d'écran total dont elle disposait ; elle allait donc s'épargner une dépense et encaisser le coup de soleil.

Elle s'autorisa un bref examen de la voiture de patrouille en chaussant ses lunettes ; une personne assise au volant, homme ou femme, elle ne discernait pas. Le logo spécifiait : SHÉRIF DU COMTÉ D'ELDER. Elle tourna sur elle-même en s'étirant, remarqua les montagnes qui se dressaient au-dessus du toit du magasin, la petite route, les touffes de broussaille du désert qui roulaient de l'autre côté. Tout en achevant son tour, elle jeta un nouveau coup d'œil à la voiture du shérif. Le conducteur prit un gobelet sans paraître prêter attention à elle.

Elle gravit les marches de la véranda en béton, s'avança vers la porte et, en l'ouvrant, sentit une vague d'air frais l'accueillir. Malgré ce froid, des relents de renfermé se déversèrent dehors, dans la chaleur. À l'intérieur, l'obscurité obligea Audra à relever ses lunettes sur son front, ce qu'elle aurait préféré éviter. Mais il valait mieux risquer de laisser le souvenir d'une cliente ayant acheté de l'eau que celui de la femme qui s'était pris les pieds dans les cartons, pensa-t-elle.

Une vieille dame aux cheveux teints en noir était assise derrière le comptoir, tout au fond du magasin, un stylo à la main, un recueil de mots fléchés dans l'autre. Elle ne leva pas la tête pour voir qui arrivait, ce qui convint tout à fait à Audra.

Un réfrigérateur plein d'eau et de sodas ronronnait contre le mur. Audra prit trois bouteilles d'eau et une de Coca.

— S'il vous plaît, lança-t-elle à la vieille femme.

Sans lever la tête, celle-ci répondit :

— Mm-hm ?

— Vous avez une machine à café ?

— Non, madame. (La femme pointa son stylo vers l'ouest.) À Silver Water, quelque chose comme sept ou huit kilomètres dans cette direction, il y a un café-restaurant. Leur café n'est pas mauvais du tout.

Audra s'approcha.

— D'accord. Alors juste ça, je vous prie.

En posant sur le comptoir les quatre bouteilles en plastique, elle remarqua la vitrine fixée au mur. Une douzaine de pistolets de différentes formes et tailles, revolvers, semi-automatiques, pour autant qu'elle sache les reconnaître. Elle avait toujours vécu sur la côte Est et, même si elle savait que l'Arizona était un État pro-armes, elle trouva choquant l'étalage de cette artillerie. Un soda et un flingue, s'il vous plaît, pensa-t-elle, et cette idée faillit la faire rire.

La femme encaissa les boissons et Audra fouilla dans son sac à main, craignant un instant de ne plus avoir assez d'espèces. Puis elle trouva un billet de dix plié à l'intérieur d'une facture de drugstore et le présenta, attendit sa monnaie.

— Merci, dit-elle en soulevant les bouteilles.

— Mm-hm.

La femme lui avait à peine adressé un regard durant tout l'échange ; Audra s'en réjouit. Peut-être se souviendrait-elle d'une grande femme aux cheveux auburn, si quelqu'un posait la question, mais peut-être pas. Audra regagna la porte pour affronter le mur de chaleur. Sean la regardait de l'arrière du break, Louise toujours endormie à côté de lui. Audra tourna la tête vers la voiture de police.

Elle n'était plus là.

Flaque noire sur le sol, à l'endroit où le flic avait vidé son gobelet, sillons des pneus dans le gravier. Elle mit la main en visière au-dessus de ses yeux, scruta les alentours, ne vit aucun signe de la voiture. Le soulagement qu'elle éprouva alors la surprit ; elle n'avait pas mesuré à quel point la présence de cette voiture de patrouille la rendait nerveuse.

Aucune importance. Reprendre la route, aller jusqu'à la ville dont avait parlé la femme, trouver un endroit où passer la nuit et se reposer.

Audra alla ouvrir la portière arrière du côté de Louise. Elle s'accroupit, tendit une bouteille d'eau à Sean, puis secoua doucement sa fille. Louise grogna et agita les jambes.

— Réveille-toi, mon petit cœur.

Louise se frotta les yeux, battit des paupières en regardant sa mère.

— Quoi ?

Audra dévissa le bouchon et approcha la bouteille des lèvres de Louise.

— J'ai pas envie, couina Louise d'une voix éraillée.

Audra lui posa le goulot contre les lèvres.

— Tu n'as pas envie, mais tu vas quand même.

Elle inclina la bouteille, et un filet d'eau coula dans la bouche de Louise. La petite lâcha Gogo, prit la bouteille à Audra et engloutit plusieurs gorgées.

— Tu vois ! fit Audra. Puis elle se tourna vers Sean.

— Toi aussi, bois.

Sean obéit, après quoi Audra reprit sa place au volant. Elle recula pour s'éloigner du magasin, fit demi-tour et repartit en direction de la grille à bétail puis de la route. Aucun véhicule en vue, elle n'eut pas à attendre au carrefour. Le moteur vrombit tandis que la supérette s'éloignait dans le rétroviseur.

Les enfants gardaient le silence, en dehors des bruits de déglutition et des soupirs de bien-être. Audra cala la bouteille de Coca au creux de ses cuisses le temps d'en dévisser le bouchon, puis avala une longue goulée, le froid pétillant lui brûlant la langue et la gorge. Sean et Louise s'esclaffèrent quand elle lâcha un rot, et elle se tourna pour leur sourire.

— Pas mal, celui-là, m'man, dit Sean.

— Oui, il était pas mal, celui-là, renchérit Louise.

— Si je peux faire plaisir ! répondit Audra en se retournant face à la route.

Aucune trace de la ville pour le moment. Sept ou huit kilomètres, avait dit la femme, or Audra n'avait compté que deux panneaux, donc il restait encore du chemin. Mais peu. Audra s'imagina un motel, un joli endroit propre, avec une douche – bon sang, une douche –, ou même mieux, une baignoire. Elle s'autorisa à rêver d'une chambre dotée du câble, où elle pourrait laisser les enfants regarder des dessins animés pendant qu'elle s'alanguirait dans un bain chaud et mousseux pour se débarrasser de la crasse et la sueur et tout le reste.

Nouveau panneau kilométrique. Elle annonça :

— On n'est plus très loin, peut-être encore trois kilomètres, d'accord ?

— Super, dit Sean.

Louise leva les bras en l'air et s'écria tout bas :

— Ouais !

Audra sourit de plus belle, sentant déjà l'eau sur sa peau.

Puis son regard croisa le rétroviseur, et elle vit la voiture de patrouille du shérif qui la suivait.

2

Elle eut l'impression que des mains froides lui agrippaient les épaules, et son cœur se mit à cogner dans sa poitrine.

— Pas de panique, dit-elle.

Sean se pencha en avant.

— Quoi ?

— Rien. Assieds-toi comme il faut, regarde si ta ceinture de sécurité est bien attachée.

Pas de panique. Il n'est peut-être pas en train de te suivre. Surveille ta vitesse, c'est tout. Ne lui donne aucune raison de t'arrêter. L'attention d'Audra se portait alternativement sur le compteur et la route, l'aiguille oscillant autour des quatre-vingt-cinq kilomètres-heure tandis qu'elle abordait une nouvelle série de tournants.

La voiture de patrouille maintenait son écart, une cinquantaine de mètres, sans le réduire ni l'accroître. Elle restait là, et suivait. Oui, elle suivait bel et bien. Audra déglutit, déplaça les mains sur le volant, une poussée de sueur commençant à perler dans son dos.

Détends-toi, se dit-elle. *Pas de panique. On ne te recherche pas.*

Une nouvelle ligne droite se déploya, bordée de part et d'autre de pylônes soutenant des rangées de câbles. Le revêtement semblait de plus en plus abîmé, le break cahotait. Montagnes à l'horizon, de nouveau. Audra se concentra sur les sommets, un point sur lequel focaliser ses pensées.

Ignore le flic. Regarde devant toi.

Mais la voiture du shérif grossit dans le rétroviseur, se

rapprocha. Audra discernait le conducteur, à présent, grosse tête, larges épaules, doigts épais sur le volant.

Il veut doubler, pensa-t-elle. *Vas-y, double.*

Mais il ne doubla pas.

Nouveau panneau kilométrique, accompagné d'une pancarte annonçant : SILVER WATER, PROCHAINE À DROITE.

— Je vais tourner, dit Audra. Je vais tourner et, lui, il continuera tout droit.

— Quoi ? demanda Sean.

— Rien. Bois ton eau.

Un peu plus loin, l'embranchement.

Elle posa le doigt sur le clignotant, mais, avant d'avoir eu le temps de l'abaisser, elle entendit un unique TOUITT ! électronique. Dans le rétroviseur, elle vit tournoyer les lumières des gyrophares, bleues et rouges.

— Non, fit-elle.

Sean tourna la tête pour regarder par la vitre arrière.

— C'est la police, m'man.

— Ouais, dit Audra.

— Ils nous arrêtent ?

— Je crois bien.

Nouveau TOUITT !, puis la voiture de patrouille déboîta et accéléra pour venir à la hauteur du break. La vitre côté passager s'abaissa et le conducteur désigna le bas-côté.

Audra acquiesça, mit son clignotant et se rangea sur le bord de la route, faisant voltiger poussière et gravillons. La voiture de patrouille ralentit et se rangea derrière elle. Les deux véhicules s'arrêtèrent dans un nuage de poussière tel que c'était à peine si Audra distinguait l'autre voiture, à l'exception des gyrophares toujours en marche.

Louise remua.

— Qu'est-ce qui se passe ?

— La police nous a arrêtés, dit Sean.

— On a fait des bêtises ? demanda-t-elle.

— Non, répondit Audra d'un ton trop catégorique

pour être convaincant. Personne n'a fait de bêtises. Je suis sûre que ce n'est rien. Restez bien assis, laissez maman s'occuper de ça.

Elle scruta le rétroviseur tandis que la poussière retombait. La portière de la voiture de police s'ouvrit et le flic s'en extirpa. Il marqua un temps d'arrêt, rajusta son ceinturon, la crosse du pistolet dépassant de l'étui, puis se pencha à l'intérieur de la voiture pour prendre son chapeau. Un homme d'environ cinquante, cinquante-cinq ans. Cheveux noirs virant au poivre et sel. Solidement bâti mais pas gros, avant-bras costauds. Le genre d'homme à avoir joué au football américain dans sa jeunesse. Les yeux dissimulés derrière ses lunettes-miroir, il abaissa sur son visage le chapeau à large bord, du même beige que son uniforme. Posant une main sur la crosse de son pistolet, il s'approcha de la portière du break côté conducteur.

« Merde », murmura Audra. Tout ce chemin depuis New York, en prenant chaque fois que possible les nationales plutôt que les autoroutes, et elle ne s'était pas fait arrêter une seule fois. Et, si près de la Californie, voilà que ça lui tombait dessus. Elle agrippa fermement le volant, pour cacher qu'elle tremblait.

Le flic s'arrêta à la vitre de Louise, baissa la tête pour scruter les enfants à l'intérieur. Puis il arriva à la hauteur d'Audra, toqua à la vitre et, d'un moulinet de poignet, lui signifia de l'abaisser. Audra enfonça le bouton situé sur la portière et le maintint pendant que la vitre descendait en couinant.

— Bonsoir madame, dit l'homme. Je vais vous demander d'éteindre le moteur, s'il vous plaît.

Sois détendue, pensa Audra en coupant le contact. *Tout va bien se passer. Reste calme, c'est tout.*

— Bonsoir, dit-elle. Il y a un problème ?

Le nom indiqué sur la barrette, au-dessus de l'insigne, spécifiait SHÉRIF R. WHITESIDE.

— Permis de conduire et papiers du véhicule, s'il vous plaît, dit-il, les yeux toujours dissimulés par ses lunettes.

— Dans la boîte à gants, répondit-elle en tendant l'index.

Il acquiesça. Tout en s'appliquant à ralentir ses gestes, elle se pencha, déverrouilla la boîte à gants d'où un amas de cartes routières et menus objets menaça de se déverser au pied du siège passager. Après avoir fouillé quelques instants, elle lui remit les documents. L'homme les examina, imperturbable, pendant qu'elle reposait les mains sur le volant.

— Audra Kinney ?

— C'est ça, confirma-t-elle.

— Mrs ou Miss ? demanda-t-il.

— Mrs, je suppose.

— Vous supposez ?

— Je suis séparée de mon mari. Pas encore divorcée.

— Je vois, dit-il en lui rendant les documents. Vous êtes loin de chez vous.

Elle reprit les papiers et les posa sur ses genoux.

— En voyage, dit-elle. Nous allons voir des amis en Californie.

— Ah-ha, fit-il. Tout se passe bien, Mrs Kinney ?

— Oui. Très bien.

Il posa la main sur le toit de la voiture, se pencha un peu et reprit, avec des inflexions traînantes qui semblaient venir du fond de la gorge :

— C'est juste que vous avez l'air un peu nerveuse, là. Il y a une raison particulière à ça ?

— Non, répondit-elle, consciente que son mensonge se lisait clairement sur son visage. C'est juste que je stresse quand je me fais arrêter par la police.

— Et ça arrive souvent ?

— Non. Je veux dire que chaque fois que ça *m'est* arrivé, j'ai...

— Je suppose que vous voudrez savoir pourquoi je vous ai arrêtée aujourd'hui.

— Oui, enfin, bon, je ne crois pas avoir...

— Si je vous ai arrêtée, c'est parce que la voiture est en surcharge.

— En surcharge ?

— Il y a trop de poids sur l'essieu arrière. Descendez donc et venez voir.

Sans laisser à Audra le temps de répondre, le shérif ouvrit la portière et s'écarta. Elle resta assise, les papiers toujours sur les genoux, le regard levé vers lui.

— Je vous ai demandé de descendre de voiture, madame.

Audra posa son permis de conduire et les papiers sur le siège passager et détacha sa ceinture de sécurité.

— M'man ?

Elle se tourna vers Sean et lui dit :

— Tout va bien. Il faut juste que je discute avec le policier. Je reviens tout de suite. D'accord ?

Sean acquiesça, puis se remit à dévisager le shérif. Audra sortit de la voiture, et à nouveau la chaleur lui mordit la peau.

Le shérif lui montra du doigt l'arrière du break tout en le longeant.

— Là, vous voyez ? Il n'y a pas assez d'espace entre le pneu et le passage de roue.

Il posa les mains sur le toit et appuya, secouant la voiture sur ses amortisseurs.

— Regardez ça. Les routes de la région ne sont pas très bonnes, plus d'argent pour les entretenir. Si vous passez dans un nids-de-poule un peu moche, vous risquez toutes sortes d'embêtements. J'ai vu des gens perdre le contrôle de leur véhicule sur un coup comme ça, un pneu qui éclate, un essieu qui casse ou Dieu sait quoi, et ils finissent sur le toit dans un fossé ou ils percutent le camion qui venait en face. C'est pas beau à voir, croyez-moi. Je ne peux pas vous laisser rouler comme ça.

Un frisson de soulagement traversa Audra ; ce shérif ne savait pas qui elle était, ne la recherchait pas. Mais l'insistance qu'il mettait à l'empêcher de repartir tempéra cette bouffée bienfaisante. Il fallait qu'elle poursuive sa route, mais elle ne pouvait pas prendre le risque de se mettre à dos cet homme.

— Je n'ai plus beaucoup de chemin à faire, dit-elle en montrant le carrefour, un peu plus loin. Je vais jusqu'à Silver Water pour y passer la nuit. Je pourrai me débarrasser de quelques affaires là-bas.

— Silver Water ? releva l'homme. Vous logez à la pension de Mrs Gerber ?

— Je n'ai pas encore décidé.

Le shérif secoua la tête.

— De toute façon, il y a encore quelque chose comme deux kilomètres jusqu'à Silver Water, par une route étroite, tout en épingles à cheveux. Il peut arriver un tas de choses en chemin. Vous savez quoi... attrapez vos clés et mettez-vous là, sur le bord.

— Si je pouvais juste continuer un tout petit peu, je serais...

— J'essaie de vous aider, madame. Alors prenez vos clés comme je vous l'ai demandé et revenez ici.

Audra se pencha dans la voiture, passa le bras de l'autre côté du volant et retira les clés de contact.

— Qu'est-ce qui se passe, m'man ? demanda Sean. Qu'est-ce qu'il veut ?

— Tout va bien, dit Audra. Ça sera réglé dans une minute. Ne bouge pas et surveille ta sœur. Tu peux me rendre ce service ?

Sean leva le pouce.

— Oui, m'man.

— Tu es gentil, dit-elle en lui adressant un clin d'œil.

Elle rapporta les clés au shérif – Whiteside, c'était ça ? – et les lui remit.

— Si vous voulez bien vous mettre plutôt là, dit-il en désignant la poussière, sur le bas-côté.

— Je ne voudrais pas que vous vous fassiez renverser.

Audra s'exécuta, Sean et Louise se retournant pour regarder par la vitre arrière.

Whiteside actionna l'ouverture du hayon arrière.

— Voyons ce que nous avons là-dedans.

Avait-il le droit de faire ça ? D'ouvrir le coffre et de regarder à l'intérieur ? Audra se couvrit la bouche d'une main et garda le silence pendant qu'il examinait les cartons, les sacs de vêtements, deux paniers pleins de jouets.

— Je vais vous dire ce que je peux faire pour vous aider, dit-il en se reculant, les mains sur les hanches. Je vais prendre une partie de tout ça dans ma voiture, juste pour alléger un peu, et vous suivre jusqu'à Silver Water – à mon avis, Mrs Gerber sera contente d'avoir du monde –, et ensuite vous pourrez aviser. Vous allez devoir laisser un peu de votre chargement, je vous le dis tout de suite. Il y a un magasin Goodwill sur place, je suis sûr qu'ils pourront vous prendre des choses. Ici, c'est à peu près le coin le plus pauvre de tout l'État, et le Goodwill est quasiment le seul commerce encore en activité. Mais bon, voyons ce que vous avez là.

Whiteside se pencha vers le coffre et tira un carton jusqu'au bord. Couvertures et draps sur le dessus. Affaires de couchage et linge de toilette en dessous, se rappela Audra. Elle avait emporté les housses et les taies d'oreiller préférées des enfants : *Star Wars* pour Sean, *Docteur La Peluche* pour Louise. Elle entrevit les tons pastel quand le shérif fouilla dans le carton.

L'idée lui venant alors de demander pourquoi il examinait le contenu du carton, elle ouvrit la bouche pour poser la question, mais il parla le premier.

— Qu'est-ce que c'est que ça, madame ?

Il se redressa, la main gauche retenant encore dans le carton une pile de draps et de couvertures. Audra resta un instant immobile, incapable d'établir un lien entre la question et une réponse logique.

— Des couvertures, des trucs, répondit-elle.

Il tendit l'index de l'autre main vers l'intérieur du carton.

— Et ça ?

La frayeur s'alluma en elle comme une ampoule. Elle croyait avoir eu peur précédemment, mais ce n'était que simple inquiétude. Cette fois, en revanche, c'était de la peur. Quelque chose clochait complètement, et elle n'arrivait pas à comprendre quoi.

— Je ne sais pas de quoi vous parlez, répondit-elle, incapable de réprimer la note angoissée qui filtrait dans sa réponse.

— Vous devriez peut-être venir voir, dit-il.

Audra s'avança lentement vers lui, ses tennis crissant sur le sable et les gravillons. Elle se pencha vers le coffre, jeta un coup d'œil aux entrailles obscures du carton. Une forme s'y découpait qu'elle n'arrivait pas à identifier.

— Je ne sais pas de quoi il s'agit, dit-elle.

Whiteside glissa la main droite dans le carton, attrapa la chose du bout des doigts et l'exhuma en pleine lumière.

— Vous allez peut-être pouvoir deviner ? dit-il.

Ça ne faisait aucun doute. Un sachet en plastique de bonne taille, à moitié plein d'herbe séchée.

Elle secoua la tête et dit :

— Ce n'est pas à moi.

— Moi, je dirais que ça a tout l'air d'être de la marijuana. Pas vous ?

La peur froide qui étreignait la poitrine d'Audra inonda ses bras et ses cuisses comme une eau glacée. Laissant un noyau gourd au centre. Oui, elle savait de quoi il s'agissait. Mais elle n'en consommait plus depuis longtemps. Elle n'avait touché à rien ces deux dernières années. Pas même à une bière.

— Ce n'est pas à moi.

— Vous en êtes sûre ?

— Oui, j'en suis sûre, dit-elle, mais une pensée lui vint,

tout au fond : *Fut un temps où, n'est-ce pas ? Je ne peux quand même pas avoir planqué ça et oublié que c'était dans la pile de draps ? Je n'ai pas pu faire ça… Si ?*

— Alors vous allez m'expliquer comment ceci est arrivé dans le coffre de votre voiture ?

— Je n'en sais rien, répondit-elle, tout en se demandant : *Ce n'est pas possible ? Si ?*

Non. Absolument pas. Elle n'avait rien fumé depuis avant son mariage, et déménagé trois fois depuis. Le sachet ne pouvait en aucun cas l'avoir suivie jusqu'ici, si négligente qu'elle puisse être.

Picotements dans les yeux, les larmes menaçaient, ses mains commencèrent à trembler. Mais il fallait qu'elle garde son sang-froid. *Pour les enfants*, se dit-elle. *Ne leur laisse pas voir que tu craques.* Elle s'essuya la joue du plat de la main, renifla fort.

Whiteside brandit le sachet vers la lumière, le secoua.

— Eh bien, il va falloir qu'on discute pour savoir à qui ça appartient. Je vais quand même vous dire une chose, ça m'a tout l'air d'en faire un peu trop pour qu'on parle de consommation personnelle. La discussion va donc être longue et sérieuse.

Les genoux d'Audra fléchirent. Elle posa la main sur le bord du coffre pour reprendre des forces.

— Shérif, je jure devant Dieu que ce n'est pas à moi et que je ne sais pas d'où ça sort.

Et c'était la vérité, non ?

— Comme je viens de vous le dire, madame, il va falloir qu'on discute.

— Whiteside posa le sachet sur la pile de couvertures et prit les menottes qui pendaient à son ceinturon.

— Mais à partir de maintenant vous êtes en état d'arrestation.

3

— Quoi ?

Les genoux d'Audra menacèrent de flancher. Si elle n'avait pas pris appui sur la voiture, elle se serait effondrée par terre.

— M'man ?

— Sean avait dégrafé sa ceinture de sécurité et se retournait par-dessus la banquette arrière, les yeux écarquillés.

— Qu'est-ce qui se passe, m'man ?

Louise regardait fixement aussi, le visage empreint de peur. Des larmes tracèrent deux chemins brûlants sur les joues d'Audra. Elle renifla de nouveau et les essuya.

— C'est pas possible, dit-elle.

Les traits de Whiteside restèrent inexpressifs.

— Je vais vous demander de m'accompagner jusqu'à mon véhicule, madame.

Audra secoua la tête.

— Mais... mais mes enfants ?

Il se rapprocha, abaissant la voix.

— Dans leur intérêt, on va rester bien sages. Si vous faites simplement ce que je vous dis, tout se passera beaucoup plus facilement pour vous comme pour eux. Maintenant, venez.

Whiteside lui prit le bras et elle le laissa l'entraîner de l'arrière de son break jusqu'à l'avant de sa voiture de patrouille.

— M'man ? M'man !

— Dites-lui que tout va bien, ordonna Whiteside.

Audra tourna la tête vers sa voiture.

— Tout va bien, Sean. Surveille ta sœur. On aura réglé ça dans quelques minutes.

Ils arrivèrent à la voiture de police.

— Videz vos poches là, sur le capot, dit Whiteside.

Audra plongea les mains dans les poches de son jean et déposa un tas de mouchoirs et de petite monnaie sur le capot. Whiteside jeta le sachet de marijuana par-dessus.

— Terminé ? Maintenant, retournez vos poches.

Audra s'exécuta, après quoi, sans lui lâcher le bras, il l'obligea à pivoter sur elle-même de façon à lui tourner le dos.

— Les mains derrière le dos.

Audra entendit le cliquetis du métal, sentit les doigts durs sur son poignet.

— Vous avez le droit de garder le silence. Tout ce que vous direz pourra être utilisé contre vous devant une cour de justice. Vous avez le droit à un avocat lors de l'interrogatoire ; si vous n'avez pas les moyens nécessaires, un avocat vous sera fourni. Est-ce que vous comprenez ?

Tandis que le métal froid lui encerclait les deux poignets, la portière arrière du break s'ouvrit. Sean en dégringola, atterrit à quatre pattes dans la terre.

— M'man, qu'est-ce qui se passe ? lança-t-il en se relevant.

À l'intérieur de la voiture, cris effrayés de Louise.

— Tout va bien, dit Audra, mais Sean arrivait.

— Est-ce que vous comprenez ? répéta Whiteside.

Sean, qui accourait maintenant, lança :

— Hé, lâchez ma maman !

— Sean, retourne dans la voiture…

D'une saccade, Whiteside tordit les menottes, déclenchant un élancement dans les poignets et les épaules d'Audra. Elle poussa un cri, et Sean dérapa, s'arrêta.

— Est-ce que vous comprenez vos droits ? demanda une troisième fois Whiteside, les lèvres contre l'oreille d'Audra.

— Oui, répondit-elle, le mot s'échappant de ses dents serrées tandis que l'acier lui entamait la peau.

— Alors dites-le. Dites : oui, je comprends.

— Oui, je comprends.

— Merci. (Il se tourna vers Sean.) Tu ferais bien de retourner dans la voiture, maintenant, fiston. On en aura fini de tout ça dans une minute ou deux.

Sean, grand pour son âge, se redressa de toute sa taille, mais il semblait si petit, là, sur le bord de la route.

— Lâchez ma maman.

— Ça, je ne peux pas, fiston. Maintenant, retourne dans la voiture. (Il tordit à nouveau les menottes tout en glissant à l'oreille d'Audra :) Dites-lui, vous.

Audra lâcha un gémissement de douleur.

— Dites-lui, sans quoi tout va se compliquer.

— Retourne dans la voiture, Sean, lança Audra en s'efforçant de chasser la peur de sa voix. Écoute, ta sœur est en train de pleurer. Il faut que tu ailles t'occuper d'elle. Allez, sois gentil avec moi.

L'enfant tendit l'index vers Whiteside.

— Vous avez pas intérêt à lui faire mal, dit-il, sur quoi il tourna les talons et regagna le break tout en jetant de brefs coups d'œil par-dessus son épaule de temps à autre.

— Bon garçon, dit Whiteside. Bon, alors, avez-vous quoi que ce soit de tranchant sur vous ? Qui risque de me couper pendant que je vous fouille ?

Audra secoua la tête.

— Non, rien. Mais attendez… Quoi, me fouiller ?

— C'est exact, dit Whiteside en s'accroupissant à côté d'elle. Il referma ses grosses mains autour de sa cheville et serra, frottant les paumes contre la toile du jean d'Audra.

— Vous ne pouvez pas faire ça, dit-elle. Si ? C'est une femme qui doit s'en charger.

— Je suis en droit de vous fouiller, et c'est ce que je fais. On n'a pas droit à un traitement particulier simplement parce qu'on est une femme. Fut un temps où j'aurais pu appeler le poste de police de Silver Water pour demander qu'on m'envoie une femme policier, juste par courtoisie pour vous, pas parce que je suis obligé – je ne le suis pas –, mais ce temps-là est fini. Le maire a fermé le poste de police il y a trois ans de ça. La municipalité n'avait plus les moyens.

Il s'affairait en remontant le long du mollet d'Audra puis de sa cuisse, palpant, explorant. Il appliqua le dos d'une main contre son entrejambe, juste une fraction de seconde, mais assez pour qu'elle ferme les yeux et sente son estomac se révulser. Puis lui tâta les fesses, l'intérieur des poches avant et redescendit le long de l'autre jambe, avant d'enfoncer les index à l'intérieur de ses tennis. Enfin, il se redressa, effleurant son dos trempé de sueur, contournant pour atteindre son ventre, passant sur le pourtour des seins, remontant jusqu'aux épaules, puis descendant le long des bras.

Ce fut seulement quand il eut terminé qu'Audra se rendit compte qu'elle retenait son souffle. Elle souffla alors, en une longue expiration tremblante.

Puis elle entendit les cris en provenance de la voiture, de plus en plus aigus, presque hystériques.

— Mes enfants, dit-elle.

— Ne vous inquiétez pas pour eux, dit Whiteside en la guidant vers l'arrière de son véhicule.

Il ouvrit la portière passager.

— Attention la tête.

Il posa la main sur le dessus du crâne d'Audra, appuya, la guida à l'intérieur.

— Les pieds, dit-il.

Elle se demanda un instant ce qu'il voulait dire avant de comprendre, et souleva alors les pieds pour les rentrer à l'intérieur. Il claqua la portière, et le monde sembla tout à coup moins bruyant.

— Oh ! mon Dieu, dit-elle sans pouvoir retenir plus longtemps ses larmes. Mon Dieu.

La panique crépitait à l'intérieur de son cerveau, de sa

poitrine, menaçant d'en chasser toute lucidité si Audra ne se maîtrisait pas. Elle se força à inspirer profondément par le nez, retenir son souffle, puis l'expulser par la bouche, le bout de la langue en appui contre l'arrière des dents. Un exercice de relaxation appris en cure, lorsqu'elle avait décroché. Se focaliser sur l'instant présent, trouver quelque chose à regarder, se concentrer dessus jusqu'à ce que le monde s'apaise.

Au travers de la grille qui séparait la banquette arrière de l'avant de la voiture, elle repéra une déchirure de dix centimètres dans la couture de l'appui-tête en cuir matelassé. Elle la fixa du regard, inspira, retint, expira, inspira, retint, expira.

À la périphérie de son champ visuel, elle vit Whiteside se diriger vers l'arrière du véhicule, puis entendit le coffre s'ouvrir et se refermer. Il revint à l'avant, prit le sachet d'herbe sur le capot, le glissa dans une enveloppe en kraft, procéda de la même façon avec les bouts de mouchoir et la monnaie qu'elle avait retirés de ses poches. Audra reprit sa contemplation de la déchirure, se concentra de plus belle sur sa respiration. La portière passager s'ouvrit, et Whiteside jeta les deux enveloppes sur le siège, avant de se pencher pour la regarder.

— Vous avez de la famille dans les environs ?

— Non, répondit Audra.

— Quelqu'un peut venir chercher les enfants pour vous ?

— J'ai une amie, dit-elle. En Californie. À San Diego.

— Ah, ça ne va pas beaucoup nous aider non plus, hein ? Et leur père ? Où est-ce qu'il se trouve ?

— À New York. On n'est plus ensemble.

Whiteside soupira en faisant la moue, se plongea quelques instants dans ses pensées, puis hocha la tête, une décision prise. Il tendit la main vers le combiné radio, sur le tableau de bord.

— Collins, vous m'entendez ?

Il se figea un instant, tête baissée, guettant la réponse.

— Où êtes-vous, Collins ?

Crachotements, puis une voix de femme.

— Je circule sur la route Gisela, chef. Vous avez besoin de quelque chose ?

— Je suis sur la route du comté, juste à la hauteur de l'embranchement vers Silver Water, dit-il. Je viens de procéder à une arrestation pour détention de drogue. J'ai deux gamins dans la voiture du prévenu, je vais avoir besoin que vous vous occupiez d'eux, d'accord ? Voyez aussi si vous pouvez mettre la main sur Emmet. Il me faut une dépanneuse pour un remorquage, ici.

Quelques secondes de silence, puis Whiteside reprit :

— Collins ?

— Oui.

— Vous pensez pouvoir trouver Emmet pour moi ?

Nouvelle pause, et Whiteside s'humecta les lèvres.

— Collins ? Oui ou non ?

— Ça va se faire, dit la femme. Laissez-moi cinq, dix minutes.

Whiteside la remercia et reposa le combiné. Il tourna la tête vers Audra et dit :

— C'est bon. Maintenant, on va rester là tranquilles et attendre un moment.

Par la portière ouverte, Audra entendit les hurlements de Louise transpercer la panique latente qui lui embrumait le cerveau.

— Écoutez, dit-elle. Mes enfants pleurent. Je ne peux pas les laisser là-bas.

Il soupira, puis répondit :

— C'est bon. Je vais aller m'occuper d'eux.

— Attendez, je peux…

La portière claqua, faisant tanguer la voiture sur ses amortisseurs. Tout en le regardant s'éloigner sans hâte vers le break, Audra récita une prière muette.

4

Par le hayon arrière ouvert du break, Sean regarda le gros homme approcher. Louise poussait des cris stridents, cramponnée à son Gogo. Le ballot de bourre et de tissu rose qui avait un jour été un lapin possédait encore deux yeux, mais c'était bien tout.

— Tais-toi, dit Sean. M'man a dit que tout allait bien se passer. Alors arrête de pleurer, d'accord ?

Rien à faire. Elle sanglota de plus belle, encore plus fort quand le gros policier referma le coffre d'un claquement sec. Il contourna ensuite la voiture jusqu'à la portière de Sean, l'ouvrit, s'accroupit de façon à se mettre au niveau des deux enfants.

— Alors, ça va, les petits ?

— Qu'est-ce qui se passe ? demanda Sean.

Le policier s'essuya la bouche d'un revers de main.

— Eh bien, je ne peux pas te raconter de mensonges, fiston. Ta maman a des petits ennuis.

— Mais elle n'a rien fait.

Le shérif Whiteside – Sean lut son nom sur la barrette – retira ses lunettes-miroir, dévoilant ses yeux gris. Et quelque chose dans ce regard glaça Sean, le terrifia à tel point qu'une soudaine douleur lui vrilla la vessie, lui donnant l'envie urgente de la vider.

— Alors, écoute, voilà le problème, dit Whiteside. Elle avait quelque chose dans le coffre, là, qu'elle n'aurait pas dû avoir. Quelque chose d'illégal. Donc, maintenant, il faut que je l'emmène en ville pour qu'on puisse en discuter. Mais tout va bien se passer, je te le promets.

— C'était quoi, ce qu'elle avait ? demanda Sean.

Le shérif esquissa un faible sourire.

— Quelque chose qu'elle n'aurait pas dû avoir. C'est tout. Mais tout va bien se passer.

Whiteside promenait maintenant le regard dans l'habitacle, examinait Sean et Louise, et Sean sentait presque les yeux du shérif l'effleurer, passer sur sa peau. L'homme se redressa un peu de façon à mieux regarder Louise, la détailla tout du long, de la tête aux pieds en passant par le corps et les jambes. Il hocha la tête, et sa langue surgit entre ses lèvres, les humecta, puis disparut.

— Tout va bien se passer, répéta-t-il. Alors, voilà ce qu'on va faire. Comme je le disais, il faut que j'emmène votre maman en ville pour discuter avec elle, mais je ne peux pas vous laisser ici tout seuls. Donc ma collègue, l'agent Collins, va venir vous prendre ici et vous emmener en lieu sûr pour s'occuper de vous.

Louise lâcha un long gémissement.

— On va aller en prison ?

Whiteside sourit, mais la lueur qui effrayait Sean ne disparut pas de son regard.

— Non, ma chérie. Vous n'irez pas en prison. L'agent Collins va vous emmener dans un endroit sûr.

— Où ça ? demanda Sean.

— Dans un endroit sûr. Tu n'as pas à t'inquiéter de ça. Tout va bien se passer.

— Je peux emmener Gogo ? demanda Louise.

— Bien sûr, ma chérie. L'agent Collins sera là dans une minute, et tout ira bien.

— Vous dites tout le temps ça.

Whiteside regarda Sean et son sourire s'effaça.

— Quoi ?

Sean comprit alors ce qui l'inquiétait dans le regard du shérif.

— Vous dites tout le temps que tout va bien se passer. Pourtant, on dirait que vous avez peur.

Whiteside cilla, et son sourire se crispa.

— Je n'ai pas peur, fiston. J'ai juste envie que vous vous sentiez tous les deux en sécurité. L'agent Collins va prendre bien soin de vous. Votre maman et moi, on va régler ça en un rien de temps, et vous pourrez tous rentrer chez vous. Tiens, d'ailleurs, vous ne m'avez pas dit comment vous vous appelez.

Sean ferma la bouche.

Whiteside regarda Louise, dont les lamentations se bornaient maintenant à des hoquets et des reniflements.

— Comment tu t'appelles, ma chérie ?

— Louise.

— Et ton frère ?

— Sean.

— Jolis noms, dit Whiteside en souriant de toutes ses dents. Où est-ce que vous habitez ?

— À New York, dit Louise.

— À New York, répéta l'homme. C'est vrai ? Alors, vous êtes loin de chez vous.

— On déménage en Californie, dit Louise.

— Tais-toi, dit Sean. On n'est pas obligés de lui répondre.

Whiteside lâcha un rire bref.

— La petite demoiselle peut parler avec moi si elle en a envie.

Sean tourna la tête vers lui, le regarda froidement.

— J'ai vu ça à la télé. On n'est pas du tout obligés de vous répondre.

Le shérif s'adressa de nouveau à Louise.

— Ton grand frère est un garçon futé. À mon avis, il sera avocat un jour ou l'autre, qu'est-ce que tu en penses ?

Louise serra Gogo sur son cœur.

— Je sais pas.

— Bon, on ne fait que parler, histoire de passer le temps, hein ? Comme ça se fait. Et je voulais juste m'assurer que vous alliez bien, tous les deux. Vous avez de l'eau ?

Louise souleva sa bouteille pour la lui montrer. Sean garda le regard braqué droit devant lui.

— Bien, alors buvez. Il fait chaud ici. Il ne faut pas vous déshydrater.

Louise but une longue goulée. Sean ne bougea pas.

Un grondement se fit entendre au loin. Le shérif scruta la route.

— La voilà, dit-il en se relevant.

Sean regarda au détour de l'appui-tête du siège avant, au-delà du pare-brise. Une autre voiture de patrouille approcha, ralentit, et fit demi-tour. Puis elle recula le long du bas-côté jusqu'à ce que son pare-chocs arrière ne soit plus qu'à un mètre ou deux de l'avant du break. Une jeune femme en descendit, vêtue du même uniforme que Whiteside, les cheveux blonds attachés, la mâchoire aussi ferme que celle d'un garçon, les hanches étroites.

L'agent Collins longea la voiture pour rejoindre Whiteside à côté de la portière.

— Je vous présente Sean et Louise, dit-il. Ils sont un peu inquiets mais je leur ai dit que vous prendriez bien soin d'eux. Hein, que c'est vrai ?

— C'est vrai, dit-elle en se baissant. Bonjour, Sean. Bonjour, Louise. Je suis l'agent Collins, c'est moi qui vais m'occuper de vous. Juste un moment, le temps qu'on règle tout ça. Ne vous faites pas de souci. Tout va bien se passer.

Sean sentit comme un doigt glacé se poser sur son cœur en voyant le regard bleu de la jeune femme ; en dépit de son sourire et de sa voix douce, elle semblait avoir encore plus peur que le shérif.

— Maintenant, vous allez venir avec moi.

— Où est-ce que vous nous emmenez ? demanda Sean.

— Dans un endroit sûr, dit Collins.

— Mais où ?

— Dans un endroit sûr. Tu peux peut-être aider Louise à défaire sa ceinture de sécurité ?

Sean s'apprêtait à répondre, à lui dire que non, ils n'iraient nulle part, mais Louise lança :

— Je peux le faire toute seule. Le monsieur a dit que je pouvais emmener Gogo.

— Bien sûr, que tu peux, dit Collins.

Avant que Sean puisse l'en empêcher, Louise était sortie de son rehausseur et passait par-dessus son frère pour prendre la main de Collins, qui l'aida à descendre de voiture. Sean, lui, ne bougea pas.

Collins lui tendit l'autre main.

— Allez, viens.

Sean croisa les bras.

— Je crois qu'il ne faut pas.

— Tu n'as pas le choix, Sean, dit-elle. Il faut que tu viennes avec moi.

— Non.

Whiteside se pencha et lui glissa à voix basse :

— Fiston, l'agent te l'a dit, tu n'as pas le choix. Si tu m'y obliges, je te mettrai en état d'arrestation, je te passerai les menottes, et je te transporterai jusqu'à la voiture de l'agent. Sinon, tu peux aussi y aller de toi-même. Qu'est-ce que tu choisis ?

— Vous ne pouvez pas m'arrêter, dit Sean.

Le shérif s'approcha tout près, la peur se muant en colère dans son regard.

— Tu es bien sûr de ça, fiston ?

Sean déglutit et répondit :

— C'est bon.

Il descendit à son tour, et Whiteside posa une main ferme sur son épaule, puis le guida en direction de la voiture de patrouille. Collins ouvrait la marche, tenant Louise par la main, puis ouvrit la portière arrière et aida Louise à monter à l'intérieur.

— Installe-toi vite au fond, ma puce, dit Collins. Elle tendit la main pour aider Sean.

Il se retourna pour regarder la voiture du shérif, essaya d'apercevoir sa mère au travers du pare-brise. Tout ce qu'il parvint à distinguer, ce fut une forme vague susceptible d'être, ou pas, celle d'Audra. Les gros doigts de Whiteside lui étreignirent l'épaule, le forçant à avancer vers Collins.

— Allez, monte, dit la jeune femme, passant la main sous le bras de Sean pour le faire entrer dans la voiture. Rends-moi service, aide ta sœur à mettre sa ceinture, d'accord ?

Sean se figea en constatant que la banquette arrière était recouverte d'une pellicule de plastique transparent, scotchée par endroits, qui recouvrait l'assise, le dossier, les tapis de sol, les appuis-tête. D'une poussée au niveau des reins, Collins finit de le faire entrer dans la voiture.

La portière se referma derrière lui, et il observa au travers des vitres poussiéreuses, regardant les deux agents en train de discuter, tout proches l'un de l'autre. Collins acquiesçait à ce que lui disait Whiteside, puis le shérif fit demi-tour et retourna vers son propre véhicule. Collins resta immobile un moment, une main sur la bouche, le regard dans le vide. Sean eut le temps de se demander quelles pensées pouvaient bien la retenir là, puis elle contourna la voiture, ouvrit la porte côté conducteur et s'installa au volant.

Tout en tournant la clé de contact, elle regarda Sean dans le rétroviseur et dit :

— Je t'ai demandé d'aider ta sœur à mettre sa ceinture. Tu peux me rendre ce service ?

Sans lâcher Collins des yeux, Sean sangla la ceinture de Louise, puis la sienne.

— Merci, dit l'agent.

Collins enclencha la position *drive* et quitta le bas-côté, s'éloignant du break dans lequel ils avaient traversé le pays. L'embranchement vers Silver Water se rapprocha ; Sean attendit qu'elle freine et tourne le volant.

Elle n'en fit rien. Et accéléra de plus belle en passant devant la bifurcation. Sean tourna la tête, regarda le panneau et l'embranchement s'éloigner derrière eux. La peur qui lui tenaillait le ventre depuis que le shérif les avait arrêtés enfla dans sa poitrine et lui étreignit la gorge. Les larmes débordèrent, brûlantes, choquantes, et roulèrent de ses joues jusque sur son T-shirt. Il tenta de les refouler, mais n'y parvint pas. Pas plus qu'il ne put réprimer le gémissement enfermé dans sa bouche.

Collins lui adressa un bref regard.

— Ne t'inquiète pas, dit-elle. Tout va bien se passer.

D'une certaine façon, le fait qu'elle le voie pleurer comme un bébé aggrava les choses, ajoutant la honte à la peur, si bien que ses larmes redoublèrent. Il pleurait pour sa mère, pour leur maison et les moments qu'ils y avaient passés avant de devoir partir.

Louise tendit le bras vers lui, sa petite main prenant celle de son frère.

— Pleure pas, dit-elle. Tout va bien se passer. C'est eux qui nous l'ont dit.

Mais Sean savait qu'ils mentaient.

5

Audra vit l'autre voiture de patrouille s'éloigner au travers du brouillard de ses larmes. Elle avait regardé ses enfants que l'agent faisait descendre du break puis monter dans la voiture de patrouille, vu Sean se retourner pour jeter de petits regards en direction de sa mère, pleuré quand ils avaient disparu de sa vue. Le shérif Whiteside revint alors tranquillement, les lunettes sur le nez, les pouces dans le ceinturon, comme s'il n'y avait aucun problème nulle part. Comme si les enfants d'Audra ne venaient pas d'être emmenés par une inconnue.

Une inconnue, peut-être, mais de la police. Quels que puissent être les ennuis qui attendaient Audra, l'agent Collins s'occuperait des enfants. Ils seraient en sécurité.

— Ils seront en sécurité, dit tout fort Audra d'une voix qui sonna creux dans la voiture.

Elle ferma les yeux et répéta sa phrase, comme un vœu qu'elle souhaitait désespérément voir se réaliser.

Whiteside ouvrit la portière et s'installa au volant. Son poids fit tanguer la voiture. Il ferma la portière, inséra la clé de contact et démarra. La climatisation se ranima, diffusant de l'air chaud dans l'habitacle.

En voyant les lunettes du shérif se refléter dans le rétroviseur, Audra comprit qu'il l'observait, comme si elle était une abeille prise dans un bocal. Elle renifla un bon coup, déglutit, battit des paupières pour chasser les larmes.

— La dépanneuse ne va pas tarder, dit-il. Ensuite, on se mettra en route.

— Cette femme policier…
— L'agent Collins, dit-il.
— L'agent, où est-ce qu'elle emmène mes enfants ?
— Dans un endroit sûr.
Audra se pencha en avant.
— Où ça ?
— Dans un endroit sûr, dit-il. Vous avez d'autres chats à fouetter à l'heure qu'il est.

Elle inspira, expira, sentit monter la crise de nerfs, la réprima. « Je veux savoir où sont mes enfants », dit-elle.

Whiteside resta quelques secondes figé, sans rien dire, puis répondit :
— Vous feriez mieux de vous taire pour le moment.
— S'il vous plaît, dites-moi juste…
Il retira ses lunettes, se retourna pour la regarder en face.
— J'ai dit : taisez-vous.

Audra connaissait ce regard. Il lui glaça le cœur. Ce mélange de haine et de fureur. Le regard qu'avait son père une fois imbibé d'alcool, quand il fallait qu'il fasse mal à quelqu'un, elle ou son petit frère, en général.
— Pardon, souffla-t-elle, si bas que ce n'était même pas un murmure.

Comme une petite fille de huit ans espérant qu'un « pardon » suffirait à éviter que la ceinture de son père glisse hors de ses passants et s'enroule autour de son poing. Elle ne put soutenir ce regard, baissa les yeux.
— Bon, fit-il. Puis il se retourna face au désert qui se déployait au-delà du pare-brise.

Silence à présent, à l'exception du ronronnement du moteur tournant au ralenti. Un sentiment irréel submergea Audra, comme si tout ça n'était qu'un rêve dû à la fièvre, qu'elle était témoin du cauchemar de quelqu'un d'autre.

Mais, en fait, est-ce que ça n'avait pas été le cas pendant toute l'année et demie qui venait de s'écouler ?

Depuis qu'elle avait quitté Patrick, pris la fuite en

emportant Sean et Louise avec elle, au fil des jours, des semaines et des mois, elle n'avait connu que l'angoisse. Le spectre de son mari se profilant constamment derrière tout ce qu'elle voyait, la sensation de sa présence, la certitude de ce dont il voulait la priver pesant sans cesse comme une chape sur son esprit.

Dès que Patrick eut compris qu'il l'avait perdue, qu'elle ne se soumettrait plus à sa volonté, il commença à décrire des cercles autour d'elle, cherchant la faille dont il savait qu'elle lui permettrait de détruire Audra. Il n'aimait pas leurs enfants, pas plus qu'il ne l'avait aimée, elle. Ils étaient pour lui des accessoires, au même titre qu'une voiture ou une belle montre. Un symbole vis-à-vis de tout son entourage, qui disait : regardez-moi, je réussis, je mène la vie que mènent les gens bien. Audra s'était rendu compte trop tard que ses enfants et elle n'étaient que des éléments de la façade qu'il s'était construite pour donner l'illusion d'être une personne respectable.

Quand, finalement, elle s'était libérée de ce joug, il en avait conçu une rage qui ne s'était pas apaisée depuis. Et il disposait de bien des leviers. L'alcool, les médicaments prescrits, la cocaïne, tout. Bien qu'il ait lui-même alimenté les faiblesses d'Audra de façon à la maintenir sous sa coupe – la thérapeute l'avait qualifié de « pervers narcissique » –, il s'en servait maintenant comme armes pour lui arracher les enfants. Il avait fourni les preuves aux avocats, au juge, puis les services d'aide à l'enfance étaient venus voir Audra, l'avaient interrogée dans le petit appartement de Brooklyn où elle s'était installée. Des questions méprisantes, blessantes.

Le dernier entretien l'avait démolie. L'homme et la femme soucieux, lui demandant d'un ton bienveillant si ce qu'on leur avait dit était vrai et si les enfants ne seraient pas mieux auprès de leur père, ne serait-ce que pour quelques semaines, le temps qu'elle se débarrasse de son addiction.

— Je ne prends plus rien, avait-elle répondu. Depuis presque deux ans.

C'était la vérité. Elle n'aurait pas eu la force de quitter son mari, d'emmener les enfants, si elle ne s'était pas d'abord débarrassée de son addiction. Les dix-huit mois écoulés depuis avaient été un combat, certes, mais elle n'était pas retombée dans les pratiques qui avaient failli la tuer. Elle s'était reconstruit une vie, pour elle et pour les enfants, trouvé un emploi régulier de serveuse dans un *coffee shop*. Ça ne rapportait pas grand-chose, mais elle avait un peu d'argent de côté, prélevé avant de partir sur le compte joint qu'elle avait avec Patrick. Elle s'était même remise à peindre.

Mais l'homme et la femme inquiets n'avaient pas eu l'air de s'intéresser à ça. Ils avaient échangé un regard, le visage empreint de pitié, et Audra leur avait demandé de bien vouloir quitter son appartement. Ils avaient déclaré :

— Nous préférerions éviter d'en arriver à la procédure judiciaire. Il vaut toujours mieux régler les choses entre parents.

Audra leur avait alors hurlé de foutre le camp de chez elle et de ne jamais y remettre les pieds.

Elle avait passé le reste de la journée en proie à une agitation frénétique, tremblant de tous ses membres, mourant d'envie de prendre quelque chose, n'importe quoi, qui émousse un peu les contours de sa terreur. Finalement, elle avait appelé Mel, la seule amie qu'elle ait conservée depuis la fac.

— Venez, venez à San Diego, juste pour quelques jours, j'ai de la place, avait dit Mel.

Audra avait commencé à faire les bagages sitôt le téléphone raccroché. Au début, ce n'étaient que les vêtements dont elle et les enfants auraient besoin pendant les quelques jours en question, puis elle se dit qu'il faudrait des jouets, qu'ils voudraient sans doute leur housse de couette préférée, si bien que les sacs devinrent des cartons et qu'elle comprit qu'elle ne pourrait pas prendre l'avion, qu'il faudrait faire avec le vieux break qu'elle avait acheté l'année précédente, et que ce ne serait pas pour quelques jours mais pour toujours.

Elle ne cessa de penser à ce qu'elle était en train de faire qu'après avoir traversé la moitié du New Jersey. Quatre jours plus tôt, au matin, elle s'était garée sur le bord de la route, prise d'une panique qui semblait jaillir du fin fond d'elle-même. Pendant que Sean demandait inlassablement pourquoi elle s'était arrêtée, elle restait immobile, les mains sur le volant, la poitrine houleuse, luttant pour reprendre son souffle.

Ce fut son fils qui la calma. Il se libéra de sa ceinture de sécurité, passa par-dessus le siège passager pour s'y installer, et lui tint la main tout en lui parlant d'une voix douce et chaleureuse. En quelques minutes, elle s'était ressaisie, après quoi, ensemble, Sean et elle déterminèrent ce qu'il fallait faire, où ils allaient, et comment y arriver.

De plus petites routes, avait-elle décidé. Elle ne savait pas ce qui se passerait quand les services d'aide à l'enfance se rendraient compte qu'elle était partie en emmenant les enfants, mais il se pouvait qu'ils alertent la police et qu'on les recherche, elle et le break. Ça avait donc ensuite été des petites routes sinueuses jusqu'ici, ponctuées d'innombrables petites villes. Et aucun problème avec la police. Jusqu'à maintenant.

— Le voilà, lança Whiteside, arrachant Audra à ses pensées.

Un peu plus loin, une dépanneuse quittait la route de Silver Water et tournait pour venir dans leur direction. Elle ralentit à quelques mètres de leur véhicule, et le conducteur entreprit de faire demi-tour pour reculer face au break d'Audra, un signal sonore accompagnant la manœuvre. L'homme, très maigre dans son bleu de travail maculé, sauta à bas de la cabine. Whiteside descendit de voiture et alla le rejoindre derrière la dépanneuse.

Audra regarda les deux hommes discuter, le chauffeur

tendre un carnet à Whiteside pour qu'il le signe, puis arracher le feuillet du dessus pour le lui remettre. Il se retourna ensuite pour la regarder longuement, et elle eut l'impression d'être un singe dans un zoo. Cette intrusion suscita en elle une colère irrationnelle qui lui donna envie de cracher sur ce type.

Pendant que le conducteur s'affairait, attachant un câble de remorquage à l'avant de la voiture d'Audra, Whiteside regagna la voiture de patrouille. Il s'installa au volant sans rien dire et enclencha la position *drive*. Il adressa un signe de la main au conducteur quand il passa. L'homme profita de l'occasion pour dévisager à nouveau Audra, qui détourna la tête.

Whiteside prit la sortie vers Silver Spring à bonne allure, si bien qu'Audra dut planter les deux pieds, largement écartés, pour éviter de basculer. La route grimpant en sinuant entre les collines, elle ne tarda pas à avoir mal aux cuisses à force de batailler pour garder l'équilibre. La faible pente sembla se poursuivre pendant une éternité entre deux flancs de colline bruns piqués du vert des figuiers de Barbarie et des touffes de buissons.

Le shérif conduisait en silence, jetant de temps à autre un bref regard à Audra dans le rétroviseur, les yeux à nouveau dissimulés derrière ses lunettes. Chaque fois qu'il la regardait, elle ouvrait la bouche pour parler, lui demander à nouveau où étaient ses enfants, mais chaque fois il détournait les yeux avant qu'elle ait pu formuler sa question.

Ça va aller pour eux, se répétait-elle. *C'est l'agent qui les a. Quoi qu'il m'arrive à moi, ça se passera bien pour eux. Tout ça est une erreur terrible, mais, une fois que ça sera réglé, on repartira tous les trois.*

À moins, en fait, que la police ait découvert qu'elle avait fui les services d'aide à l'enfance. Auquel cas on les renverrait à New York, elle et les petits, pour affronter les conséquences. Si c'était ça le pire, alors d'accord. Au moins, Sean et Louise seraient en sécurité jusqu'à ce que Mel puisse venir les chercher.

Ah, mais, au fait, Mel. Audra l'avait appelée en chemin pour dire qu'ils étaient en route, et Mel avait accueilli cette annonce en silence. Audra comprit alors que son amie avait proposé de les recevoir à San Diego par gentillesse, mais sans s'attendre à ce qu'ils acceptent. Tant pis. Si Mel ne voulait pas d'eux, Audra avait encore de quoi payer une chambre d'hôtel pas chère pendant une semaine. Elle trouverait bien un moyen.

Après un dernier virage, la voiture atteignit le sommet de la côte et une profonde cuvette se dévoila alors, une étendue aussi plate que le fond d'une casserole. Au centre s'étalaient des constructions. Les contreforts des montagnes, à l'autre bout, étaient striés d'orange et de rouge, et des formes fantastiques surgissaient du paysage au pied du massif. Whiteside engagea la voiture dans la succession d'épingles à cheveux qui descendait vers la ville, et à nouveau Audra se carra contre la portière pour éviter d'être trop secouée. Elle aperçut derrière la vitre les premières constructions, cahutes et pavillons préfabriqués, parmi les petits arbres difformes, en contrebas. Clôtures grillagées autour des propriétés. Antennes satellites sur certains toits. Pick-up garés à côté de certaines maisons, pneus appuyés contre les murs ou carcasses automobiles entassées dans la cour d'autres habitations.

Le goudron blanchi par le soleil se mua en terre battue quand la route devint rectiligne, et la voiture se mit à cahoter et grincer. Ils longeaient maintenant les bâtiments qu'Audra avait vus du haut des collines, et le délabrement devenait plus visible. Certains propriétaires avaient fait de leur mieux pour égayer les maisons de peintures vives et de carillons de jardin, en particulier celles dans la cour desquelles étaient placardés des panneaux à vendre, mais le désespoir était perceptible au travers de la vitre.

Elle savait reconnaître la misère parce qu'elle n'en était qu'à une génération d'écart. Les parents de sa mère n'avaient pas vécu dans la lumière éblouissante du désert, plutôt sous les cieux gris de la campagne de Pennsylvanie, mais leur ville d'aciéries en déclin présentait les mêmes abords miteux. Quand ils faisaient le trajet depuis New York pour aller voir ses grands-parents, elle jouait sur une balançoire rouillée installée dans le jardin pendant que sa mère restait avec eux. Le grand-père était au chômage depuis des années, leurs vieux jours se déployaient, sinistres, devant eux.

Audra se demanda pourquoi l'endroit se nommait Silver Spring. Il devait y avoir une rivière ou un lac tout proche, se dit-elle. Les populations qui s'installaient dans un désert devaient se rassembler autour d'un point d'eau. Mais qu'est-ce qui les poussait à rester sur place ? Qui pouvait choisir de faire sa vie dans un endroit si dur, où le soleil arrachait la peau du dos ?

Les maisons, de part et d'autre de la route, se firent plus proches les unes des autres, mais pas encore au point de constituer une rue. Parmi les préfabriqués, quelques constructions plus durables, en bois, dont la peinture cloquait et s'écaillait. Un homme âgé en short et maillot de corps se détourna de sa boîte aux lettres et leva l'index pour saluer le shérif. Whiteside lui retourna le geste, soulevant brièvement l'index du volant. Le vieil homme fixa Audra quand la voiture passa devant lui, plissant les yeux.

Un garage auto, fermé depuis longtemps, son enseigne décolorée. Encore des maisons, alignées le long de la chaussée, à présent, certaines plus pimpantes que d'autres. La rue s'élargit et s'aplanit, et un trottoir vint agrémenter le chemin menant à la ville. Une église, d'un blanc si aveuglant qu'Audra en eut mal aux yeux. Elle détourna le regard vers le pare-brise avant et, en voyant des bâtiments d'un et deux étages s'étirer plus loin sur environ huit cents mètres, elle comprit que la rue principale commençait de l'autre côté du pont de bois dont ils s'approchaient.

Elle regarda par-dessus la rambarde quand ils le franchirent, s'attendant à voir couler une rivière. Mais elle n'aperçut qu'un lit sec, au milieu duquel ne serpentait qu'un filet bourbeux. L'eau de la « source argentée » dont la ville tirait son nom s'était réduite à presque rien. Mourante, comme la ville elle-même. Au milieu du tumulte de ses pensées, elle éprouva un peu de tristesse pour cet endroit et ses habitants.

Des vitrines vides le long de la rue principale, là où se tenaient autrefois des commerces. Avec, pour la plupart, des panneaux À VENDRE et À LOUER, fendus et décolorés, fixés au-dessus. Il ne restait en activité qu'une supérette, un magasin Goodwill et un café-restaurant. Quelques rues secondaires s'éloignaient du centre, tout aussi désolées d'après les brefs aperçus qu'elle en avait. Finalement, au bout de la rue, Whiteside se gara sur un parking, au pied d'un bâtiment en parpaings qu'une inscription noire sur fond blanc désignait comme le BUREAU DU SHÉRIF DU COMTÉ D'ELDER. Le parking disposait d'environ une douzaine de places, mais le véhicule de Whiteside en était le seul occupant.

Où était la voiture de l'agent Collins ?

Whiteside coupa le moteur, resta un moment immobile et silencieux, les mains sur le volant. Il dit à Audra d'attendre et descendit de voiture, gravit un petit plan incliné en béton pourvu d'une main courante, qui menait à une porte métallique sur le côté du bâtiment, choisit une clé sur la chaîne fixée à son ceinturon et ouvrit, puis revint à la voiture. Il empoigna fermement le bras d'Audra en l'aidant à sortir puis en la guidant vers le bâtiment, instants de touffeur suffocante avant la fraîcheur relative du bureau.

Les yeux d'Audra mirent quelques instants à s'acclimater à la pénombre qui y régnait, aux faibles néons qui papillotaient au-dessus de sa tête. Petit local sans cloisons, quatre bureaux sur l'un desquels trônait un ordinateur qui devait bien avoir dix ans. Les autres semblaient inutilisés depuis des lustres. Une rambarde en bois fermée d'un verrou séparait les bureaux de l'entrée du local. Il flottait dans la pièce un relent de renfermé, une moiteur en dépit de la chaleur du dehors.

D'un coup de pied, Whiteside sortit une chaise de sous un bureau et poussa Audra à reculons jusqu'à ce qu'elle n'ait pas d'autre choix que de s'asseoir. Il s'assit à son tour et alluma l'ordinateur. L'engin cliqueta et grésilla en se mettant en marche, comme un moteur qui n'aime pas les matins froids.

— Où l'agent Collins a-t-elle emmené mes enfants ? demanda Audra.

Whiteside pianota sur quelques touches pour se connecter.

— Nous verrons ça plus tard.

— Shérif, je ne veux pas faire de difficultés, vraiment pas, mais j'ai besoin de savoir mes enfants en sécurité.

— Comme je vous l'ai dit, madame, nous verrons ça plus tard. Maintenant, mettons-nous au travail. Plus vite on aura réglé tout ça, plus vite je pourrai vous relâcher. Donc : nom et prénom.

Audra coopéra tout au long du formulaire : nom, lieu de naissance, domicile – même lorsque le shérif lui retira les menottes pour pouvoir lui passer le bout des doigts sur un tampon encreur.

— On fait les choses à l'ancienne, ici, dit-il d'un ton un peu plus chaleureux. Pas de ces bêtises informatiques. On n'a pas de quoi changer de matériel. Dans le temps, j'avais six agents et un shérif assistant pour m'aider dans ce genre de procédure. Mon équipe, plus un poste de police d'État dans la ville, quoi que ça vaille. Maintenant, il n'y a plus que Collins et moi pour maintenir l'ordre à Silver Water, et Sally Grames qui vient faire la paperasse administrative trois matins par semaine. Ce n'est pourtant pas qu'on voie beaucoup de délinquance. Vous êtes sans doute la première personne de l'année à passer dans ce bureau pour autre chose qu'ivresse sur la voie publique.

Whiteside tendit une boîte de lingettes. Audra en sortit une, puis une deuxième, et entreprit de se nettoyer les doigts.

— Bon, alors écoutez, dit-il. On n'a pas besoin de faire toute une histoire. Je suppose que vous serez réglo si je ne vous remets pas les menottes. Je me trompe ?

Audra secoua la tête.

— Bien. Maintenant, je dois faire quelques vérifications, m'assurer que vous n'êtes sous le coup d'aucun mandat d'arrêt, mais je doute que ce soit le cas. Comme je le disais, la quantité de marijuana que vous aviez…

— Elle n'est pas à moi, dit Audra.

— C'est vous qui le dites, mais la quantité que j'ai trouvée dans votre voiture pourrait sembler, aux yeux de certains, trop importante pour être destinée à votre usage personnel. Si vous êtes réglo avec moi, je pense que je peux être coulant là-dessus. Qualifier ça de simple détention et laisser tomber l'intention de trafic. Et donc, tout bien pesé, je m'attends à ce que la juge Miller vous inflige une petite amende et un brin de sermon. La juge tient généralement ses audiences le mercredi à la mairie, mais je vais lui passer un coup de téléphone, voir si elle accepterait de venir lire l'acte d'accusation demain matin en audience exceptionnelle. Comme ça, vous n'auriez qu'une nuit à passer ici.

Audra voulut protester, mais il leva la main pour la faire taire.

— Laissez-moi finir. Je vais devoir vous faire passer la nuit en cellule, quoi qu'il advienne. Mais, si vous coopérez avec moi, dès que je vous aurai installée, j'appellerai la juge Miller. Dans le cas contraire, si vous me faites des ennuis, ce sera bien volontiers que je vous laisserai en cellule un jour ou deux de plus. Alors, est-ce que vous pensez pouvoir vous tenir tranquille ? Ne pas faire de vagues ?

— Oui, shérif, dit Audra.

— Bon, très bien, dit-il en se levant.

Il alla jusqu'à une porte, au fond du bureau, sur laquelle était indiqué GARDE À VUE, fouilla parmi les clés de sa chaîne, puis s'arrêta et se retourna.

— Vous venez ?

Audra se leva et le suivit. Il tourna la clé dans la serrure, passa le bras à l'intérieur pour allumer une nouvelle rangée de néons. Puis, tenant la porte, il s'effaça pour la laisser passer. À l'intérieur se trouvait un petit bureau au vernis entaillé et taché, et, dessus, un mug contenant une série disparate de stylos. Au-delà, trois cellules alignées, cages cubiques au sol de béton équipées de deux bat-flancs chacune, ainsi que d'un WC et un lavabo dissimulés derrière des murets en brique.

Audra s'immobilisa, la peur qu'elle sentait frémir en elle commençant à monter. Ses épaules s'élevaient et s'abaissaient à mesure que sa respiration s'accélérait tandis qu'une bouffée de vertige l'engloutissait.

Whiteside passa devant elle et gagna la cellule la plus à gauche. Il tourna la clé dans la serrure. Grincement de métal sur métal quand il fit coulisser la grille. Il se tourna vers Audra pour la regarder, son visage mafflu empreint d'inquiétude.

— Honnêtement, dit-il, ça n'a rien de si terrible. Il fait frais, les couchettes ne sont pas trop inconfortables, vous disposerez de l'intimité qu'il vous faut. Une nuit, c'est tout. Je vais juste vous demander de retirer vos chaussures et votre ceinture, et de les déposer sur le bureau, là-bas.

Tandis qu'Audra contemplait l'intérieur vide de la cellule, les tremblements gagnèrent son corps et ses membres. Ses pieds étaient rivés au béton du sol.

Whiteside tendit la main vers elle.

— Bon, allez, plus vite vous serez installée là-dedans, plus vite on pourra régler tout ça.

Audra dégrafa sa ceinture, la glissa hors des passants de son jean, se débarrassa de ses tennis, puis posa le tout sur le bureau. Ses chaussettes couinèrent sur les dalles de lino quand elle gagna la cellule et en franchit la porte. À nouveau, elle entendit le grincement métallique, et elle se retourna à temps pour voir la grille se refermer. Whiteside tourna une clé dans la serrure.

Audra s'approcha des barreaux, y posa les mains. Elle regarda Whiteside droit dans les yeux, à quelques centimètres, de l'autre côté.

— S'il vous plaît, dit-elle sans parvenir à empêcher sa voix de trembler. J'ai fait tout ce que vous m'avez demandé. J'ai coopéré. S'il vous plaît, dites-moi où sont mes enfants.

Whiteside soutint son regard.

— Quels enfants ? demanda-t-il.

6

Sean regarda tourbillonner la poussière derrière la vitre quand l'agent Collins quitta la route pour s'engager sur un chemin de terre sans indication. Spontanément, il tendit la main et prit celle de Louise. Elle avait les doigts chauds et moites. Il sentit son estomac grogner tandis que la voiture tanguait d'un bord à l'autre du chemin qui montait en serpentant dans les collines.

On aurait dit qu'ils roulaient depuis une éternité. Sean s'était dit que la ville vers laquelle ils se dirigeaient avec maman ne se trouvait qu'à deux ou trois kilomètres de l'endroit où ils s'étaient arrêtés, à en croire les panneaux, mais ils avaient couvert beaucoup plus de distance que ça, à présent. Il en était certain.

L'inquiétude qui le rongeait ne l'avait pas quitté depuis qu'ils s'étaient mis en route, bien qu'il ait réussi à s'arrêter de pleurer comme un bébé. « Un endroit sûr », avait dit l'agent quand il avait demandé où ils allaient. Il posa la question si souvent qu'elle finit par lui ordonner de la fermer, bon sang, de se taire là-derrière. Louise n'avait pas dit un mot, se contentait de serrer Gogo très fort en regardant par la vitre, comme s'ils partaient en excursion pour la journée.

Le chemin était devenu de moins en moins net et de plus en plus étroit jusqu'à ce que Sean se demande s'il y en avait vraiment un. La voiture cahotait, grinçait, tanguait, les secouant, lui et sa sœur, sur la banquette. Finalement, le sol s'aplanit et ils arrivèrent en vue d'une petite ruine, une cabane au toit effondré dont ce qu'il restait des murs avait jadis été noirci et calciné par un incendie. À côté, ce que Sean supposa être une sorte de garage, simple structure en bois couverte d'un toit en tôle ondulée. Une caravane était installée là, à l'ombre.

L'agent Collins gara la voiture de patrouille sous l'abri, à côté de la caravane, et soudain il fit noir dans l'habitacle. Elle ouvrit sa portière, descendit de voiture et fit le tour jusqu'à la portière de Louise. Une vague de chaleur s'engouffra à l'intérieur quand elle ouvrit et se pencha.

— Allez, viens, dit-elle en tendant le bras pour dégrafer la ceinture de sécurité de Louise.

Avant que Sean puisse la retenir, Louise retira la main de la sienne et laissa Collins la soulever du siège. Puis la femme se pencha de nouveau.

— Toi aussi, dit-elle.

— Je veux pas, dit Sean.

Collins serra plus fort la main de Louise dans la sienne.

— J'ai ta sœur, dit-elle.

Sean sentit son dos trempé de sueur se glacer. Il dégrafa sa ceinture de sécurité, la laissa s'enrouler, hésita, puis se glissa le long de la banquette et descendit de la voiture.

— Bon, fit Collins en mettant la main de Louise dans celle de son frère. Restez là.

Elle ferma la portière de la voiture, puis se dirigea vers l'arrière de la caravane en cherchant une clé dans sa poche. La caravane semblait en presque aussi mauvais état que la cabane, avec sa peinture beige mouchetée de rouille. Les portes arrière grincèrent quand elle les ouvrit. Elle se recula alors, leur désigna le gouffre noir.

— Entrez, dit-elle.

Louise s'avança, mais Sean la retint.

— Non, dit-il.

Collins pointa le doigt vers l'obscurité.

— Allez, entrez.

Sean secoua la tête.

— Non.

— Ne fais pas d'histoires, dit-elle. Son expression se durcit.

— On n'entre pas, dit Sean.

Collins s'avança d'un pas dans leur direction, puis s'accroupit, les genoux au niveau de la poitrine, en équilibre. Elle s'adressa à Louise.

— Ton frère raconte n'importe quoi, ma puce. Il faut que vous entriez pour vous abriter de la chaleur. Si vous refusez, votre maman va avoir encore plus d'embêtements. Il se pourrait même qu'elle doive aller en prison pendant longtemps.

— C'est un mensonge, dit Sean.

— Louise, ma chérie, tu ne veux pas que ta maman ait encore plus d'ennuis, hein ? Tu ne veux pas qu'elle aille en prison, dis-moi ?

Louise secoua la tête.

— Bon, alors on va…

En tendant le bras vers Louise, Collins vacilla un peu, et ce fut le moment que choisit Sean pour la pousser d'une bourrade à l'épaule. Pas très fort, mais juste assez. Collins écarquilla les yeux de surprise et battit des bras pour essayer d'empêcher ce qui n'allait pas manquer de se produire.

Sean n'attendit pas de la voir basculer sur le dos. Il fit volte-face et se mit à courir, traînant Louise par la main. La petite couina et tituba, faillit tomber, mais l'élan de son frère la maintint sur ses pieds. Il suivit les traces de la voiture en se disant qu'il fallait atteindre la route, arrêter une voiture. Et, quoi qu'il advienne, courir, courir aussi vite qu'on pouvait.

— Gogo !

Il jeta un coup d'œil par-dessus son épaule, vit les restes du lapin rose rouler dans la poussière. Plus loin, Collins se relevait, le visage furibond.

— On reviendra le chercher, dit-il en tirant sur la main de Louise. On reviendra, je te promets.

Il poursuivit sa course, moulinant encore plus fort, sa sœur cavalant à sa suite. Quelque part derrière, il entendit Collins leur hurler de s'arrêter, bon Dieu de merde, de s'arrêter tout de suite. Poussière et petits cailloux voltigèrent sous ses chaussures quand il entama la descente, sautant aux endroits les plus escarpés, le dos malmené à chaque atterrissage, Louise toujours à ses côtés, étonnamment, toujours debout.

— Arrêtez-vous !

La voix de Collins ricochait entre les collines abruptes qui les entouraient.

— Arrêtez-vous, putain de merde !

Sean l'ignora, concentrant ses pensées sur la route qui se trouvait quelque part en bas parmi les collines, au bout de ce chemin. Continuer de courir, c'est tout.

Devant eux, un virage, peut-être un endroit où se mettre à l'abri. Sean baissa la tête, martela le sol, sentit une secousse lui tordre l'épaule quand les pieds de Louise quittèrent le sol.

Puis une détonation, et ses oreilles se bouchèrent. D'instinct, plus que par prudence, il se jeta à terre, entraînant Louise avec lui. Sa sœur poussa un cri, roula loin de lui. Il tourna la tête, vit Collins au sommet de la pente, le pistolet pointé en l'air, dont s'échappait une fine volute de fumée que la brise emportait. Collins abaissa son arme, l'empoigna à deux mains, la braqua sur les deux enfants. Elle dévala la pente dans leur direction, le souffle court, les chaussures dérapant sur le sol.

Sean se mit à quatre pattes, les petits cailloux lui brûlant la paume des mains, et, en se retournant, vit le pistolet pointé vers son crâne, à un mètre à peine.

— Ne bouge pas, dit Collins.

Il se figea, la regarda se baisser pour empoigner le dos du T-shirt de Louise, la redresser, lui appliquer l'arme contre la tempe. Louise regarda son frère, les yeux écarquillés, la bouche grande ouverte. Son jean était déchiré aux genoux, et la peau, dessous, écorchée et ensanglantée.

— Tu veux que je la tue ? lança Collins, les yeux étincelants de larmes et de rage. C'est ça que tu veux ?

Sean leva les mains en l'air et les écarta, en signe de reddition, tout en secouant la tête.

Collins lâcha Louise, pointa son pistolet vers le sol. Ses épaules se soulevaient et s'abaissaient tandis qu'elle bataillait pour retrouver son souffle. Elle renifla, s'essuya le visage d'un revers de sa main libre, y laissant des traînées de poussière.

— Bon, alors d'accord, dit-elle d'une voix tremblante. On y va.

Sean aida Louise à se remettre debout, et se rendit alors compte que ses coudes le brûlaient, que son jean était déchiré. Collins désigna le sommet de la pente. Il reprit la main de sa sœur et entreprit de remonter en direction de la caravane. Collins les suivait, d'un pas lourd. En chemin, il se baissa pour ramasser Gogo et le tendit à Louise. Elle serra étroitement le lapin sur son cœur sans cesser de renifler avec une moue boudeuse.

Sans qu'ils échangent un mot, Sean hissa Louise à l'intérieur de la caravane. Il y grimpa ensuite, en prenant garde aux échardes du plancher en contreplaqué. Une fois à l'intérieur, il prit sa sœur dans ses bras. Elle se pelotonna sur ses genoux et il se mit à la bercer, comme maman le faisait pour le rassurer quand il avait peur. Quand il tourna la tête, il vit l'agent Collins le regarder, et lut la peur inscrite sur son visage.

Elle sortit un téléphone portable. Sean entendit le grésillement suivi d'un petit bruit synthétique accompagnant la photo.

Puis elle referma les deux portes et une terrifiante obscurité les engloutit.

7

À pas comptés, Audra alla jusqu'à un bout de la cellule, fit demi-tour, alla jusqu'à l'autre bout. Fit à nouveau demi-tour. Et recommença. Une heure s'était écoulée, peut-être plus, et la gorge la brûlait tant elle s'était s'époumonée. Elle avait crié, hurlé, jusqu'à ne plus avoir de souffle, jusqu'à ce que les larmes lui montent aux yeux.

Il n'y avait plus de larmes, mais la peur et la colère se disputaient toujours ses pensées, l'une menaçant de supplanter l'autre et d'anéantir ce qu'il lui restait de lucidité. Elle avait toutes les peines du monde à les dompter, et l'épuisement lui donnait envie de se recroqueviller sur une des couchettes pour sombrer en elle-même. Mais, sans trop comprendre comment, elle restait debout, continuait de faire les cent pas.

Quand Whiteside avait prononcé les deux mots qui la torturaient, elle s'était figée sans un mot pendant quelques instants avant de demander :

— Qu'est-ce que vous voulez dire par là ?

Il n'avait pas répondu, s'était contenté de regagner la porte de la salle de garde à vue, puis de sortir en fermant à clé. Les hurlements d'Audra s'étaient répercutés entre les murs jusqu'à ce qu'elle n'ait plus la force de crier. À présent, elle ne parvenait plus qu'à marcher, un pas après l'autre. C'était ça ou devenir folle. Alors elle continuait de marcher.

Un bruit de clés la stoppa net. Elle se figea, le dos tourné à la porte. Entendit qu'elle s'ouvrait, puis les pas pesants du shérif sur le béton, et la porte se referma.

— Vous avez fini de brailler ? demanda-t-il.

Audra se retourna, le regarda approcher des barreaux.

— Qu'est-ce que vous avez voulu dire ? demanda-t-elle d'une voix éraillée.

— À propos de quoi ? répondit-il, imperturbable. Avec l'air de se barber, même.

— À propos de mes enfants. Où sont-ils ?

Il cala son avant-bras contre les barreaux, lui retourna son regard.

— Vous et moi, il va falloir qu'on cause.

Elle cogna les barreaux du plat de la main, douleur fulgurante dans les os.

— Où sont mes enfants ?

— Mais d'abord il va falloir vous calmer.

— Allez vous faire foutre. Où sont mes enfants ?

— Si vous vous calmez, on pourra en discuter.

Elle voulut crier, mais sa voix se brisa.

— Où sont mes enfants ?

Whiteside s'écarta des barreaux, et dit :

— D'accord, faites comme vous voulez. On pourra parler de ça une autre fois.

Il se retourna et se dirigea vers la porte.

Audra empoigna les barreaux et supplia :

— Non, je vous en prie, revenez.

Il la regarda par-dessus son épaule.

— Vous êtes disposée à vous calmer ?

— Oui, dit-elle en hochant énergiquement la tête. Je suis calme.

— D'accord.

Il prit les clés accrochées à son ceinturon en revenant sur ses pas, montra du doigt la couchette du fond de la cellule.

— Allez vous asseoir là-bas.

Comme elle hésitait, il insista :

— Allez vous asseoir, sinon on parlera une autre fois.

Audra s'exécuta. Tout en insérant la clé dans la serrure,

il lui ordonna de s'asseoir sur ses mains. Elle obéit. Il fit coulisser la porte, entra dans la cellule, puis referma. Il s'adossa aux barreaux et rangea ses clés.

— Vous êtes calmée ?

— Oui, shérif.

— Bon. Ce que je vais faire, maintenant, c'est vous exposer ça du mieux que je peux, et je veux que vous restiez où vous êtes, sans vous mettre dans tous vos états. Vous vous en sentez capable ?

— Oui, shérif.

— Bien. Maintenant, je vais vous parler de vos enfants, et ça ne va pas vous plaire. Mais je veux quand même que vous restiez calme. Vous êtes disposée à faire de gros efforts pour rester calme ?

— Oui, shérif, répondit-elle d'une voix si ténue qu'elle l'entendit à peine.

Whiteside examina ses ongles pendant quelques instants, le front plissé. Puis il prit une bonne inspiration et regarda Audra droit dans les yeux.

— Voyez-vous, pour autant que je m'en souvienne, il n'y avait pas d'enfants dans votre voiture.

Audra secoua la tête.

— Qu'est-ce que vous racontez ? Sean et Louise, ils étaient dans la voiture quand vous m'avez arrêtée. L'agent, je ne sais plus son nom, est venue et les a emmenés.

— Ce n'est pas le souvenir que j'en ai, dit Whiteside. Ce que moi je me rappelle, c'est vous avoir arrêtée, mais vous étiez seule. J'ai appelé l'agent Collins par radio pour qu'elle vienne m'aider à vous fouiller, et je lui ai demandé de joindre Emmet pour qu'il vienne remorquer votre voiture. Nous avons attendu, il est arrivé, je vous ai amenée ici et je vous ai mise en cellule. Pas d'enfants.

— Pourquoi dites-vous ça ? Vous savez bien que ce n'est pas vrai. Ils étaient là. Vous les avez vus. Vous leur avez parlé. Pour l'amour du ciel, dites-moi seulement...

Whiteside s'écarta de la grille, mit les mains sur ses hanches.

— Ce qu'il y a, c'est que ce que vous êtes en train de dire me pose un problème.

— S'il vous plaît, ne...

— Taisez-vous, maintenant. (Il leva une main.) C'est moi qui parle, ici. Vous êtes en train de me dire qu'il y avait des enfants avec vous dans cette voiture quand vous avez quitté New York. Et maintenant vous êtes ici, à Silver Water, sans enfants. À supposer que vous vous soyez vraiment mise en route avec eux à bord, je suis obligé de vous demander : où sont-ils ?

— Votre collègue, elle...

— Mrs Kinney, qu'avez-vous fait de vos enfants ?

Audra perçut un bruit lointain pareil au tumulte d'une foule, d'un ouragan, ou aux hurlements de milliers d'animaux. Un froid glacial au cœur même de sa fibre. Elle regarda fixement son interlocuteur. L'écho de son pouls forcit en elle, couvrant tout le reste, même la lointaine clameur.

Whiteside dit quelque chose. Elle ne comprit pas. Elle ne l'entendait pas.

Puis la distance entre eux deux disparut dans un halo trouble et elle se jeta sur lui, écrasant ses poings sur son visage, et il tombait, elle s'acharnait, lui labourant le torse avec ses ongles, puis elle referma les mains de plus belle et lui martela le visage à coups redoublés, sans relâche, d'un côté, puis de l'autre, les poings ricochant sur les joues de l'homme.

Elle ne savait pas depuis combien de temps elle s'acharnait ainsi, à califourchon sur l'homme qu'elle frappait encore et encore, mais elle ne s'arrêta qu'en sentant une grosse main se poser au milieu de sa poitrine, entre ses seins, et elle comprit alors qu'elle ne pouvait faire aucun mal à cet homme, pas réellement, il était trop fort. Il la poussa alors, et elle partit en arrière, un instant suspendue dans les airs avant de s'écraser par terre, s'écorchant les coudes et se cognant durement la tête sur le béton.

Au travers de la neige noire qui obstruait son champ visuel, Audra vit Whiteside se dresser au-dessus d'elle, puis abattre ses gros poings, une matraque télescopique dans une main. Elle remonta instinctivement mains et genoux pour se protéger, et la matraque s'abattit sur ses tibias. La douleur supplanta tout le reste, vive et ardente. Audra aurait hurlé si elle avait encore eu de la voix. Puis les mêmes mains lui empoignèrent les épaules, la soulevèrent comme si elle ne pesait rien, et il lui décocha un coup de genou au bas des reins.

Elle tenta d'inspirer pour pouvoir supplier, crier grâce, mais elle ne parvint qu'à émettre un hoquet. Whiteside attrapa son poignet gauche et le lui ramena dans le dos, lui vrillant l'articulation de l'épaule. Comme il lui remontait le poignet en force, elle crut qu'il allait lui arracher le bras, puis sentit le métal encercler sa chair. Sans lui lâcher le poignet gauche, il attrapa le droit et fit de même. La douleur était si aiguë qu'elle se sentit perdre conscience.

Une fois les deux poignets menottés, sans lâcher sa prise, il se pencha de façon à ce qu'elle sente son souffle contre son oreille.

— Vos enfants ont disparu, murmura-t-il. Si vous arrivez à accepter ça, vous survivrez peut-être. Si vous n'y arrivez pas ? Ma foi…

Puis il cessa de peser de tout son poids sur elle, la porte de la cellule s'ouvrit et se referma, les clés tintèrent.

Par terre, dans la solitude de la cellule, Audra se mit à pleurer.

8

Danny Lee monta les marches deux à deux, sur trois étages. En haut, il s'arrêta, laissa son rythme cardiaque se calmer. Puis il s'engagea dans le couloir, comptant les portes dans le faible éclairage, jusqu'au numéro 406. Celui que les parents du garçon lui avaient indiqué.

Un gentil garçon, avait dit Mrs Woo. Mais il avait changé, dernièrement. Ne parlait plus, devenait maussade et taciturne. Ne leur témoignait plus de respect.

Danny connaissait la musique. Il l'avait déjà entendue bien des fois.

Les vibrations des basses ébranlaient la porte, le hip-hop faisait rage à l'intérieur. *Ça doit rendre dingues les voisins*, se dit-il. Ils ne se plaindraient pas pour autant.

Il tambourina du poing à la porte, et attendit. Pas de réponse. Recommença. Toujours rien. Tambourina de plus belle en ajoutant quelques coups de pied pour faire passer le message.

Cette fois, la porte s'entrouvrit de quelques centimètres, dévoilant le visage d'un jeune homme que Danny reconnut vaguement. Un des fils de Harry Chin.

— C'est quoi, ce bordel ? demanda le jeune. Si t'as envie d'y laisser une main, cogne encore une fois, encu…

La semelle de Danny gifla violemment la porte, projetant en arrière le gamin Chin. Il tituba, manqua de peu s'étaler et se rattrapa au mur en jurant.

Danny s'avança dans la pièce, passa l'assemblée en revue. Une demi-douzaine de jeunes, le fils Chin inclus, qui le regardaient tous fixement. Cinq d'entre eux étaient installés sur un canapé et deux fauteuils, autour d'une table basse encombrée d'herbe en vrac et de joints déjà roulés, ainsi que d'un sachet de coke à côté duquel quelques rails attendaient sur le plateau en verre. Un dernier sachet, de crystal meth, ne semblait pas encore avoir été touché.

Le fils Chin avait les yeux écarquillés, les narines frémissantes, et un léger voile de sueur au front révélant qu'il avait sniffé un rail de coke ou deux. Mais ce n'était pas à lui que Danny s'intéressait. Son unique préoccupation était Johnny Woo, le plus jeune de l'assemblée, assis entre deux autres sur le canapé. Léger duvet sur la lèvre supérieure, boutons sur le nez et le front. Un gosse, en fait.

— Johnny, tu viens avec moi, dit Danny.

Johnny ne répondit pas.

Danny entendit un double cliquetis métallique près de son oreille gauche. Tournant la tête, il vit le fils Chin et le 9 millimètres qu'il tenait à la main, armé, prêt à tirer.

— Tu dégages d'ici, lança le fils Chin, avant que je t'explose la tête.

Danny ne répondit pas.

— Eh, mec ! lança un des autres jeunes. C'est Danny Doe Jai.

Le fils Chin tourna la tête vers son ami.

— Danny qui ?

Un gosse, se rappela Danny, rien de plus. Carrément facile. Il se contenta de lever la main et attraper le poignet du garçon, l'écarta, tordit, serra. Le pistolet dégringola bruyamment, et le garçon tomba à genoux. Il glapit, Danny serra plus fort. Sentit les os gémir sous la chair.

Danny regarda le jeune assis sur le canapé.

— Ne m'appelle pas comme ça.

Le garçon baissa les yeux en marmonnant :

— Excuse-moi, Lee-sook.

Les autres acquiescèrent tous, l'appelant oncle et lui

témoignant le respect qui lui était dû. Danny se tourna alors vers le fils Chin.

— Donne-moi une raison de ne pas te casser le bras, lança-t-il.

Le jeune couina. Danny tordit un peu plus, serra un peu plus fort.

— Je t'ai demandé quelque chose, dit-il.

Le jeune ouvrit puis referma la bouche, et dit :

— Pardon... Lee... sook.

Danny le lâcha. Le fils Chin s'effondra par terre en s'étreignant le poignet.

Johnny Woo, les yeux baissés, se curait les ongles.

— Allez, viens, dit Danny. Tes parents t'attendent.

Johnny alluma un joint, aspira une longue bouffée, et répondit :

— Va te faire foutre.

Les autres jeunes grimacèrent. L'un d'eux lui donna un coup de coude en disant :

— Vas-y, mec, c'est tout. Fais ce que te dit Lee-sook.

— Rien à foutre, moi, je vais nulle part. Hochez la tête et appelez-le oncle tant que vous voulez, allez-y, chiez dans vos frocs. Moi, il me fait pas peur.

— Écoute tes amis, dit Danny. On y va.

Johnny tira une nouvelle bouffée, exhala un long panache de fumée, et regarda Danny dans les yeux.

— Va. Te faire. Foutre.

Danny se pencha, attrapa un des pieds de la table basse, la jeta de côté dans une envolée de verdure et poudre blanche. Elle alla s'écraser contre le mur, le plateau vola en éclats. Les autres garçons s'écartèrent d'un bond quand Danny s'avança et, d'une tape, chassa le joint de la bouche de Johnny. Posant une main sur chaque épaule du garçon, il le souleva par le cou. Johnny lâcha un unique coassement étranglé tandis que Danny le traînait jusqu'à l'autre bout de la pièce où il le jeta contre le mur. Puis il le gifla, lui faisant voler la tête à droite puis à gauche. Les yeux du garçon s'emplirent de larmes.

— Et là, tu es un dur-à-cuire ? demanda Danny.

Il le gifla de nouveau, gagnant en force du fait de l'élan, tandis que Johnny tentait de se protéger.

— T'es dans un gang ?

Gifle.

— Tu me cherches ?

Gifle.

— Vas-y.

Gifle.

— Vas-y, essaie, viens me trouver, petit, puisque t'es un gros dur.

Johnny se laissa glisser au bas du mur, les mains sur la tête.

— Arrête, arrête ! Je te demande pardon ! Arrête !

Danny se baissa, attrapa Johnny par l'encolure du maillot.

— On se tire de ce trou à rats.

Comme Johnny franchissait la porte en titubant, Danny lui décocha un coup de pied au cul qui le décolla presque du sol. Il adressa ensuite un dernier regard mauvais aux autres jeunes. Aucun ne le lui retourna. Tous s'intéressaient soudain beaucoup plus à leurs chaussures ou leurs ongles. Il sortit à la suite de Johnny, ferma la porte. Johnny se retourna pour le regarder comme le gamin qu'il était redevenu, attendant la consigne.

Danny lui désigna l'escalier.

— Allez.

Il faisait froid et humide dans Jackson Street, un vent marin soufflait en droite ligne de la baie de San Francisco. Danny serra plus étroitement son blouson. Il poussa Johnny d'une bourrade entre les omoplates, lui dit d'avancer. Le garçon ne portait qu'un maillot à manches courtes à l'effigie des 49ers. Danny distinguait presque la chair de poule qui lui hérissait les bras.

Ils passèrent devant un salon d'esthétique illuminé, dans

l'obscurité, d'où s'échappait un brouhaha de voix féminines. Un marché de fruits de mer et son odeur âcre de poisson et de sel. La rue était relativement calme par rapport au tumulte et aux lumières de Grant Avenue où les trottoirs étaient constamment bondés des touristes de Chinatown. Moins de risques que le garçon s'enfuie en courant et aille se perdre dans la foule.

Johnny regarda par-dessus son épaule.

— Dis, pourquoi est-ce qu'on t'appelle Danny Doe Jai ?

— Tais-toi et marche, dit Danny.

Le garçon le regarda de nouveau.

— Doe Jai. L'homme au couteau. On donne pas un surnom pareil pour rien.

— Ta mère m'a dit que tu étais un gamin intelligent, dit Danny. Prouve-moi qu'elle a raison, ferme-la.

— Allez, mec, dis-moi juste…

Danny empoigna Johnny par l'épaule, le fit pivoter sur lui-même et le plaqua contre le rideau abaissé d'une épicerie en gros. Le métal résonna. Danny prit la gorge du garçon dans sa main droite et serra étroitement.

Deux jeunes couples, des touristes visitant Chinatown, détalèrent, comprenant que ça ne les regardait pas.

Danny approcha son visage à moins de dix centimètres de celui du garçon, leurs nez se touchaient presque.

— Repose-moi la question, dit-il. Repose-la-moi juste une fois et je te montrerai pourquoi on m'appelle l'homme au couteau.

Le garçon battit des paupières. Danny relâcha son étreinte.

— Alors, demanda-t-il. Ça ne t'intéresse plus ?

— Non, Lee-sook, coassa le garçon.

— Bien. (Danny le lâcha avant un ultime coup de pied aux fesses.) Maintenant, bouge ton cul, petit malin.

Une demi-heure de marche – Johnny boudant et traînant les pieds, Danny le poussant de loin en loin – les amena jusqu'au domicile des Woo, dans le quartier Richmond.

Mrs Woo vint ouvrir la porte, resta bouche bée, puis appela son mari en cantonais.

— C'est Lee-gor ! Il a ramené Johnny.

Mr Woo arriva, adressa à Danny un hochement de tête respectueux et gratifia son fils d'un regard noir. Sans un mot, le garçon passa devant son père et entra dans le vestibule où sa mère attendait. Mrs Woo tenta de le prendre dans ses bras, mais il l'évita d'un haussement d'épaules et disparut dans la maison.

— Merci, Lee-gor, dit-elle en hochant la tête, les yeux humides. Merci beaucoup.

Elle décocha un coup de coude dans les côtes de son mari, et Mr Woo sortit son portefeuille de son pantalon. Deux billets de cent dollars. Il attrapa le poignet de Danny et, tout en hochant de nouveau la tête, lui fourra les billets dans la paume. La fierté de Danny lui aurait sans doute commandé de rendre les deux cents dollars, mais son esprit pragmatique lui rappela qu'il devait payer le loyer du mois. Il glissa l'argent dans sa poche et remercia d'un signe de la tête.

— Tenez-le à l'œil, dit-il. Il est sans doute trop gêné pour retourner là-bas, mais on ne sait jamais. Ne soyez pas trop durs avec lui. Ne lui donnez pas de raison de repartir.

— On n'en fera rien, dit Mrs Woo. Elle se retourna vers son mari, le regarda droit dans les yeux. N'est-ce pas ?

Mr Woo contempla le sol.

— On ne veut pas d'ennuis, dit-il au bout de quelques secondes. Le Tong ne va pas… ?

Il ne put finir sa phrase. Ce n'était pas nécessaire.

— Je vais voir ce que je peux faire, dit Danny.

Moins d'une heure plus tard, il trouva Pork Belly assis sur un tabouret d'angle, au bar du Golden Sun, un boui-boui situé à l'étage dans une ruelle donnant sur Stockton Street.

Le genre de ruelle que les touristes fuyaient, en évitant de regarder trop attentivement les individus qui y traînaient.

Le ventre de Pork Belly pendait entre ses cuisses, faisant bâiller la chemise entre les boutons, dévoilant le maillot de corps blanc en dessous. Un voile de transpiration luisait en permanence sur son front, si bien que Pork Belly gardait toujours un mouchoir à portée de la main pour s'éponger de temps à autre. Le bruit courait que la grand-mère de Pork Belly, impressionnée par l'appétit et la circonférence de son petit-fils alors enfant, lui avait donné le surnom de Pork Belly, « panse de porc » – Kow Yook, dans sa langue –, qui lui était resté. Pour l'heure, l'homme dorlotait un rhum brun et sirotait une bière en suivant un match de basket entre deux équipes universitaires à la télé du bar. Danny savait que le rhum n'était que de l'esbroufe, que Pork Belly ferait durer le verre toute la soirée en se contentant de la légère ivresse de la bière.

Ça n'avait pas toujours été le cas. À une époque, Freddie « Pork Belly » Chang aurait descendu toute une bouteille de rhum pratiquement sans en ressentir les effets. Plus maintenant. Trois ans plus tôt, au volant de sa voiture, il avait renversé un jeune sans-abri, dans la zone d'entrepôts et de terrains vagues située au bout de Hunter's Point. Il était resté une demi-heure dans sa voiture, encore bien bourré, avant d'appeler Danny. Et, bien que ça l'ait profondément écœuré, Danny l'avait aidé à régler ce problème. Car Pork Belly était un frère au sein du Tong, et on ne dit pas non à un frère.

L'unique condition qu'avait posée Danny pour lui venir en aide, c'était que Pork Belly arrête de picoler. Et il l'avait fait, plus ou moins, avec l'aide de Danny. Depuis cet épisode, Pork Belly était resté pratiquement sobre, pour autant que Danny. Aussi Danny ne regrettait pas complètement de l'avoir aidé. Et il sollicitait de temps à autre un service de la part du gros.

Comme aujourd'hui.

— Salut, Danny *Doe Jai*, lança Pork Belly en voyant Danny arriver le long du bar presque inoccupé. Qu'est-ce que tu bois ?

— Un café, déca, dit Danny. Il n'avait pas bu une goutte d'alcool depuis des années, lui non plus, et la soirée était trop avancée pour ingurgiter de la caféine. Il avait assez de mal à dormir comme ça. Il s'installa sur le tabouret voisin de celui de Pork Belly, remercia d'un hochement de tête le serveur qui déposa une tasse devant lui et la remplit à l'aide de la cafetière.

— Comment tu vas ? demanda Pork Belly.

— Bien. Toi ?

— Bof. (Pork Belly haussa les épaules en agitant vaguement la main.) Mes genoux valent plus rien. Ils me font un mal de chien, par moments. Connerie d'arthrite, d'après le docteur. Il dit qu'il faut que je perde du poids, que ça soulagera mes articulations.

— Ça serait bon pour ton cœur aussi, dit Danny.

— Écoute-moi ça, docteur Danny.

— La natation.

Pork Belly tourna la tête vers son ami.

— Quoi donc ?

— La natation, c'est bon pour l'arthrite. Ça fait faire de l'exercice, mais sans forcer sur les articulations.

La bedaine de Pork Belly tressauta.

— Arrête un peu les conneries. La natation ? Tu me vois à la piscine, en maillot de bain avec un petit bonnet en latex ?

— Pourquoi pas ? Et une bouée gonflable, peut-être même des brassards.

— Ouais, et, dès que je me mets à l'eau, un connard me fonce dessus avec un putain de harpon à air comprimé.

Danny sourit au détour d'une gorgée de café froid, puis déglutit. La télé se mit à diffuser les titres du journal de 22 heures, avec musique ronflante en fond sonore.

— Je suis sûr que tu sais ce qui m'amène, dit Danny.
Pork Belly acquiesça.

— Ouais, j'ai reçu un coup de fil. Je t'attendais.

— Les Woo sont de braves gens, dit Danny. Mrs Woo
connaissait ma mère, dans le temps. Son gamin, Johnny, n'a
rien d'un mec de gang. C'est un bon gosse. C'était, en tout
cas. Il marchait bien à l'école. Il aurait pu décrocher son
examen l'année prochaine ; il pourrait encore, à condition
d'améliorer ses notes. Et peut-être tenter le coup à l'université.

L'hilarité s'éteignit sur le visage de Pork Belly, ses yeux
perdirent tout éclat.

— Tu aurais dû venir me trouver d'abord.

— Et qu'est-ce que tu aurais fait ?

— Peut-être rien, dit Pork Belly. Peut-être quelque chose.
Mais ça, c'était à moi de voir. Pas à toi. Tu agis sans me
prévenir, tu me fais passer pour un cave devant tous mes
gars. J'ai pas encore appelé la Tête de Dragon. Quand je le
ferai, il me dira de t'arracher les rotules, et peut-être un ou
deux doigts. Qu'est-ce que je lui dis, moi ?

Au moment où Danny ouvrait la bouche pour répondre,
un mouvement sur l'écran du téléviseur attira son regard.
Un bout de film flou tourné par une caméra de surveillance :
une cellule de prison, d'un côté, un flic debout, de l'autre,
une femme assise sur une couchette. Puis la femme se ruait
sur le grand flic, le jetait à terre et se mettait à le griffer, le
labourer de coups de poing.

— Tu le dissuades, dit Danny en se retournant vers
Pork Belly. Dis-lui que Johnny Woo n'était pas taillé pour
la délinquance, qu'il aurait causé plus d'ennuis que ça en
valait le coup, que je t'ai rendu serv...

Deux mots en provenance du téléviseur l'interrompirent.
« Disparition d'enfants », disait la présentatrice. Danny fixa
à nouveau l'écran.

— J'essaierai, dit Pork Belly. Je ne sais pas s'il acceptera, mais j'essaierai, juste parce que je t'aime comme un frère. Mais si tu me refais un coup de pute pareil...

Le bandeau des titres, au bas de l'écran, indiquait : « Une femme quitte New York avec ses enfants il y a plusieurs jours, mais le shérif local ne trouve pas d'enfants à bord en arrêtant la voiture pour une infraction mineure. »

Même image : la femme se jetant sur le flic.

Retour à la présentatrice, l'air grave. « La police de l'Arizona et les agents du FBI se rendent actuellement dans la petite ville de Silver Water pour interroger la femme, dont on ignore encore le nom, sur ce qu'il est advenu de ses deux enfants. Nous reviendrons sur cette information dès que de nouvelles données nous parviendront. »

Pork Belly dit quelque chose, mais Danny n'entendit pas. Son regard restait rivé sur le téléviseur, bien que la présentatrice soit passée à autre chose. Une femme voyageant seule avec ses enfants, qui se fait arrêter par un flic, et les enfants disparaissent.

Danny frissonna. Son cœur battait à tout rompre, ses poumons fonctionnaient à l'accéléré.

Non, se dit-il en secouant la tête. *Tu t'es déjà trompé par le passé. Tu te trompes sans doute encore.*

Pork Belly lui agrippa le bras.

— Qu'est-ce qui se passe, mec ?

Danny tourna mécaniquement la tête vers lui et le regarda fixement, le cerveau en ébullition.

— Merde, tu me fais peur, là, mec.

Danny descendit de son tabouret.

— Faut que j'y aille. On est d'accord ?

Pork Belly haussa les épaules.

— Ouais, on est d'accord.

— Merci, *dai lo*, dit Danny, posant une main sur l'épaule de Pork Belly et l'étreignant brièvement. Puis il quitta le bar et regagna la rue sans se retourner. Le téléphone à la main avant même de poser le pied sur le trottoir, le doigt déjà sur les touches de connexion, en quête de plus d'informations sur cette femme, dans l'Arizona, et ses enfants disparus.

Comme l'écran affichait une liste de résultats, il se demanda si la femme avait un mari. Un mari dont l'univers volait en éclats en ce moment même, comme celui de Danny cinq ans plus tôt.

9

Sean était assis par terre, adossé au mur, les genoux remontés sous le menton. Une couverture bien serrée autour des épaules. Et Louise, allongée sur le matelas, au milieu de la pièce, les paupières se soulevant puis s'abaissant paresseusement, un papier de bonbon encore à la main. L'agent leur avait laissé un paquet de confiseries, quelques sachets de chips, et une caisse de bouteilles d'eau minérale. Elle annonça qu'elle reviendrait plus tard avec des sandwichs. Sean n'y croyait pas, pensait qu'elle ne reviendrait pas du tout.

Froid dans ce sous-sol, l'air humide dans ses poumons. Une odeur de moisi, de mousse et de feuilles décomposées. Le sol et les murs étaient recouverts de planches, la terre battue visible entre les lattes. Sean se demanda comment il se faisait que tout ne s'effondre pas sur eux, les enterre vivants, sa sœur et lui.

La cabane paraissait vieille, d'après le peu qu'il en avait vu en arrivant dans la clairière. Collins les avait fait sortir de la caravane, Louise et lui, pour prendre un sentier menant en pleine forêt et les avait fait marcher parmi les arbres. L'exercice lui fit du bien après tout ce temps dans la caravane, mais Louise pleurnicha et toussa tout le long du chemin. Elle avait fait pipi dans sa culotte, et se plaignait maintenant que son jean était tout froid et la piquait. Sean avait eu du mal à se retenir en attendant dans le noir.

Il avait semblé faire plus frais en roulant. L'ombre avait empêché la caravane de se muer en four tant qu'elle était garée à côté de la cabane, mais la température y remontait peu à peu, et l'atmosphère devenait lourde et poisseuse. Sean sentait la route monter et descendre, encore et encore, et au bout d'un moment ses oreilles commencèrent à se boucher, comme en avion. Ils allaient quelque part en altitude, peut-être dans ces montagnes qui semblaient partout barrer l'horizon de l'Arizona pendant que maman conduisait. Il ne s'y connaissait pas tellement en géographie, mais il se rappelait vaguement que le désert de l'Arizona était bordé, au nord, de forêts culminant plus de mille mètres au-dessus du niveau de la mer. Ce qui pouvait expliquer que la température soit tombée aussi vite, qu'après avoir transpiré sa sœur et lui se soient soudain mis à grelotter.

Louise avait pleuré après avoir fait pipi dans sa culotte, à gros sanglots désespérés, honteux, ponctués d'accès d'une toux ronflante, bien que Sean lui ait assuré que ce n'était pas grave, qu'il ne le dirait à personne. Il s'en voulait maintenant de s'être discrètement éloigné de la flaque sur le plancher en contreplaqué de la caravane, alors qu'il aurait dû prendre sa sœur dans ses bras. Louise avait sûrement honte de ne pas s'être retenue, mais lui encore plus de ne pas l'avoir réconfortée.

Il se rappelait très nettement avoir senti la caravane quitter la route, puis cahoter et gémir en roulant sur un sol inégal. Peu après, bruit de branches cognant et frottant contre la carrosserie. Quel genre d'arbres trouvait-on dans l'Arizona ? Altitude, climat plus frais. Des pins, supposa Sean. Quand la caravane s'arrêta et que l'agent Collins ouvrit les portes arrière, il constata qu'il ne s'était pas trompé.

Les deux enfants s'abritèrent les yeux, bien qu'à cette heure le soleil ait largement décliné derrière les arbres, teintant d'un bleu laiteux la lumière visible au-delà des frondaisons.

— Descendez, dit Collins.

Sean et Louise ne bougèrent pas.

Collins tendit la main.

— Allez. Tout va bien se passer. Vous n'avez rien à craindre.

Sean eut envie de la traiter de menteuse, mais il garda le silence.

— J'ai eu un petit accident, dit Louise. Je me suis mouillée.

Collins sembla un instant désemparée, puis elle hocha la tête d'un air compatissant.

— Pas grave, ma puce, j'ai des vêtements propres pour toi. Allez, viens.

Louise rampa jusqu'au bord de la caravane, laissa Collins l'aider à descendre. L'agent se tourna ensuite vers Sean, sans lâcher la main de Louise.

— Ça va aller, Sean, vraiment. Tout va bien se passer. Il faut que tu viennes avec moi.

Sean soupesa les autres solutions qui s'offraient à lui, et se rendit compte qu'il n'y en avait pas. Il ne pouvait pas rester indéfiniment dans la caravane. S'il s'enfuyait, il était convaincu que sa sœur et lui seraient abattus. Il se leva donc, gagna l'arrière de la caravane. Il ignora la main tendue de Collins, sa proposition d'aide, et sauta à terre. Le sol était souple sous la semelle de ses tennis, tapissé par des années d'aiguilles de conifères jonchées çà et là de squelettes de pommes de pin. L'air était frais au sortir de l'atmosphère confinée de la caravane.

Il tourna sur lui-même en observant les alentours. Un étroit sentier dans la forêt, des arbres et rien que des arbres dans toutes les directions et aussi haut qu'il puisse porter le regard.

— Où on est ? demanda Louise.

Collins ouvrit la bouche pour répondre, mais Sean lança :

— Dans un endroit sûr ?

L'agent lui décocha un regard froid, la main sur la crosse de son pistolet.

— C'est ça, dit-elle. Dans un endroit sûr. Allez, on va marcher un peu.

Elle entraîna Louise, et Sean n'eut pas d'autre option que de suivre.

Une éternité plus tard, ils arrivèrent à la cabane en rondins. Fenêtres et porte étaient barricadées de planches, le toit commençait à s'affaisser par endroits faute d'entretien. Collins monta les quelques marches de la véranda, évitant des débris de planches, et ouvrit la porte. Noir complet à l'intérieur. Louise s'arrêta sur le seuil.

— Je veux pas y aller, dit-elle.

— C'est bon, il n'y a rien à craindre.

Elle se tourna vers Sean avec le même regard dur, la main à nouveau sur la crosse du pistolet.

— Dis-lui qu'il n'y a rien à craindre.

Sean monta dans la véranda, prit l'autre main de Louise.

— Non, il n'y a rien qui fait peur là-dedans. Il fait noir, c'est tout. Je vais rester juste derrière toi.

Collins lui adressa un hochement de tête, puis dit à Louise :

— Tu entends ? Ton frère n'a pas peur. Allez, viens.

Une faible lueur s'immisça dans la cabane, suffisant à délimiter les contours des vieux meubles entassés contre un mur, et la trappe au centre de la pièce. Environ un mètre de côté, pourvue d'un verrou coulissant et d'un cadenas qui semblait neuf. Collins lâcha la main de Louise, s'accroupit, et ouvrit le cadenas. Elle posa la main sur le verrou et leva les yeux vers Sean.

— Tu vas être gentil, d'accord ? Tu vas m'aider. Parce que sinon, si les choses se passent mal…

Elle laissa la menace peser entre eux, en suspens dans l'air froid.

— Oui, madame, dit Sean.

— Bien, fit-elle. Puis elle poussa le verrou et souleva la trappe avec un petit gémissement étouffé.

Deux chaînes retenaient la trappe, l'empêchant de

retomber. Louise s'arrêta, planta fermement les pieds sur le plancher.

— Il fait trop noir, dit-elle.

Collins l'attira un peu plus près.

— Il y a l'électricité. Une grosse batterie qui donne de la lumière. Je vais la brancher. Vous pourrez la laisser tout le temps si vous voulez.

— Non, moi, je veux ma maman.

Louise tenta de retirer sa main, mais Collins resserra sa poigne.

— Sean, dis-lui.

Il regarda les doigts de Collins se refermer sur la crosse du pistolet, vit l'expression dure peinte sur les traits de la femme et la lueur de panique, dans ses yeux. Comme si elle craignait que les choses tournent vraiment mal. Même si ça se passait déjà mal, et même si elle n'en avait pas envie, ça pouvait devenir bien pire.

— On va bientôt voir maman, dit Sean en guidant Louise vers la trappe. Je te le promets.

Louise se remit à pleurer, et Sean dut lutter pour refouler ses propres larmes. Collins prit la lampe-torche fixée à son ceinturon et en dirigea le faisceau vers l'embouchure de la trappe, éclairant les marches en bois qui s'enfonçaient abruptement dans l'obscurité. Sean percevait les tremblements de sa sœur dans leurs doigts noués. Il lui passa un bras autour des épaules, et Collins lui lâcha l'autre main, ce qui permit au garçon d'aider sa sœur à descendre. Une marche après l'autre, lentement, doucement, les pas plus lourds de l'agent juste derrière eux.

Le sol de la cave était doublé de planches qui grinçaient et pliaient sous leurs pieds. Collins alla jusqu'au mur du fond auquel étaient adossées de vieilles étagères. Dessus, une lampe électrique reliée à une grosse batterie, comme elle l'avait annoncé. Elle actionna un interrupteur, et une pâle lumière jaune se répandit dans la pièce. Sean vit ce qui y avait été installé – un matelas, deux seaux et du papier toilette, de l'eau, des bonbons, quelques livres et bandes dessinées –, et se sentit envahi d'un regain de terreur, une terreur plus froide et plus pesante que précédemment.

Tout avait été prémédité. Ces articles étaient là depuis des semaines, des mois, peut-être, dans l'attente d'enfants comme eux.

— Mangez quelque chose, dit Collins en lançant sur le matelas quelques bonbons tirés du paquet.

Elle sortit deux bouteilles d'eau de la caisse, les posa par terre.

— Et buvez.

Elle alla fouiller dans un autre sac. En retira des vêtements, pantalons, culottes, vérifia les étiquettes avant de les remettre dans le sac. Finalement, elle trouva un jean délavé et une culotte qui semblaient à la taille de Louise. Elle fit signe à la petite fille.

— On va t'enlever ces habits mouillés.

— Non, dit Louise. Maman a dit que je laisse personne m'enlever mes habits, sauf elle ou ma maîtresse à l'école.

— Ta maman a raison de te dire ça, mais moi, tu vois, je suis agent de police, alors c'est bon. Et tu ne peux pas garder ces vêtements mouillés.

Là encore, Collins sollicita d'un regard l'aide de Sean. Il donna un petit coup de coude à Louise en disant :

— C'est bon. Tu peux.

Il surveilla pendant que Collins déshabillait sa petite sœur, la nettoyait avec une lingette, puis lui mettait la tenue propre. Que craignait-il ? Il ne savait pas trop. Il n'ignorait pas que certains adultes malintentionnés cherchaient à faire des choses aux enfants, à les toucher d'une façon interdite. S'il devait voir quoi que ce soit de bizarre, le moindre geste insolite, que ferait-il ? Il n'en avait aucune idée, mais il continua à surveiller jusqu'à ce que ce soit terminé.

Collins se redressa et lança :

— Maintenant, mangez. Et buvez un peu d'eau. Je reviendrai plus tard ce soir, avec des sandwichs.

Elle n'ajouta rien et monta les marches. La trappe se referma en claquant, et Sean sentit la pression lui boucher les oreilles et un froid inconnu l'envahir. Son envie de pleurer était telle qu'il en avait mal derrière les yeux, mais il savait que s'il craquait, s'il laissait transparaître sa terreur, c'en serait fini du fragile équilibre de Louise. Ils s'assirent donc l'un à côté de l'autre sur le matelas et mangèrent des bonbons et des chips jusqu'au moment où Louise annonça qu'elle avait sommeil. Elle s'allongea et Sean tira une couverture sur elle, puis il essaya de se rappeler une des histoires préférées de sa sœur, celle de la souris dans un grand bois noir, et du monstre qui, tout compte fait, existait vraiment.

Des heures passèrent. Sean regretta de ne pas avoir sa montre pour voir combien de temps s'écoulait. Son père lui en avait offert une pour son dernier anniversaire, en disant qu'un homme devait avoir une belle montre, mais Sean n'avait jamais pu s'habituer à la porter au poignet. Cuir collant, fermoir difficile à manipuler, contact du métal. Toujours trop serrée ou trop lâche. Il avait arrêté de la porter au bout de quelques semaines, et maman n'avait rien dit, bien que ce soit une montre chère. Elle coûtait plus que les montres que portent beaucoup d'hommes adultes, lui avait dit son père, parce que son père attachait de l'importance à ce genre de choses.

Il porta la main à son poignet gauche, où il sentait encore la montre sur sa peau. Il rêvait parfois de son père. Des rêves furieux et effrayants, dont il s'éveillait désorienté, le souffle court. Il se disait qu'il devrait détester Patrick Kinney, mais c'était une bien forte émotion pour un homme qu'il avait si peu vu dans sa vie. Au petit déjeuner, en général, parfois au dîner, ils avaient partagé la même table, mais guère de conversations. De temps à autre, il arrivait que son père le questionne sur ses notes, ses amis, ses professeurs. Une ou deux questions, auxquelles Sean bredouillait une réponse, et c'était tout.

La plupart du temps, quand il pensait à son père, il éprouvait une sensation de creux à l'intérieur, comme s'il n'avait jamais eu de père de sa vie. Ou pas un père réel.

Ça n'avait plus d'importance, maintenant. La montre était dans un des cartons, dans le coffre de la voiture de maman.

Louise gémit et s'agita, ni éveillée ni complètement endormie, puis lâcha une succession de petites toux encombrées. Sean résista à l'envie de s'allonger à côté d'elle, fermer les yeux et…

Qu'est-ce que c'était que ça ? Un grondement filtrant au travers des murs de la cave, de plus en plus fort.

Puis le bruit s'arrêta quelque part, au-dessus, et Sean entendit un claquement métallique. Il se demanda si c'était Collins qui revenait comme elle l'avait dit.

Une bouffée d'espoir le ranima un peu : elle allait peut-être les faire sortir d'ici tous les deux, les ramener auprès de maman. Mais son côté adulte – le côté de lui que maman appelait le Vieux Sage – lui dit que non, ils n'iraient nulle part. En tout cas, nulle part où les choses se passeraient bien.

Des pas sur le plancher, au-dessus. Louise lâcha un hoquet en se redressant d'un coup sur le matelas, les yeux écarquillés de frayeur en entendant le bruit du verrou.

— C'est bon, dit Sean.

Il ne put s'empêcher de tressaillir quand le verrou retomba, comme une détonation de fusil, au-dessus de leur tête. Puis la trappe grinça, et Collins émit à nouveau un grognement en la soulevant. Elle jeta un coup d'œil à l'intérieur et, une fois satisfaite, descendit les marches, un sac en papier kraft à la main. Elle n'était plus en uniforme, mais portait un jean et un blouson, et des bottes de moto. Sean comprit quel bruit il avait perçu.

Collins le regarda et désigna la place vide sur le matelas, à côté de Louise. Il se leva, toujours enroulé dans la couverture, et traversa la pièce pour aller s'asseoir à côté de sa sœur. Quand leurs épaules se touchèrent, il sentit de la chaleur. Collins lâcha le sac par terre, s'agenouilla, l'ouvrit. L'odeur noire du tabac flottait dans son haleine. Elle plongea le bras dans le sac et en tira deux sandwichs.

— Beurre de cacahuètes et confiture, annonça-t-elle. Ça va ?

Les spasmes de faim qui étreignaient l'estomac de Sean gommèrent sa prudence. Il tendit la main, mordit dans le sandwich. Les saveurs sucrée et salée lui firent gronder l'estomac. Il lâcha un soupir malgré lui.

Après avoir dégluti, il demanda :

— Vous avez l'air fatiguée. Quelle heure est-il ?

— Je suis fatiguée, dit Collins en tendant un sandwich à Louise. Il est presque minuit, je crois.

Louise secoua la tête.

— J'aime pas la croûte.

Collins poussa le sandwich dans sa direction.

— Mange, c'est tout.

— Maman, elle enlève la croûte, dit Louise.

Collins la regarda durement, puis soupira, étala le sac en papier par terre et posa le sandwich dessus. Elle fouilla dans sa poche arrière, en retira ce qui ressemblait à une courte barre métallique. À l'aide de sa main libre, elle en fit sortir une lame d'allure maléfique qui se mit en place avec un petit claquement. Sean n'avait encore jamais vu de canif pliant, mais pour en avoir entendu parler il devina que c'en était un. Collins commença à trancher les bords du sandwich de façon à en retirer la croûte. Puis elle le tendit à Louise.

— Maintenant, tu manges, dit-elle.

Louise prit le sandwich et mordit dedans, puis recommença, fourrant chaque fois davantage de pain dans sa bouche presque sans mastiquer. La mine de Collins s'adoucit tandis qu'elle rangeait son canif.

— Je sais que vous avez peur, tous les deux, dit-elle. Mais il n'y a pas de quoi. Ça va bien se passer pour vous deux, et pour votre maman aussi. Tout va s'arranger, peut-être pas demain, mais le jour d'après, ou au pire celui d'encore après. Et ensuite voilà ce qui va se passer : vous partirez en voyage.

— Comme pour les vacances ? demanda Louise.

Collins sourit.

— Oui, comme pour les vacances.

— Où ça ? demanda Sean.

— Vous irez chez un monsieur très gentil.

— Notre père ?

Collins hésita, puis répondit :

— Un monsieur gentil.

— Où ça ? demanda à nouveau Sean.

— Chez lui, dans sa maison. Une grande, belle maison.

— C'est qui, ce monsieur ? Où est sa maison ?

Le sourire de Collins se fit hésitant.

— C'est un gentil monsieur, et une belle maison. Il s'occupera bien de vous. (Elle se pencha en avant et regarda Louise dans les yeux.) Et tu sais quoi ?

Louise battit des paupières.

— Quoi ?

— Ta maman sera là-bas, elle aussi.

— Je suis sûr que c'est un mensonge, dit Sean.

Collins tourna la tête vers lui, et il eut envie de reculer.

— Ne me traite pas de menteuse, Sean.

Sean baissa les yeux et regarda ses mains.

— Je reviendrai demain matin, dit Collins en se

redressant. Dormez, vous deux. Et tâchez de ne pas vous inquiéter.

Comme elle remontait les marches en bois, Sean prit la main de Louise. La trappe se referma, bois sur bois, le verrou gémit, le cadenas claqua. Sean s'allongea sur le matelas, serra Louise contre lui, et tira la couverture sur eux deux, en essayant de ne pas se poser de questions sur le gentil monsieur et sa belle maison.

10

Forum privé 447356/34
Admin. : RR ; membres : DG, AD, FC, MR, JS
Fil de discussion : Ce week-end
Initiateur : RR

De : RR, mercredi 20 h 23
Messieurs, je suppose que vous avez tous eu mon message. Un vendeur potentiel a pris contact. Les nouvelles sont excellentes, au vu de la photo. Dégâts mineurs, mais rien d'alarmant. Les premières vérifications sont concluantes, le vendeur paraît sérieux. Je vais, bien sûr, procéder à des examens plus poussés, mais pour le moment je suis satisfait.
Étant donné que les articles sont au nombre de deux et en bon état, je suggère que nous proposions 3 M$ (trois millions), soit 500 K$ chacun. Je souhaiterais recevoir vos contributions respectives par virement avant vendredi, à midi au plus tard, en supposant que vous êtes toujours tous solvables ? Lol. Je proposerai un bonus supplémentaire de 250 K$ si les articles ne subissent pas plus de dégâts, mais ce sera un versement personnel.
Vous aurez sans doute remarqué un changement dans notre liste de membres. En raison de son comportement lors de notre dernière réunion, CY ne sera plus des nôtres à l'avenir. Il m'a assuré de sa discrétion, et je l'ai assuré des conséquences que pourrait entraîner

son manque de discrétion. Au registre des nouvelles plus agréables, toutefois, permettez-moi de vous présenter JS, recommandé par DG. Pour m'être penché personnellement sur le passé de JS sans rien trouver qui suscite l'inquiétude, je vous demanderai de lui faire bon accueil au sein de notre petit groupe. Si tout va bien, vous aurez l'occasion de faire sa connaissance en personne samedi soir.

À ce propos, notre prochaine réunion se tiendra à l'endroit habituel. Mon chauffeur passera vous prendre à l'aéroport ; comme chaque fois, je vous demanderai de ne pas vous faire accompagner de membres de votre personnel. Je sais qu'ils ont votre confiance, mais moins nombreux nous serons dans la confidence, plus sûr ce sera pour nous tous. Veuillez me confirmer votre présence, et m'indiquer votre heure d'arrivée, mais essayez de faire en sorte que ce soit entre 16 heures et 18 heures.

D'ici là, je vous souhaite une bonne semaine, n'hésitez pas à envoyer un post sur le présent forum si vous avez des questions.

De : DG, mercredi 20 h 36

Merci, RR, pour ma part, je serai là, quoi qu'il advienne, et je vous donnerai mon heure d'arrivée dès que possible. S'il vous plaît, tout le monde, faites bon accueil parmi nous à JS. C'est un vieux copain de fac et un type sympa.

De : JS, mercredi 20 h 41

Message supprimé par l'administrateur du forum.

De : RR, mercredi 20 h 47

JS, je ne perds pas de vue que vous êtes nouveau dans

le groupe, mais je vous prierai de montrer un peu plus de tact. En effet, ce forum est privé, mais la discrétion reste nécessaire. Nous prenons du bon temps lors de nos réunions, bien sûr, mais ça reste une affaire sérieuse, avec des conséquences sérieuses pour nous tous si quoi que ce soit se passe mal.

De : JS, mercredi 20 h 54

Messieurs, toutes mes excuses, je me suis laissé aller – ce qui n'est pas une bonne entrée en matière vis-à-vis du groupe ! Ce que je voulais dire, c'était simplement que je vous remercie tous de m'accepter en tant que membre, particulièrement DG, qui s'est porté garant pour moi. Je vous verrai tous samedi – mon vol est déjà réservé, j'arriverai à 16 h 55.

De : AD, mercredi 21 h 06

J'en suis. Posterai bientôt mon heure d'arrivée.

De : MR, mercredi 21 h 15

Moi de même – mes remerciements à RR pour avoir proposé de régler le bonus. Très généreux de votre part. Atterrissage samedi à 17 h 40. Quelqu'un est partant pour un petit neuf trous rapide dimanche matin ?

De : FC, mercredi 21 h 47

Désolé de tenir tout le monde en haleine pour ma réponse. J'ai déjà un engagement samedi après-midi, je suis en train de voir si je peux me libérer à temps pour venir. Je l'espère, mais je vous ferai savoir ce qu'il en est demain matin.

De : RR, mercredi 22 h 12

Merci pour vos réponses rapides, messieurs. FC,

j'ai pu étudier plus attentivement la photo : vous ne pouvez pas rater ça. Remaniez votre emploi du temps et venez, mon ami, vous ne le regretterez pas. Ils sont magnifiques. Vraiment.

11

Audra dérivait entre veille et sommeil, au gré de lentes vagues nauséeuses. Chaque fois que l'obscurité l'engloutissait, un rêve haché la réveillait brutalement. À maintes et maintes reprises, elle s'éveilla en sursaut sur le maigre matelas de la couchette, terrifiée, désorientée, des douleurs lancinantes dans les épaules et les poignets. La nuit se traîna ainsi jusqu'à ce qu'elle perde toute notion du temps. Quand l'aube s'immisça au travers du puits de lumière, à l'extérieur de sa cellule, le silence était devenu si pesant qu'elle le trouvait littéralement écrasant.

À un moment donné, au plus noir de la nuit, elle avait émergé de son mauvais sommeil pour découvrir Whiteside qui la regardait, posté juste derrière les barreaux. Elle était restée immobile, figée, craignant que si elle bougeait il s'en prenne de nouveau à elle. Au bout de quelques minutes, toujours en silence, il s'était détourné et avait quitté la salle de garde à vue.

Whiteside avait d'abord rappelé son père à Audra, mais à présent il lui faisait penser à son mari. Elle se remémora les nuits où elle s'éveillait dans leur lit pour trouver Patrick assis à l'autre bout de la pièce, en train de la regarder. Une seule fois, elle avait fait l'erreur de lui demander ce qu'il faisait ; il avait alors traversé la pièce en un clin d'œil, l'avait empoignée par les cheveux et tirée hors du lit. Quand elle fut par terre, il se pencha sur elle et lui expliqua que c'était son appartement à lui, et sa chambre à lui, qu'il n'avait aucun compte à lui rendre.

Ils s'étaient rencontrés dix ans plus tôt. Audra Ronan travaillait alors depuis six mois dans une galerie de la 19ᵉ Rue Est – rue surnommée Block Beautiful en raison de ses jolies maisons de ville –, et passait ses soirées à peindre. Elle aimait ce travail, allait tous les jours à pied à Union Square à l'heure du déjeuner pour y manger ce qu'elle avait eu les moyens de se préparer. Le salaire était minable, mais la part qui lui revenait sur les commissions, lors des ventes qui se concluaient parfois, lui permettait de s'en sortir. Voire de gagner de quoi aller à l'immense librairie Barnes & Noble qui bordait le nord de la place, ou de suivre Broadway en direction du sud jusqu'au Strand Book Store, pour s'offrir un ouvrage du rayon arts. Dans le même temps, elle cultivait les relations avec les agents des artistes dont les travaux passaient par la galerie. Deux d'entre eux avaient vu ses tableaux, et lui avaient dit de garder leur nom en tête en prévision du jour où elle serait prête à vendre.

Mais, curieusement, elle ne se sentait jamais prête. Toutes ses toiles, elle les commençait avec l'espoir que, cette fois, la vision qu'elle avait en tête surgisse telle quelle sous ses pinceaux, or ça ne se passait jamais comme ça. Son amie Mel lui dit qu'elle était trop perfectionniste, qu'elle présentait les symptômes classiques de l'effet Dunning Kruger, qui veut que les individus les plus doués ne sachent pas évaluer leur propre talent, alors que les moins doués ne savent pas évaluer leur manque de talent. Audra perdit une heure à lire des articles sur l'effet Dunning Kruger et sur le syndrome de l'imposteur, en tâchant de se convaincre qu'elle pouvait y arriver. Dans un article, elle trouva une citation tirée de *Comme il vous plaira*, de Shakespeare :

Le fou se croit sage, mais le sage sait qu'il n'est qu'un fou[1].

1. *Comme il vous plaira*, acte 5, scène 1, traduction de François Guizot, 1863. (NdT)

Elle la recopia en grosses lettres et la punaisa au mur de son petit studio.

Audra avait essayé la cocaïne parce qu'elle avait entendu dire que cette drogue décuplait le sentiment d'assurance. Elle avait fumé de l'herbe à la fac, comme tout le monde, et s'imaginait que ce serait à peu près la même chose avec la cocaïne. Mais elle découvrit que la poudre lui donnait des nausées et qu'elle avait du mal à supporter les crépitements dans son cerveau. Elle arrêta donc aussi vite qu'elle avait commencé. Elle continuait à fumer un joint de temps à autre, mais ce n'était pas fréquent. Ça la détendait parfois, mais il arrivait aussi que ça la rende nerveuse et angoissée.

Elle préférait l'alcool.

Ça avait commencé à la fac, toutes ces fêtes dans lesquelles elle semblait toujours la dernière à tenir debout. On disait d'elle qu'elle tenait l'alcool. Après la fac, elle freina un peu, ne buvant plus que le week-end. Mais avec le temps, à mesure que les tableaux ratés s'entassaient dans son studio, elle se mit à boire davantage. Bientôt, ce fut tous les soirs.

Elle resta pourtant maîtresse de la situation. Du moins le croyait-elle.

— Donne juste quelques toiles à un agent, serinait Mel, et vois ce qui se passe. Au pire, qu'est-ce qui pourrait arriver ?

Ce qui pouvait arriver, c'était un refus. L'agent pouvait dire à Audra que son travail était bon, mais pas assez bon. Et elle savait que, dans ce cas, c'en serait fini du peu d'assurance qu'elle avait. Elle continua donc de travailler à la toile parfaite qui n'arrivait jamais.

Patrick Kinney était venu au vernissage d'une nouvelle exposition. Audra était en train de coller une gommette rouge sur un grand tableau pour lequel quelqu'un venait de débourser vingt-cinq mille dollars quand une voix douce s'éleva par-dessus son épaule.

— Excusez-moi, mademoiselle, ce tableau est vendu ?

Elle se retourna et vit un grand homme mince, plus

vieux qu'elle d'une dizaine d'années, portant un costume si bien taillé qu'il semblait pratiquement faire partie de lui. Quand il lui sourit en insistant : « Mademoiselle ? », elle se rendit compte qu'elle était restée figée sur place, bouche bée, pendant quelques instants.

— Pardonnez-moi, dit-elle, tandis qu'une vague de chaleur lui embrasait la nuque et les joues. Oui, il s'est vendu il y a quelques minutes.

— Dommage, dit-il. Il me plaît.

Audra s'éclaircit la voix et reprit :

— Je peux peut-être vous montrer autre chose ?

— Peut-être, dit-il, et elle fut frappée par la façon dont il la regardait droit dans les yeux, avec une totale assurance, et dès lors, qu'elle s'en soit rendu compte sur le moment ou pas, elle fut à lui. Elle dut se forcer à détourner le regard.

— Vous envisagez un achat à titre d'investissement, ou vous souhaitez juste quelque chose à mettre au mur ?

— Les deux, dit-il. J'ai emménagé dans mon appartement il y a six mois et je n'ai encore strictement rien à regarder, à part la télé et la fenêtre.

Il habitait un endroit tout en murs nus dans l'East Village, expliqua-t-il tandis qu'elle lui faisait visiter la galerie. Patrick acheta deux toiles ce soir-là, pour un montant total de quarante-deux mille dollars. Il partit avec une facture et le numéro de téléphone d'Audra.

Elle picola le jour de leur premier rendez-vous. Une demi-bouteille de sauvignon blanc avant de quitter son appartement pour aller le rejoindre. Pour se calmer les nerfs, se dit-elle. À un moment donné de la soirée, elle avait dû gagner les toilettes du restaurant pour vomir. Le lendemain matin, elle s'éveilla chez elle, dans son lit, avec une gueule de bois retentissante et un sentiment de honte écœurant, poisseux.

C'est foutu, se dit-elle. *J'ai tout saboté.* À sa surprise, toutefois, Patrick appela dans l'après-midi et demanda quand il pourrait la revoir.

Quatre mois plus tard, il lui proposa le mariage, et elle accepta, consciente, alors même qu'ils s'embrassaient, que c'était de la folie. Elle eut un premier aperçu de la vraie nature de Patrick une semaine plus tard, quand il organisa une rencontre pour la présenter à ses parents dans leur appartement de l'Upper West Side.

Il vint la chercher chez elle, à Brooklyn, ce soir-là, entra grâce à la clé qu'elle lui avait donnée. Audra était derrière le paravent qui séparait son lit du reste de la pièce, ses vêtements pendus à des tringles ou pliés dans des panières en osier. Elle n'avait pas de quoi s'offrir de vrais meubles. Toute la journée, elle avait eu les nerfs à vif à l'idée du dîner qui l'attendait. Les parents de Patrick approuveraient-ils ? Après tout, leur fortune datait de plusieurs générations alors que la mère d'Audra venait du fin fond de la Pennsylvanie, et son père, de l'Ohio, et qu'ils n'avaient fait d'études ni l'un ni l'autre. Les parents de Patrick allaient flairer la pauvreté et prendre leur fils à part, lui dire qu'il pouvait trouver mieux.

Elle avait choisi sa tenue avec soin. Riche de trois jolies robes, quatre paires de chaussures correctes et d'un maigre assortiment de bijoux fantaisie, elle n'avait guère l'embarras du choix, mais elle n'en avait pas moins longuement réfléchi à la question.

Elle sortit de derrière le paravent en tremblant, faisant de son mieux pour se déplacer avec l'élégance dont elle s'était toujours sentie dépourvue.

Debout au milieu de la pièce, Patrick la regarda sans un geste, le visage impassible.

Quand ce fut plus qu'elle n'en pouvait supporter, elle demanda :

— Alors ? Ça peut aller ?

Nouveau silence, puis Patrick répondit :

— Non.

Audra sentit quelque chose se briser en elle.

— Tu as une autre robe ? demanda-t-il en s'étirant les doigts, mains nouées, le visage dur.

— Moi, ça me plaît, dit-elle. J'aime bien cette couleur, le tombé, et...

— Audra, tu sais à quel point cette soirée est importante pour moi, dit-il en se frottant les yeux du bout des doigts. Alors qu'est-ce que tu as d'autre ?

Elle s'apprêtait à protester, mais quelque chose dans le ton qu'il avait employé l'en dissuada.

— Viens voir, dit-elle.

Patrick la suivit dans la partie chambre, de l'autre côté du paravent, jusqu'aux deux autres robes restant pendues à la tringle. Elle les décrocha et les lui présenta, les plaçant tour à tour devant elle.

— Celles-là, je les ai déjà vues, dit-il. Tu les portes sans arrêt.

— Je suis désolée, dit Audra. Je n'ai pas de quoi m'acheter des vêtements. J'essaie de tirer le meilleur parti de ce que j'ai.

Patrick consulta sa montre, une grosse Breitling, ce soir-là, et dit :

— On n'a plus le temps d'aller acheter autre chose. Enfin, quoi, Audra, tu savais pourtant comme je tiens à leur faire bonne impression. Et je vais devoir t'amener chez eux fagotée comme ça.

— Je suis désolée, dit-elle en ravalant ses larmes. On peut annuler, dire que je suis malade.

— Ne sois pas bête, dit-il.

Les dents d'Audra claquèrent quand elle ferma la bouche.

— Allez, viens, enchaîna-t-il. On va être en retard.

Dans la rue, il héla un taxi et ils n'échangèrent plus un mot pendant tout le trajet qui les menait à Manhattan. Elle attendit sur le trottoir pendant qu'il payait le chauffeur, plantée face à l'extrémité de l'immeuble, regardant les arbres de Central Park se balancer dans la brise du soir. Patrick lui prit le bras, l'entraîna vers les marches de l'immeuble de ses parents.

Dans l'ascenseur qui les menait jusqu'à leur appartement sur le toit, il se pencha vers elle et murmura :

— Ne bois pas trop. Ne me couvre pas de ridicule.

En fin de compte, la soirée ne fut pas déplaisante. Patrick déploya son charme comme à son habitude, et sa mère s'extasia sur Audra, comme elle était jolie, n'est-ce pas qu'elle s'habillait bien ? Et la bague – tout simplement magnifique, d'où venait-elle ? Combien avait-elle coûté ? Ah bon, vous êtes irlandaise aussi ? D'où votre famille est-elle originaire ?

Audra fit durer toute la soirée son unique verre de vin, y trempa à peine les lèvres, pendant que Patrick et sa mère vidaient deux bouteilles.

Le père de Patrick – Patrick Sr. – ne but que de l'eau et ne dit pratiquement pas un mot de la soirée, se limitant à quelques commentaires décousus de loin en loin. La mère, en revanche, qui s'appelait Margaret, dirigea la conversation tout en aboyant après le personnel. De quel regard Patrick couvait sa mère ! L'espace d'un instant, Audra se prit à souhaiter qu'il la regarde de la même façon, mais elle trouva l'idée trop dérangeante pour s'attarder dessus bien longtemps.

Plus tard, Patrick ramena Audra chez lui – il ne passait jamais la nuit chez elle – et l'entraîna directement dans la chambre. Il la prit si violemment qu'elle dut se mordre les doigts pour étouffer un cri. Quand il eut fini, en sueur, hors d'haleine, il roula sur le côté et lui prit la main.

— Tu t'es bien comportée ce soir, dit-il. Merci.

Pendant qu'il dormait, Audra décida d'annuler les fiançailles. D'en finir, tout simplement. Le noyau de doute sur elle-même qu'elle s'était découvert et avait si artistement peaufiné lui faisait horreur. Une vie entière avec ça ? Non merci.

Elle passa les quinze jours suivants à essayer d'imaginer un moyen de rompre, de trouver le bon moment, le bon endroit. Mais Patrick se montra si charmant et gentil, pendant ces deux semaines, qu'Audra refoula ses projets de rupture. Puis elle se rendit compte que ses règles n'arrivaient pas, et il ne fut plus question de réfléchir à un départ possible.

Douze ans ou presque s'étaient écoulés depuis, son lit de Brooklyn n'existait plus, remplacé par une couchette dans l'Arizona.

Était-ce Patrick qui avait tout organisé ? se demandait-elle. En avait-il la possibilité ?

Audra supposa que le shérif Whiteside avait dû rester là toute la nuit, pour la surveiller. La caméra, dans l'angle du plafond, était braquée sur elle depuis le début, sa petite lumière rouge la regardant sans discontinuer. Elle s'en était détournée mais la sentait brûler comme un laser entre ses omoplates. Maintenant que les ombres de la salle de garde à vue devenaient plus précises, elle s'allongea sur le dos, regardant la caméra l'observer.

Puis la petite lumière s'éteignit.

Audra resta quelques secondes immobile, attendant qu'elle se rallume. Comme rien ne se passait, elle se redressa, ignorant la douleur qui se réveilla quand elle posa les pieds par terre. Une alarme hurlait quelque part au fond d'elle, lui disait que ce n'était pas normal, que ça ne devait pas se passer comme ça. La caméra ne devait pas être débranchée. Dans quel but… ?

Avant qu'elle ait pu finir de formuler sa question, la porte de la salle de garde à vue s'ouvrit et Whiteside entra, suivi de Collins. Audra empoigna le bord de sa couchette. Son cœur s'emballa. Whiteside s'approcha de la porte de la cellule, la déverrouilla et la fit coulisser.

— Quoi ? demanda Audra, sa voix se haussant sous l'effet de la peur.

Whiteside s'effaça pour laisser entrer Collins, puis entra à sa suite.

— Qu'est-ce que vous voulez ?

Aucun des deux policiers ne dit mot en s'approchant de la couchette. Par réflexe, Audra leva les mains en l'air en un geste de reddition.

— S'il vous plaît, qu'est-ce que vous...

D'un seul mouvement, Collins prit Audra par le bras, la releva et la jeta à terre. Audra s'affala, les paumes et les coudes brûlants. Elle leva les mains pour se protéger la tête, parer le coup qu'elle attendait de l'un ou de l'autre.

— Qu'est-ce que vous... ?

Collins empoigna le T-shirt d'Audra par l'encolure, la hissa à genoux. Audra leva les yeux vers le visage impassible de Whiteside, ouvrit la bouche pour demander à nouveau, supplier, mais Collins lui empoigna la nuque et l'obligea à baisser la tête, si bien qu'elle ne distinguait plus que le haut du corps du shérif.

Assez pour le voir tirer un revolver de derrière son dos.

— Oh ! mon Dieu, non.

Il lui appliqua le canon contre le sommet de la tête.

— Mon Dieu, non, je vous en prie. (La vessie d'Audra l'élançait.) Non, s'il vous plaît, non, s'il vous plaît, s'il vous plaît...

Il arma le pistolet, le claquement du métal se répercutant entre les murs et les barreaux. Collins resserra sa prise sur la nuque d'Audra.

Audra joignit les mains comme pour prier.

— Seigneur, je vous en prie, non, s'il vous plaît, ne...

Un violent *clac* retentit quand Whiteside appuya sur la détente, le chien percutant une chambre vide.

Audra poussa un cri, un long hurlement guttural. Collins la lâcha.

Whiteside remit le pistolet dans son ceinturon.

Audra s'effondra à terre tandis qu'ils s'en allaient. Elle se recroquevilla sur elle-même, les genoux contre la poitrine, la tête entre les mains. Dans la faible clarté de la cellule, bien qu'elle ne soit pas croyante, elle se mit à prier.

12

Le shérif Ronald Whiteside suivit l'agent Collins à l'extérieur par la porte latérale qui donnait sur le plan incliné permettant l'accès aux handicapés. Le soleil, bas à l'horizon, annonçant la chaleur à venir, scintillait sur leurs véhicules de patrouille garés sur le parking. Collins tira un paquet de cigarettes et un briquet de la poche de sa chemise. Elle en alluma une, aspira une longue bouffée, et rangea le paquet en exhalant une fumée bleue qui resta en suspens dans l'air que n'agitait pas un souffle de vent.

— Vous voulez que je reste dans le coin ? demanda-t-elle.

— Non, répondit-il. Allez voir ce que deviennent les deux autres. Assurez-vous qu'ils vont bien. Je dirai que vous êtes partie en patrouille.

Elle aspira une nouvelle bouffée.

— Ce gamin pourrait nous faire des ennuis.

— Pas si vous le prenez comme il faut. Donnez-m'en une.

Collins regarda fixement la main tendue.

— Vous ne fumez pas.

— J'envisage de m'y mettre. (Il claqua des doigts.) Allez, donnez-m'en une.

Elle ressortit le paquet de sa poche, le lui tendit en même temps que le briquet. Il en prit une, la cala entre ses lèvres et actionna la molette du briquet. La fumée emplit ses poumons et il ne put s'empêcher de la recracher en toussant. Il lui rendit le paquet, les yeux pleins de larmes. La dernière fois qu'il avait fumé remontait bien à vingt ans. Il savoura la nicotine qui crépitait dans son cerveau. Il s'emplit à nouveau les poumons, et cette fois retint la fumée.

— Il n'est pas trop tard, dit Collins.

Whiteside secoua la tête.

— Pas de ça.

— On lui rend ses gosses, on lui fait promettre de ne rien dire de ce qu'on a fait, et on peut oublier toute...

— Fermez-la, nom de Dieu, dit-il, regrettant son emportement alors même qu'il l'exprimait. On est lancés, maintenant, et on va aller jusqu'au bout. Vous avez eu l'occasion hier de faire machine arrière, quand je vous ai passé l'appel radio. Vous vous souvenez de ce qui était convenu entre nous.

L'appel demandant de faire venir Emmet et sa dépanneuse. Ils en avaient discuté pendant des mois. Quand il trouverait les bons gosses dans la bonne situation – s'il les trouvait –, il la joindrait par radio pour lui demander de faire venir la dépanneuse d'Emmet. Tout ce qu'elle avait à faire, si elle souhaitait se retirer de l'affaire, c'était dire qu'Emmet était injoignable.

— Je sais, mais...

— Mais quoi ?

Elle secoua la tête.

— Je n'ai jamais pensé qu'on ferait vraiment ça. En parler, c'était une chose. Même hier, quand vous avez appelé. Je n'avais pas l'impression que ça se passait réellement. Mais hier soir, quand je suis montée pour leur apporter à manger, je me suis dit : nom d'un chien, c'est pour de bon. Et je ne sais pas si j'ai la force que ça demande.

— C'est lancé, dit Whiteside. Si on arrête maintenant, autant aller directement se rendre aux fédéraux.

Collins garda le silence, contemplant les montagnes en tapotant sa cigarette pour en faire tomber les cendres. Une moitié en était consumée quand elle se remit à parler.

— Vous auriez dû la tuer, dit-elle.

— Moi, j'aurais dû ? Pas vous ?

— D'accord, *on* aurait dû la tuer. Là-bas, sur le bord de la route. L'enterrer quelque part et se débarrasser de la voiture.

— Ce n'est pas comme ça que l'acheteur veut que ça se passe, dit Whiteside. Il veut que la piste s'achève au parent. Sinon, des recherches sont menées pour retrouver les corps. Alors que comme ça il y a quelqu'un à incriminer. Tout ce qu'on a à faire, c'est entretenir sa peur, voir si on arrive à la faire craquer. Avec un peu de chance, elle fera le boulot à notre place.

— Mais quand même, dit Collins, ça serait plus simple si elle était morte.

Whiteside tira le revolver de son ceinturon et le tendit, la crosse la première, à Collins.

— Bon, d'accord. Il y a une boîte de balles 9 millimètres dans le tiroir de mon bureau. Allez-y, chargez ce pistolet, retournez dans la cellule et mettez-lui-en une dans la tête. Ou encore mieux : allez faire ça dans le désert.

Elle lui darda un regard furibond.

Il lui glissa le revolver dans la main.

— Allez. Allez-y.

Collins jeta sa cigarette par terre, l'écrasa sous son talon. Elle décocha un nouveau regard furieux à Whiteside avant de descendre le plan incliné et de gagner sa voiture. Le moteur rugit quand elle quitta le parking en trombe. Il remit le pistolet dans son ceinturon, l'enfonçant au creux de ses reins. Tira une nouvelle fois sur sa cigarette, la chaleur râpeuse devenant plus agréable à chaque bouffée.

Elle avait raison, bien sûr. Le plus simple, ç'aurait été de conduire Kinney dans un coin perdu, lui mettre une balle dans la tête, et laisser les corbeaux et les coyotes s'occuper de ses restes. Mais ce n'était pas comme ça que l'acheteur s'y prenait. Et il y avait un détail que Whiteside n'avait pas révélé à Collins. Il avait entendu dire que l'acheteur

– le Mec Friqué, comme l'appelaient certains – aimait voir ça dans les journaux télévisés. Il se délectait de l'angoisse des autres.

Whiteside se demanda si un message était arrivé.

Il finit sa cigarette, écrasa le mégot sous sa chaussure et alla ouvrir la portière passager de sa voiture de patrouille. Il fouilla à tâtons la boîte à gants, trouva l'étui fixé sous le tableau de bord, en sortit un téléphone portable bon marché et l'alluma. Puis il lança le navigateur Internet, ouvrant une fenêtre privée de façon à éviter cookies et historique de navigation. Il se connecta à un serveur proxy puis, de mémoire, tapa le lien URL du forum, un obscur enchaînement de chiffres et de lettres. L'écran d'accueil apparut, et il entra ses identifiants.

Un nouveau message direct. Il cliqua sur le lien.

De : AssistantRouge
Objet : Re : Articles à vendre

Cher monsieur,

Merci de votre offre. Après avoir procédé à des vérifications, nous pensons que votre marchandise est authentique et ne présente pas de risque. Nous vous en offrons donc trois millions de dollars (3 000 000 $). Nous constatons que les deux articles présentent quelques dégâts mineurs. Un montant supplémentaire de deux cent cinquante mille dollars (250 000 $) sera versé s'ils ne subissent pas d'autres dégâts. Ces conditions sont définitives et non négociables. Nous espérons qu'elles vous conviendront. L'échange devra avoir lieu samedi entre 15 h et 16 h ; aucun autre créneau horaire n'est envisageable. Vous voudrez bien avoir l'obligeance de confirmer que vous acceptez ces conditions, et vous mettrez en relation avec nous dans les vingt-quatre heures à venir pour organiser le transfert.

Il n'est pas nécessaire de vous rappeler que toute tentative visant à perturber le déroulement de notre opération fera l'objet de représailles aussi rapides qu'impitoyables.

Meilleurs sentiments,

AssistantRouge

— Nom d'un chien, souffla Whiteside.

Une sueur froide l'inondait de la tête aux pieds. Trois millions. Non, trois millions deux cent cinquante mille. Les membres du forum avaient dit qu'il y aurait une rallonge s'il leur trouvait une paire, mais il ne s'attendait pas à un montant pareil.

Un an plus tôt, le shérif Ronald Whiteside avait tué un homme pour quinze mille dollars, ce qui lui avait semblé une fortune jusqu'au jour où tout fut envolé. C'était le même forum qui lui avait procuré ce boulot. Un recoin obscur de la Toile, sous la ceinture, où les pervers, les pédophiles, les fans de torture, la pire lie de l'humanité se retrouvait pour faire commerce de leurs plaisirs sordides. Le Dark Web, ils appelaient ça. Un nom fantasmagorique pour un lieu où, si pourri qu'on soit, on trouvait toujours quelqu'un de pire.

À l'intérieur de ce lieu, dans son propre recoin abrité, se nichait un forum, une messagerie. Un lieu destiné aux flics et aux militaires susceptibles de rendre certains services. Quand on avait besoin de faire exécuter une tâche donnée dont seul un professionnel pouvait se charger, on adressait un message à ce forum. Whiteside avait été initié par un vieil ami militaire. Après des semaines de vérifications, on l'avait laissé naviguer dans les strates superficielles. Six mois de plus, et il était au cœur du cœur. L'endroit où il y avait vraiment du fric à gagner.

La cible avait été un dealer de bas étage de Phoenix. Whiteside ne sut jamais ce qui était reproché à ce type, sans doute une dette, ou peut-être menaçait-il de se mettre à balancer. Whiteside s'en moquait. Il se contenta d'accepter le boulot et de s'en acquitter. Quelques jours d'observation et de filature, puis il explosa la tête du gusse devant un café mal famé de Tolleson avant de filer sur une moto récupérée dans une casse, le visage dissimulé par le casque, quand bien même personne ne se serait avisé d'aller souffler mot de l'histoire aux flics. L'argent fit son apparition sur son compte offshore dès le lendemain matin.

Facile.

Aussitôt après, on lui donna accès à une nouvelle strate du forum, dont il ne soupçonnait même pas l'existence. Un noyau au cœur du cœur. Et là il était question de vraies sommes. De centaines de milliers, et non plus de dizaines. Il y eut un fil proposant une requête toute simple. Un acheteur recherchant un type précis d'articles, disposé à verser des sommes à sept chiffres. Une ribambelle de consignes, méthodes, conditions. Et une adresse e-mail, pour le cas où quelqu'un serait en mesure de répondre à cette demande.

Pour l'heure, les mains tremblantes, Whiteside relut le message. Puis il appuya sur la touche RÉPONDRE.

À : AssistantRouge
Objet : Re : Articles à vendre
Message :

Cher AssistantRouge,
Je vous remercie de votre réponse rapide. Je confirme que votre offre est acceptée et j'attends vos consignes.
Meilleurs sentiments,
AZMan

Il appuya sur la touche ENVOI, attendit la confirmation indiquant que le message était parti.

C'était fait.

Il éteignit le téléphone et le rangea dans son étui, sous le tableau de bord.

13

Audra attendait en silence, les poignets entravés par des menottes reliées à la table par une chaîne arrimée à un anneau en métal. Les murs en parpaings étaient du même gris qu'un navire de guerre, un lino entaillé recouvrait le sol. La pièce ne comportait qu'une seule petite fenêtre crasseuse en verre armé opaque. Le plateau de la table en formica, écaillé par endroits, laissait voir l'agglo, en dessous. Le poste de police tout entier était à l'avenant, en voie de délabrement, comme si, dans la région, les gens avaient tout bonnement renoncé.

L'idée vint à Audra qu'en tirant d'un coup sec elle arriverait probablement à arracher l'anneau de la table. Mais que faire ensuite ? L'agent de la police de l'Arizona posté à côté de la porte la neutraliserait au sol en quelques secondes au plus, voilà ce qui se passerait.

L'agent gardait le regard braqué droit devant lui, n'avait pas bougé un muscle de toute l'heure qu'elle avait passée dans la salle d'interrogatoire, pas même pour s'éclaircir la gorge. Elle avait tenté de lui parler, demandé où étaient ses enfants, réclamé un avocat. Rien à faire. C'était un grand gaillard, tout en biceps et abdominaux, avec des poings énormes. Son uniforme était presque du même beige que celui du shérif ; Audra n'aurait pas su qu'il s'agissait d'un flic d'État si on ne le lui avait pas dit.

On frappa à la porte. Audra tourna vivement la tête. Le policier entrouvrit le battant de quelques centimètres. Échanges à voix basse, puis le policier s'écarta pour laisser entrer un homme jeune et bien vêtu. Costume classique, cravate neutre. Le policier avait dit que le FBI était en route, ce jeune homme devait être un agent fédéral.

Il était chargé d'un trépied surmonté d'une petite caméra. Après quelques instants de manipulation et ajustements, il l'avait installé au fond de la pièce, l'objectif dirigé vers Audra. Il appuya sur une touche, puis une autre, déplia un écran de contrôle. Une fois satisfait, il hocha la tête et s'apprêta à s'en aller.

— Excusez-moi, lança Audra.

L'agent du FBI l'ignora, posa la main sur la poignée de la porte.

— Monsieur, s'il vous plaît.

Il s'arrêta, se retourna vers elle.

— S'il vous plaît, monsieur, dites-moi ce qui se passe.

Il s'autorisa un sourire affligé.

— Nous n'allons pas tarder à venir vous voir, madame.

Comme il franchissait la porte, Audra lui lança :

— Est-ce que vous avez trouvé mes enfants ? Est-ce que vous les recherchez ?

La porte se referma. Audra baissa la tête, se couvrit la bouche à deux mains et murmura dans le creux de ses paumes :

— Sale type.

Le policier la regarda alors.

— Je vous demande pardon ?

Audra soutint son regard.

— Est-ce qu'ils recherchent mes enfants ?

— Je ne dispose d'aucune information là-dessus, madame.

Il fixa le mur de plus belle.

— Quand est-ce que je pourrai avoir un avocat ? demanda-t-elle.

Le policier garda le silence.

Audra soupira, posa les mains à plat sur la table, se força à apaiser ses pensées, à se calmer. Elle découvrit une fissure dans le formica qui ressemblait à un éclair noir. Elle l'examina attentivement, en suivit les contours et les branches, se concentra sur les détails, sentit l'ordre se réinstaller en elle.

On frappa de nouveau, plus fort, cette fois, et le flic dut faire un pas de côté quand la porte s'ouvrit à la volée. Une femme et un homme entrèrent, tous les deux en costume de ville, la tenue de l'homme plus chiffonnée que celle de la femme. Cette dernière était grande, bien découplée, avec un teint foncé et une coupe afro près du crâne, des yeux vifs laissant supposer une intelligence aiguë. L'homme qui entra à sa suite d'un pas traînant avait une épaisse chevelure gris blond et des traits marqués de fumeur. Il lâcha une toux ronflante, tira une chaise et se laissa tomber dessus. La femme resta debout, un iPad calé sous le bras, ainsi qu'un carnet et un stylo.

— Mrs Kinney ? Agent Jennifer Mitchell, du Bureau fédéral d'investigation. Je fais partie de l'équipe d'intervention spécialisée dans les enlèvements d'enfants. Nous sommes basés à l'extérieur de Los Angeles. Je peux m'asseoir ?

Audra acquiesça.

Mitchell sourit, remercia, et s'installa. L'homme se redressa et toussa de nouveau. Audra perçut un effluve de tabac froid par-dessus la table.

— Monsieur est l'inspecteur Lyle Showalter, du ministère de la Sécurité publique de l'Arizona, qui officie au sein de la brigade criminelle basée à Phoenix. L'inspecteur Showalter n'est ici que pour la stricte observation. Que je sois bien claire : c'est moi qui mène les investigations concernant vos enfants.

Tandis que Showalter levait les yeux au ciel en échangeant un petit sourire avec le policier, Audra ouvrit la bouche. Mitchell leva la main pour la faire taire.

— Avant de commencer, dit-elle, il y a quelques détails dont vous devez être informée. Premièrement, bien que vous soyez en état d'arrestation pour détention de marijuana, notre entretien ne portera pas là-dessus. D'autre part, votre arrestation n'ayant rien à voir avec la disparition de vos enfants, vous n'avez pas droit à la présence d'un avocat pendant cet entretien. Vous êtes donc libre d'y mettre un terme quand vous le souhaitez. Je dois vous prévenir quand même qu'en l'occurrence un refus de coopérer ne jouera pas en votre faveur. Pour finir, vous voyez cette caméra ?

Audra acquiesça.

— Elle enregistre notre entretien, et je partagerai cet enregistrement avec autant d'autres enquêteurs et tiers que je le jugerai nécessaire à l'avancée de nos investigations. Comprenez-vous tout ce que je viens de vous dire, Mrs Kinney ?

— Oui, madame, répondit Audra d'une voix ténue.

Mitchell désigna les poignets menottés d'Audra.

— Je ne pense pas que cette précaution soit nécessaire, lança-t-elle au policier.

Ce dernier regarda Showalter, qui acquiesça, et quitta alors son poste à côté de la porte. Il tira une clé de sa poche, déverrouilla les menottes, les laissa tomber à grand bruit sur la table.

— Ces vêtements sont-ils ceux que vous portiez hier au moment de votre arrestation ? demanda Mitchell en pointant son stylo.

— Oui, répondit Audra.

Mitchell ferma les yeux et soupira. Elle les rouvrit et dit :

— Ils auraient dû être mis de côté en tant que preuves. Quand nous en aurons terminé ici, nous vous trouverons autre chose à mettre. Cela dit, pouvons-nous commencer ?

— Oui, dit Audra.

Mitchell sourit.

— Vous êtes bien installée ? Voulez-vous un peu d'eau ?

Audra secoua la tête.

— Mrs Kinney… Audra… vous permettez que je vous appelle Audra ?

Audra acquiesça.

Mitchell respira un bon coup, sourit, puis demanda :

— Audra, qu'avez-vous fait de vos enfants ?

Un vertige fourmillant emplit la tête d'Audra. Elle s'agrippa au bord de la table pour ne pas tomber, ouvrit la bouche, la referma, sans qu'il en sorte un mot.

— Audra, où sont-ils ?

Reste calme, se dit-elle. *Explique-lui de façon rationnelle.*

Sans lâcher la table, elle inspira profondément, s'emplit les poumons.

— Ils les ont emmenés.

— Qui les a emmenés ?

— Le shérif, répondit Audra, haussant la voix. Elle agita la main en direction du mur, comme si Whiteside était derrière, l'oreille collée aux parpaings.

— Et son assistante, la femme. Je ne me rappelle pas son nom.

— Vous voulez dire le shérif Whiteside et l'agent Collins ?

— Oui, Collins, c'est ça. (Audra se rendit compte du ton légèrement coupant de sa réponse, respira à nouveau, s'efforça de se calmer.) L'agent Collins a emmené Sean et Louise pendant que j'étais dans la voiture du shérif en attendant la dépanneuse.

— C'est la vérité ?

— Oui, c'est la vérité. Ils les ont emmenés.

— Je vois, dit Mitchell en lui adressant un petit sourire bienveillant. L'ennui, Audra, c'est que le shérif Whiteside ne se souvient pas de la même chose. Il m'a dit ce matin qu'il n'y avait pas d'enfants dans la voiture quand il vous a arrêtée.

— Il ment, dit Audra, ses ongles s'enfonçant dans ses paumes.

— Et l'agent Collins dit qu'elle n'était pas du tout dans le secteur de cette route de comté quand vous avez été arrêtée. Elle est venue rejoindre le shérif pour l'aider à vous fouiller.

— Elle ment aussi. Vous ne le voyez pas ?

— J'ai aussi parlé très brièvement avec un certain Mr Emmet Calhoun il y a à peine une demi-heure, et il me dit qu'il n'y avait pas d'enfants quand il a remorqué la voiture. Il a trouvé ça bizarre sur le moment, à cause du siège rehausseur et de diverses petites choses qu'il a vues dans la voiture. Il dit qu'il n'y avait que vous à l'arrière du véhicule du shérif Whiteside.

— Parce qu'il est arrivé après, dit Audra, si fort que Showalter tressaillit. Évidemment, qu'il ne les a pas vus, il est arrivé sur place après qu'on avait emmené mes enfants.

Mitchell posa les mains à plat sur la table, les doigts écartés, comme pour lisser un drap.

— Audra, il faut que vous vous calmiez. Je vais vous demander de faire ça pour moi, d'accord ? Je ne peux vous aider que si vous êtes calme.

— Je suis calme, dit Audra d'un ton plus mesuré. Je suis calme. Mais je veux qu'on me rende mes enfants. Ils les ont emmenés. Pourquoi n'êtes-vous pas en train de les rechercher ?

Showalter prit alors la parole :

— Nous avons un hélicoptère en survol depuis les premières lueurs du jour, qui écume le secteur entre ici et Scottsdale. Mes collègues sont en relation avec la police et les shérifs des comtés voisins, pour constituer des équipes de recherche. Ne vous inquiétez pas, Mrs Kinney, quoi que vous ayez pu faire de ces gosses, nous les retrouverons.

Audra frappa la table du plat de la main.

— Je ne leur ai rien fait. C'est Whiteside et Collins qui les ont, bon Dieu, pourquoi est-ce que vous ne m'écoutez pas ?

Mitchell soutint son regard un instant, avant de baisser les yeux vers l'iPad posé devant elle, sur la table. Elle entra un mot de passe, et l'écran s'illumina.

— Audra, il faut que je vous montre quelque chose.

Audra se renversa contre le dossier de sa chaise. Un étau de peur lui étreignait la poitrine.

— Des agents du bureau local de Phoenix ont procédé à une fouille préliminaire de votre voiture avant qu'elle soit envoyée à la fourrière de la brigade criminelle pour un examen plus détaillé. Ils ont pris quelques photos. Reconnaissez-vous ceci ?

Elle agrandit une image, tourna l'iPad vers Audra pour qu'elle puisse la voir. Un T-shirt à rayures. Celui de Sean. Avec une tache d'un marron rougeâtre sur le devant.

— Attendez, ce n'est pas…

Mitchell balaya l'écran d'un doigt, remplaçant cette image par une autre.

— Et ceci ?

L'intérieur de la voiture d'Audra, au pied de la banquette arrière, le dos des sièges avant, la portière passager arrière. Du bout du stylo, Mitchell désigna plusieurs endroits sur l'image.

— Je dirais que ça ressemble à des taches de sang. Qu'en pensez-vous ?

Audra secoua la tête.

— Non, c'est Sean, il saigne du nez. Ça lui est arrivé avant-hier. J'ai dû m'arrêter et le débarbouiller. J'ai essuyé l'intérieur de la voiture, mais je n'ai pas pu nettoyer comme il le fallait, je n'avais pas le temps, la nuit commençait à tomber.

Mitchell balaya une nouvelle fois l'écran. Autre image.

— Mon Dieu, fit Audra.

— Pouvez-vous me dire ce que vous voyez sur cette photo, Audra ?

— Le jean de Louise, dit Audra.

Les larmes lui remontèrent aux yeux tandis qu'elle se mettait à trembler.

— Mon Dieu. Et sa culotte.

— Derrière la banquette arrière, côté passager, dit Mitchell. Fourrés sous le siège avant.

— Comment... comment... ?

— Ça, Audra, vous voyez ? (Mitchell posa l'extrémité de son stylo sur l'image.) Le jean semble déchiré, et taché de sang. Ça ne se voit pas sur l'image, mais il était aussi trempé de ce qui serait apparemment de l'urine. Avez-vous quoi que ce soit à dire à ce propos ?

Audra examina la photo, le jean, les tulipes cousues en guise de poches.

— C'est celui qu'elle portait, répondit-elle.

— Votre fille portait ce jean, répéta Mitchell. Quand le portait-elle ?

— Quand ils l'ont emmenée.

— Quand ils l'ont emmenée ?

— L'agent Collins. Quand elle a emmené mes enfants, Louise portait ce jean. Mais il n'était pas déchiré. Ni taché de sang.

— Dans ce cas, comment ce jean se retrouve-t-il dans votre voiture ? Après qu'elle a été remorquée, comment y est-il retourné ?

Audra secoua la tête. Les larmes roulaient à présent sur ses joues, et tombaient à grosses gouttes lourdes sur la table.

— Je n'en sais rien, mais le shérif et son assistante ont emmené mes enfants, ils savent où ils sont. Je vous en prie, faites-leur dire où ils sont.

Une idée lui vint alors à l'esprit, si claire et nette qu'elle en hoqueta. Elle porta la main à sa bouche.

— Oui ? fit Mitchell en se renversant contre le dossier de sa chaise.

— Les caméras, dit Audra, tandis qu'un vertige se mettait à pétiller derrière ses yeux. Les véhicules de police sont tous équipés de caméras, non ? On voit ça à la télévision, quand ils arrêtent un automobiliste, ils enregistrent tout, non ? Non ?

Mitchell lui sourit tristement.

— Non, Audra, pas dans le comté d'Elder. La voiture de patrouille de l'agent Collins a près de quinze ans, jamais une caméra de bord n'y a été installée, et celle du véhicule du shérif Whiteside ne fonctionne plus depuis trois ans. Il n'est jamais resté dans le budget de quoi la faire réparer.

— Et un GPS, ou quelque chose du même genre ?

— Rien de tel.

Le poids de la déconvenue alourdit à nouveau les épaules d'Audra – peur, colère, impuissance. Elle enfouit son visage entre ses mains pendant que Mitchell poursuivait.

— J'ai entendu ce que vous m'avez dit à propos du shérif Whiteside et de l'agent Collins, et, croyez-moi, je vais leur en parler. Mais à l'heure qu'il est, même si je ne tiens pas compte des éléments que nous avons découverts dans votre voiture, c'est votre parole contre la leur. Je me suis aussi entretenue avec d'autres personnes, aujourd'hui. Notamment au bar-restaurant où vous avez mangé de bonne heure hier matin. La responsable a confirmé que Sean et Louise étaient avec vous à ce moment-là. Pour autant que je le sache, c'est la dernière personne qui vous a vus ensemble, vos enfants et vous. Elle a dit que vous paraissiez nerveuse.

— Bien sûr, que j'étais nerveuse, dit Audra entre ses mains. J'essayais de fuir mon mari.

— Je lui ai également parlé.

Audra se découvrit soudain le visage.

— Non. Pas lui. Ne l'écoutez pas. C'est un menteur.

— Vous ne savez pas encore ce qu'il m'a dit.

— C'est un sale menteur. (Audra haussait à nouveau le ton.) Ça m'est égal, ce qu'il a dit. C'est lui qui a organisé ça. Il a payé Whiteside et Collins pour m'enlever mes enfants.

Mitchell garda le silence un moment, le temps de laisser retomber la colère d'Audra.

— J'ai parlé à Patrick Kinney tôt ce matin, en attendant

mon vol de Los Angeles à Phoenix. Il a évoqué les problèmes que vous avez connus par le passé. L'alcool. La cocaïne.

— La cocaïne, c'était il y a longtemps, avant les enfants, avant Patrick, même.

— Peut-être, mais pas l'alcool. Ni les médicaments. Il m'a dit que vous aviez trois médecins différents qui vous prescrivaient des remontants et des calmants comme si c'étaient des bonbons. Qu'à une époque vous reconnaissiez à peine vos propres enfants.

Audra ferma les yeux et murmura :

— Sale type. C'est lui qui a organisé ça. Je sais que c'est lui.

— Mr Kinney m'a dit que depuis que vous êtes partie avec les enfants, lui, il essayait de les récupérer.

— Vous voyez bien ! lança Audra, sans prêter attention à l'air irrité de Mitchell. Il essaie de me les enlever. Il a payé le shérif…

— Laissez-moi terminer, Audra. Les services d'aide à l'enfance de New York vous tiennent à l'œil, menacent de vous retirer les enfants pour les rendre à leur père. C'est pour ça que vous avez pris la fuite voilà quatre jours. N'est-ce pas ?

— Il n'était pas question que je le laisse m'enlever mes…

— Que s'est-il passé, Audra ?

Mitchell avança le buste, les avant-bras posés sur la table, la voix douce, égale.

— J'ai moi-même trois enfants, et un ex-mari. J'ai la chance que ma mère soit là pour m'aider, mais malgré tout, ce n'est pas de tout repos. Élever des enfants c'est dur. *Très* dur. On stresse, vous le savez ? Malgré tout l'amour que j'ai pour eux, quand ils me poussent à bout, je ne peux pas tout supporter. Toutes les mères devraient recevoir une médaille, selon moi, rien que parce qu'elles arrivent à boucler une journée avec des enfants à charge.

Elle s'avança davantage, baissant la voix pour poursuivre sur un ton presque doucereux, fixant Audra de son regard brun.

— Alors dites-moi ce qui s'est passé. Vous conduisez depuis quatre jours, vous êtes fatiguée, vous avez peur, la chaleur vous met à rude épreuve. Peut-être que Sean et Louise se chamaillent à l'arrière, vous savez comment sont les enfants. Peut-être qu'ils demandent sans arrêt des choses qu'ils ne peuvent pas obtenir, alors que vous leur avez déjà dit non une bonne centaine de fois. Peut-être qu'ils crient, qu'ils hurlent, sans arrêt, de plus en plus fort, qu'il n'y a pas moyen de les faire taire. Qu'avez-vous fait, Audra ? Vous êtes-vous arrêtée quelque part dans le désert pour les corriger ? Vous aviez peut-être juste l'intention de leur passer un savon. Peut-être une petite tape sur la jambe ou le bras. Peut-être les secouer un peu, c'est tout. Je sais que vous n'aviez pas l'intention de faire plus, j'ai eu envie d'en faire autant à mes propres gosses un tas de fois, mais vous avez perdu votre sang-froid un instant. Juste une fraction de seconde, c'est tout, et vous avez fait quelque chose. C'est bien ce qui s'est passé, Audra ? Je sais que ça vous ronge. Il vous suffit de me le dire, nous pourrons aller les chercher et tout ça sera terminé. Dites-moi seulement, Audra, qu'avez-vous fait

Audra regarda fixement Mitchell, une boule de feu dans la poitrine.

— Vous pensez que j'ai fait du mal à mes enfants ?

Mitchell cilla et répondit :

— Je n'en sais rien. C'est le cas ?

— Mon fils et ma fille sont tous les deux quelque part, et vous ne les recherchez pas parce que vous pensez que je leur ai fait du mal.

Le même doux sourire, la même voix de miel.

— C'est le cas ?

Mue par un réflexe inconscient, la main droite d'Audra

partit et sa paume frappa la joue de Mitchell avec force. Mitchell recula, les yeux flambants de colère.

Audra sentit la chaleur du coup lui enflammer la paume. Elle se leva et lança :

— Trouvez mes enfants, bon dieu !

Elle ne vit pas le policier s'élancer, sentit seulement son poids s'abattre sur elle et le sol se rapprocher. Elle s'abattit à plat ventre sur le lino, le souffle coupé, le genou du policier au creux des reins, ses grosses mains lui attrapant les poignets et les lui remontant entre les omoplates.

Elle garda les yeux rivés dans ceux de Mitchell, qui se tenait debout contre le mur opposé, le souffle houleux.

— Trouvez mes enfants, lança Audra.

14

— Bon sang, fit Whiteside, s'arrachant à la contemplation de la vidéo, sur l'écran de l'ordinateur portable du jeune agent fédéral qui venait de l'installer. (Il gratifia le jeune de toute la force de son sarcasme.) Ça s'est bien passé.

Le fédéral – agent spécial Abrahms, si Whiteside avait bon souvenir – ne répondit pas, se contenta de taper sur quelques touches qui firent surgir et disparaître des fenêtres sur l'écran.

Le portable avait été placé sur le bureau le plus au fond du local. Une poignée de gars de la police d'État regardaient, deux autres parlaient au téléphone, prenaient des appels, organisaient une opération de recherche. Un plan du comté d'Elder et des comtés environnants était déjà affiché au mur, une punaise rouge indiquant l'endroit où le shérif avait arrêté Audra Kinney, d'autres, les derniers endroits où elle avait été vue, un fil les reliant les unes aux autres et donnant une approximation de son itinéraire au cours des derniers jours. D'autres fédéraux et flics d'État étaient attendus dans le comté en fin de journée et, le lendemain matin, le motel situé à Gutteridge serait quasi plein à craquer. Il se disait que les opérations allaient bientôt être centralisées à la mairie.

Collins traînait entre les bureaux, arpentait le local, croisant parfois le regard de Whiteside. Deux ou trois flics d'État tentèrent de flirter avec elle et se firent sèchement rembarrer.

La porte de la salle d'interrogatoire s'ouvrit et le policier en sortit, agrippant d'une main le bras d'Audra Kinney tandis que l'inspecteur en faisait autant de l'autre côté. Whiteside se leva et alla s'adosser au mur du fond. Collins le rejoignit.

Quand Audra les aperçut, un rictus lui dénuda les dents. Tandis que les deux flics la ramenaient à la salle de garde à vue, elle tourna la tête pour continuer à les regarder.

— Où sont mes enfants ? Qu'avez-vous fait d'eux ? Combien mon mari vous a-t-il versé ? Sales enfoirés, dites la vérité. Dites-leur où sont mes enfants. Vous m'entendez ? Dites-leur. Je jure que je…

Sa voix se mua en un cri étouffé quand la porte se referma derrière elle.

— Maîtrisez vos nerfs, glissa Whiteside assez bas pour que seule Collins l'entende.

— J'essaie, répondit-elle d'une voix chevrotante.

— Suffit pas d'essayer. Vous y arrivez, sinon, vous êtes morte.

— Vous vous figurez que je ne le sais pas ?

— Concentrez-vous sur ce qui se passera après, dit-il, sur ce que ce fric vous apportera.

— Il ne m'apportera rien si…

— La ferme.

Mitchell approchait, iPad dans une main, carnet et stylo dans l'autre. Son regard passa alternativement de Collins à Whiteside sans que son visage exprime quoi que ce soit. Puis elle sourit et lança :

— Shérif Whiteside, pouvez-vous m'accorder un moment ?

— Bien sûr, dit-il.

Il laissa Collins où elle se trouvait et se dirigea vers la porte latérale du bâtiment, Mitchell à sa suite. La chaleur s'engouffra quand il abaissa la barre pour ouvrir la porte. Il la tint le temps de permettre à Mitchell de sortir, et referma derrière eux. Un mince pan d'ombre les abritait du soleil, impitoyable de ce côté du bâtiment, mais l'air chaud terrassa quand même Whiteside, que le reflet aveuglant, sur les véhicules de la police d'État et les SUV noirs des fédéraux, obligea à plisser les yeux.

— Qu'est-ce que c'est que ça, là-bas ? demanda Mitchell en pointant l'index. Ces traînées orange sur les collines. On dirait des marches.

— Une mine de cuivre, dit Whiteside. C'en était une, en tout cas. Un puits à ciel ouvert, tout le travail se faisait en surface. Le rouge, c'est l'argile qu'ils ont étalée sur la terre qui avait été mise à nu ; ils ont fait ça quand la mine a fermé. C'est censé empêcher les pluies de faire ruisseler acides et autres dans l'environnement. Ce n'est pourtant pas qu'il pleuve tant que ça dans le coin, à peine de quoi tremper un mouchoir de poche. Ils appellent ça la « réhabilitation ». C'est pas beau, ça ? Ils ont réhabilité la mine comme on réhabilite un dealer qui vient de sortir de prison.

Mitchell s'abrita les yeux du soleil pour examiner le flanc de la colline.

— Qu'est-ce qui s'est passé ? Pourquoi est-ce que ça a fermé ?

— Ce n'était plus rentable, dit-il. Ils ne faisaient plus assez de bénéfices compte tenu du travail que ça représentait alors, pfft ! Partis. La ville tirait sa subsistance de cette mine. Et même tout le comté, bon sang. C'était un endroit prospère, croyez-le ou pas. Le genre d'endroit où un jeune pouvait fonder une famille en sachant qu'il aurait de quoi l'entretenir. Il y a encore du cuivre, là-haut, mais les dirigeants ont jugé qu'ils perdraient moins de fric en s'abstenant d'y toucher, et c'était plié. Le monde a encore besoin de cuivre, plus que jamais pour fabriquer tous nos ordinateurs, téléphones portables et Dieu sait quoi, mais le monde veut du cuivre pas cher. Attendez un peu et vous verrez que, tôt ou tard, les gratte-papier vont décider que c'est plus rentable de faire venir tout notre cuivre de Chine, comme ils l'ont fait avec l'acier, et là le pays entier sera niqué. Ça commence dans des coins comme ici, mais ça ne s'arrête pas là. Les villes doivent leur survie ou leur mort à ce qu'un vague technocrate bon chic bon genre sort de sa calculette ou de son tableau de calcul. Ils ont fermé cette mine, ça a été notre arrêt de mort. Tous les gens capables de travailler sont partis depuis longtemps. Ceux qui restent vivent sur leurs chèques de la Sécurité sociale, en attendant de mourir, comme Silver Water.

— Je suppose que c'est pour ça que vous n'avez pas de quoi faire réparer votre caméra de bord, dit Mitchell.

Whiteside lâcha un profond soupir avant de tourner la tête vers elle.

— Agent spécial Mitchell, à combien s'élève votre salaire ?

Elle secoua la tête.

— Ne comptez pas sur moi pour répondre.

— Eh bien, moi, c'est la cinquième année que je dois accepter une baisse de salaire. C'est soit ça, soit je perds mon boulot, voilà comment le maire m'a présenté les choses. Je parie que vous payez plus d'impôts que moi je gagne de fric en un an. Vous savez, j'ai volontairement renoncé à mon salaire pendant trois mois l'année dernière, pour qu'il y ait de quoi payer l'agent Collins. Et mon salaire est peut-être merdique, mais le sien est pire, et elle en a besoin plus que moi. À l'heure qu'il est, vous vous trouvez sans doute dans le coin le plus pauvre des États-Unis, et j'ai une enveloppe d'environ trois sous et un bouton de culotte pour y faire régner l'ordre.

Mitchell contempla un moment les montagnes, au loin, les lèvres pincées, avant de lancer :

— Vous savez que je vais devoir vous poser la question.

Whiteside acquiesça.

— Ouais, je m'en doutais. Allez-y.

— Est-ce qu'il y a du vrai dans ce qu'elle a dit ? Est-ce que vous, ou l'agent Collins, avez joué un quelconque rôle dans la disparition des enfants d'Audra Kinney ?

Elle le fixa droit dans les yeux et il soutint son regard.

— Vous savez bien que non, dit-il. C'est un délire. Elle y croit peut-être. C'est peut-être moins dur pour elle d'imaginer une histoire que d'affronter la réalité.

— Peut-être, dit Mitchell. Mais je dois explorer toutes les possibilités. Que ça vous plaise ou non.

— Je n'ai rien à cacher, dit Whiteside.

— Je n'en doute pas. Je vais demander à l'agent spécial Abrahms d'envoyer la vidéo à l'analyste comportemental du bureau local de Phoenix. Nous ne tarderons pas à savoir si elle ment ou pas. Et je vais demander à mon équipe de fouiller l'arrière du véhicule de patrouille de Collins. S'il n'y a rien de vrai dans les allégations d'Audra Kinney, vous n'avez aucun motif d'inquiétude. N'est-ce pas ?

— Non, dit Whiteside. Aucun.

Mitchell sourit, hocha la tête et ouvrit la porte. Elle rentra à l'intérieur du bâtiment et laissa la porte battante se refermer.

Whiteside s'appuya d'une main au mur pour éviter de tomber.

15

Audra aurait hurlé si elle en avait eu la force. Chaque fois qu'elle tenta de le faire, sa gorge n'émit qu'un couinement à peine plus audible qu'un murmure. Elle arpentait la cellule en essayant de ne pas céder à l'envie de se cogner la tête contre les barreaux. Un ressort tendu à bloc menaçait au creux de sa poitrine. La panique guettait de toutes parts, prête à s'immiscer et à prendre les rênes. Audra se concentra donc sur sa colère. La colère lui était plus utile à cette heure que la peur.

Personne ne voulait l'écouter. Personne. Comme si ce qu'elle avait dit n'avait aucun sens. Elle avait eu la conviction, en voyant entrer Mitchell dans la salle d'interrogatoire, que cette femme allait au moins envisager qu'il puisse y avoir du vrai dans ce qu'elle disait. Mais non, Mitchell n'était qu'un flic en costard de plus, qui ne savait pas – ou ne voulait pas – voir plus loin que ce que Whiteside leur avait présenté.

À en croire la pendule, au mur, trois quarts d'heure s'écoulèrent avant que Mitchell revienne, une barquette en polystyrène dans une main, un sac en plastique dans l'autre, et un grand sac en papier kraft calé sous le bras. Audra continua d'aller et venir pendant que la femme s'approchait de la cellule.

— Vous avez mangé quelque chose depuis hier ? demanda Mitchell.

Comme réveillé par ces mots, l'estomac d'Audra lâcha

un long grondement sourd. Elle cessa de marcher, noua les bras autour de son ventre.

— Je suppose que non, dit Mitchell. J'ai pris ça au bar-restaurant du bout de la rue. Ça sent vraiment bon.

Elle posa la barquette sur la table, à côté de la porte, avec une serviette et une fourchette en plastique, et le sac en papier.

— Mais d'abord il faut que vous me donniez vos vête-ments. Je suis passée au Goodwill pour y prendre quelques trucs. J'ai dû deviner votre taille, mais ça devrait aller pour le moment. Ils n'avaient pas de sous-vêtements alors je vous ai mis quelques trucs à moi.

Mitchell déverrouilla la porte de la cellule, la fit coulisser et jeta le sac de vêtements de façon à ce qu'il atterrisse aux pieds d'Audra. Audra resta immobile, sans chercher à le ramasser.

— Il me faut vos vêtements, dit Mitchell. Je n'ai pas envie de devoir demander aux gars de la police d'État de venir vous déshabiller de force. La caméra est éteinte, et moi je vais tourner le dos.

Elle se retourna, comme elle l'avait dit. Audra ouvrit le sac, en sortit une chemise et un jean. Elle y trouva un soutien-gorge de sport qui semblait pouvoir lui aller, deux culottes et une paire de socquettes. Elle se déshabilla puis se rhabilla aussi vite qu'elle le pouvait.

Elle apporta ses vêtements à Mitchell, qui les fourra dans le sac vide et posa le tout sur la table avant de rapporter la barquette, la fourchette et la serviette en papier jusqu'à la cellule. Audra resta les bras ballants.

— Allez, dit Mitchell. Vous avez besoin de manger.

Audra s'avança et prit la barquette des mains de Mitchell. Quand elle l'ouvrit, l'odeur du riz au bœuf et à la tomate submergea ses sens. Son estomac gronda de plus belle, et elle se mit à saliver.

— Chili, dit Mitchell. Marrant, non ? Plus le climat est

chaud, plus la nourriture est épicée. On imaginerait plutôt que les gens cherchent à se rafraîchir.

Audra retourna s'asseoir sur la couchette, commença à manier la fourchette. Elle ne put réprimer un gémissement de plaisir se mettant à mastiquer.

— Je vous ai aussi apporté ça, dit Mitchell en tirant de sa poche une bouteille en plastique de Coca. Je peux entrer ?

Audra acquiesça en déglutissant, comme si elle avait le droit de décider qui entrait et sortait de cette cellule. Mitchell désigna la caméra, dans l'angle.

— Nous ne sommes pas surveillées, dit-elle. Mais je sais que vous ne tenterez pas de geste idiot.

— Ils l'ont éteinte la nuit dernière, dit Audra.

Mitchell traversa la cellule, posa la bouteille de Coca sur la couchette, s'assit à côté d'Audra.

— Éteinte ?

— Whiteside et Collins, dit Audra. Ils sont venus ici pendant la nuit et m'ont mis un pistolet contre la tempe. Whiteside a appuyé sur la détente. J'ai cru que j'y passais.

— C'est une accusation grave, dit Mitchell.

— Une accusation grave, répéta Audra. Plus grave, ou moins grave que d'avoir pris mes enfants ?

Mitchell se pencha vers elle.

— Audra, il faut que vous compreniez dans quelle situation vous êtes. Le shérif Whiteside et l'agent Collins ont à leur actif des années d'expérience, des états de service irréprochables. Dites-vous bien que le shérif Whiteside est un héros de guerre. Il a servi pendant la première guerre du Golfe, reçu des médailles et tout. Vous, vous êtes une ancienne droguée qui fuit les services d'aide à l'enfance. Quel poids pensez-vous que votre parole puisse avoir face à la leur ?

La viande et le riz perdirent toute saveur, se muèrent en cendres dans la bouche d'Audra. Elle laissa tomber la fourchette dans la barquette, s'essuya la bouche avec la serviette.

— Tenez, dit-elle en rendant le tout à Mitchell.

L'agent reprit la barquette.

— Audra, je cherche à vous aider. Ne vous détournez pas.

— Est-ce que je peux téléphoner ?

— En dépit de ce que vous avez pu voir à la télé, vous n'êtes pas automatiquement autorisée à...

— Est-ce que je peux téléphoner ?

Mitchell ferma les yeux, les rouvrit, se leva.

— D'accord.

Elle tira un smartphone de la poche de sa veste, tapa un code d'accès.

— Vous savez que, derrière cette porte, il y a une bonne dizaine de flics qui ne demandent qu'à vous mettre en pièces, n'est-ce pas ?

— Oui, dit Audra.

— Bon, fit Mitchell. Alors tenez-en compte.

Audra se leva, alla à l'autre bout de la cellule, composa l'unique numéro qu'elle ait en tête. Au bout de quelques instants de silence, une tonalité se fit entendre, puis une voix de femme répondit :

— Allô ?

Audra ouvrit la bouche, mais rien n'en sortit. Elle écouta le chuintement du signal voyageant depuis la Californie. *Je devrais y être*, songea-t-elle. *Avec Sean et Louise, là-bas, au bord de la mer. Pas en cage ici, pas comme ça.*

— Allô ? Qui est à l'appareil ? Si c'est un journaliste, je ne veux pas...

— Mel ?

Un instant de silence, puis :

— Audra ? C'est toi ?

— Oui, c'est moi. Ça fait du bien d'entendre ta voix.

— Audra, qu'est-ce qui se passe ?

— J'ai besoin d'aide.

— La police sait que tu m'appelles ? Tu m'appelles depuis la prison ?

— Oui. (Elle se força à continuer d'une voix enjouée.) Je sais, c'est fou, hein ? Moi, en prison. Est-ce que tu peux m'aider, Mel ?

— Bon sang, les journalistes m'appellent sans arrêt depuis ce matin pour me questionner à ton sujet. Si j'ai décroché, c'est uniquement parce que je pensais que c'était l'école de Suzie qui appelait. Qu'est-ce que tu veux ?

— J'ai besoin d'aide. J'ai des ennuis, Mel. Quoi que tu aies pu voir à la télé, je n'y suis pour rien. Le shérif cherche à me piéger. Ils m'ont pris mes enfants, son assistante et lui. Je pense que, si j'arrivais à faire venir quelqu'un comme un détective privé, il pourrait faire quelque chose. Si j'avais les moyens de le payer, je pourrais en engager un. Mais je n'ai rien. Je n'ai que toi à qui m'adresser. Est-ce que tu peux m'aider, Mel ?

Audra entendit son amie inspirer, souffler, inspirer, souffler. Mitchell regardait, impassible.

— Il te faut du fric, dit Mel.

— Oui, dit Audra. Est-ce que tu peux m'aider ?

— Je regrette de t'avoir rencontrée, dit Mel. Ne me rappelle plus.

Un clic, puis une tonalité entrecoupée.

Audra regarda le téléphone. Elle avait envie de le lancer contre le mur. De s'en donner de grands coups au visage. Mais elle ravala sa colère, n'en laissa pas l'énergie destructrice se déverser dans le monde. Elle l'avait fait trop souvent par le passé et ça n'avait jamais rien résolu. Elle serra l'appareil très fort entre ses mains en s'efforçant de réfléchir.

Qui d'autre ?

Ses parents n'étaient plus de ce monde depuis longtemps. Son unique frère essayait de gagner sa vie comme musicien quelque part dans les environs de Seattle. Même s'ils avaient entretenu des relations, il n'avait jamais su garder un dollar en poche davantage que le temps d'aller jusqu'au bar le plus proche.

Alors qui ?

— Vous avez fini ? demanda Mitchell.

— Attendez, dit Audra.

Elle ferma très fort les yeux, essaya de penser à quelqu'un. N'importe qui. Un seul nom lui venait à l'esprit, mais elle n'appellerait pas ce numéro-là. Pas même si sa vie en dépendait.

— Vous ne voulez pas appeler votre mari ? demanda Mitchell comme si elle lisait dans ces pensées.

— À quoi bon ?

— C'est le père de vos enfants.

— C'est vrai, dit Audra. C'est mon mari. Et c'est le père de mes enfants. Et c'est le genre d'individu qui est capable de payer quelqu'un qui emmène mes enfants, juste pour essayer de me détruire. Il a tenté pendant un an et demi de me broyer. Ce n'est pas maintenant que je vais lui donner l'occasion de le faire.

Abattue, elle regagna la couchette et rendit le téléphone à Mitchell.

— Vous allez devoir réfléchir, dit l'agent, sans bouger.

Sans répondre, Audra enfouit la tête entre ses mains pendant que Mitchell sortait de la cellule et refermait la porte à clé derrière elle.

Les souvenirs affluèrent à la mémoire d'Audra comme une rivière submerge et use un rocher.

Les premiers mois de vie commune avec Patrick s'étaient bien passés. Ils s'étaient mariés à la mairie, en présence d'à peine une poignée de gens. La mère de Patrick, d'abord contrariée – elle alla jusqu'à parler de « mariage forcé » –, fut ensuite conquise par la perspective d'être grand-mère. Et, quand Margaret était satisfaite, Patrick l'était aussi. Aussi satisfait qu'il était capable de l'être, en tout cas. Audra s'était habituée à ses critiques incessantes comme on s'habitue à une rage de dents ou une douleur articulaire. Mais ses piques se muèrent en harcèlement dès lors qu'il se mit à s'inquiéter pour la vie toute neuve qu'abritait le ventre d'Audra. Brusquement, son appartement du Village, qui comprenait pourtant deux chambres et deux salles de bains, n'était plus assez bien. La mère de Patrick insista pour qu'ils viennent s'installer plus près de chez eux, dans l'Upper West Side.

— Mais nous n'avons pas les moyens, protesta Audra.

— Peut-être, dit Margaret, mais moi je les ai.

Audra apprit alors que le train de vie de Patrick était moins dû à son travail à Wall Street qu'à la générosité de sa mère. Ce n'était pas qu'il manque d'argent ; Patrick était, à tous égards, un homme riche. Mais pas riche au point de s'offrir l'Upper West Side. Aussi, quand Audra fut enceinte de cinq mois, emménagèrent-ils dans un appartement de trois chambres et deux salles de bains dans les parages de la 80ᵉ Rue du West Side. Contrairement à l'appartement de Margaret, le leur n'avait pas vue sur Central Park, mais c'était quand même un luxe qu'Audra n'aurait jamais pensé connaître.

En dépit de tout l'espace dont ils disposaient, il n'y avait toujours pas de pièce où elle puisse peindre. Pendant que la mère de Patrick choisissait les papiers peints et les tapis, et engageait les meilleurs entrepreneurs pour mener à bien les travaux, Audra déménageait son chevalet d'un recoin à l'autre, en prenant soin de ne pas projeter d'ocre ou Sienne brûlée, laisser traîner un pinceau trop près des rideaux, ou renverser un bocal plein de térébenthine ou d'huile de lin.

Certains jours, elle ne peignait pas du tout. L'odeur lui donnait la nausée et le bébé commençait à rendre difficile une assise prolongée. Ces jours-là devinrent la plupart des jours, si bien que, quand Sean vint au monde, il y avait des semaines qu'elle n'avait pas touché un pinceau.

Rétrospectivement, Audra se rappelait très nettement cette

première semaine avec son bébé. Elle avait voulu l'allaiter, bien que la mère de Patrick ait décrété que c'était ridicule : le biberon avait suffi pour son fils, il suffirait certainement pour son petit-fils. Mais Audra insista, ce choix ne regardant absolument pas cette vieille bique. Elle avait passé des jours et des semaines à lire tout ce qu'elle trouvait sur le sujet, à regarder des vidéos sur un tout nouveau site web nommé YouTube, captivée par la beauté pleine de simplicité de ce geste. Ce pouvait être difficile au début, tous les livres et les sites le disaient, mais pas d'inquiétude, le bébé trouvait vite le mode d'emploi.

Sean, lui, ne le trouvait pas. Et, quand il y parvenait, cela faisait si mal à Audra qu'elle en pleurait. Et, comme il pleurait, la faim lui faisait pousser des hurlements dignes d'une meuleuse en furie. Pas de biberon, tout le monde le disait. Même si Audra tirait son lait, un biberon anéantirait ses chances de parvenir à allaiter au sein. Elle avait donc assis Sean sur ses genoux, face à elle, pour verser du lait d'une tasse minuscule dans sa bouche minuscule. Elle ravala ses larmes quand la majeure partie de ce qu'elle avait durement bataillé pour lui faire ingérer coula sur le menton et le torse de Sean. Et il continua de hurler pendant que Patrick et Margaret regardaient, le visage dur, la mine fermée.

Cela dura presque une semaine. Le médecin pesa Sean, dit que le peu de poids que prenait l'enfant ne l'inquiétait pas trop, qu'ils ne tarderaient pas à trouver comment fonctionnait l'allaitement. Mais la mère de Patrick ne voulut rien entendre.

— Vous affamez mon petit-fils, dit-elle le sixième soir, quand Audra sortit du réfrigérateur une tasse de son propre lait qu'elle avait tiré.

— Mais non, dit Audra.

La fatigue lui brouillait les idées, la rendait lente et confuse. L'épisiotomie lui causait toujours brûlures et démangeaisons, bien que l'incision n'ait pas été trop prononcée, et les saignements commençaient à s'espacer depuis vingt-quatre heures. Son ventre lui donnait toujours l'impression d'avoir servi de sac de frappe, elle se sentait comme retournée sur l'envers, ses seins étaient durs et douloureux, ses mamelons la piquaient. La moindre action, même infime, semblait un effort surhumain, mais elle persévérait.

— Écoutez-le, bon sang. Margaret désignait la porte, et Sean qui hurlait derrière. Donnez-lui un biberon, et qu'on en finisse.

— Non, dit Audra. Je veux continuer d'essayer. Le docteur a dit qu'il…

— Je me fiche de ce que le docteur a dit. Je sais reconnaître les cris d'un enfant qui souffre.

Audra claqua la porte du réfrigérateur.

— Vous croyez peut-être que je ne l'entends pas ? (Elle s'efforça de garder un ton mesuré, mais n'y parvint pas.) Vous croyez peut-être que ses cris ne me vrillent pas les nerfs nuit et jour ?

Margaret la foudroya longuement du regard avant de dire :

— Je vous prierai de ne pas lever la voix avec moi.

— Alors ne venez pas me dire comment je dois nourrir mon bébé, répondit Audra.

Margaret écarquilla les yeux, quitta la cuisine d'un pas martial, laissant les portes battre derrière elle. Audra jura et versa un peu de lait dans la petite tasse qu'elle utilisait pour nourrir Sean. Quelques secondes au micro-ondes, puis elle l'apporta au salon où Patrick attendait, les mains dans les poches. Sean continuait de hurler dans son berceau.

— Je pensais que tu l'aurais levé, dit-elle. Il a besoin de réconfort.

— Qu'est-ce que tu as dit à ma mère ? demanda Patrick.

— Je lui ai dit de s'occuper de ses oignons. Pas dans ces termes, mais c'était le message.

Audra posa sur la table basse la tasse de lait réchauffé

et prit un lange dans la pile. Elle le déplia d'un coup sec et s'en drapa le bras.

— Elle est très choquée, dit Patrick.

— Je m'en f...

D'un revers de la main, Patrick fit pivoter la tête d'Audra. Elle sentit une douleur brûlante naître au creux de sa joue. Elle tituba sur sa gauche, la vision troublée, posa la main sur l'accoudoir du canapé pour conserver l'équilibre.

Patrick, immobile, battait des paupières, la bouche pincée.

— Excuse-moi, dit-il, presque sans remuer les lèvres. Je ne voulais pas faire ça. Je veux dire : ce n'était pas mon intention. S'il te plaît, ne sois pas fâchée.

Audra attendit que l'étourdissement se soit dissipé, puis répondit :

— Il faut que je donne à manger au petit.

— Oui, bien sûr, dit Patrick. Il changea de pied d'appui, remit les mains dans ses poches. Les yeux rivés au tapis, il quitta la pièce.

Audra renifla un bon coup, s'essuya les yeux d'un geste de la main, puis alla chercher Sean dans le berceau. Si petit, si fragile, comme une rose dont les pétales risquent de tomber si on souffle trop fort dessus. Ses cris se calmèrent quand il sentit la gorge d'Audra contre sa joue.

Essayons encore, se dit-elle.

Elle l'amena jusqu'au canapé, se coucha sur le côté et entrouvrit sa robe de chambre, guida la petite bouche vers son sein. Sean gigota, lui décochant des coups de ses petits pieds dans le ventre. Elle amena son mamelon vers le visage du bébé, qui, automatiquement, ouvrit la bouche.

Mon Dieu, pensa-t-elle, *pourvu que cette fois soit la bonne !*

Pas de douleur. Un pincement, certes, mais pas la douleur cuisante qu'elle avait éprouvée jusque-là. Elle regarda la mâchoire de Sean s'activer, ses joues se remplir. Il marqua une pause. Puis déglutit.

— Oui, murmura Audra, c'est ça, petit bonhomme. C'est comme ça qu'il faut faire.

Des larmes roulèrent sur sa joue et se perdirent dans ses cheveux.

— Tu es un gentil garçon, dit-elle.

Pendant l'heure qui suivit, Sean but tout son soûl. Même quand Audra se tourna de l'autre côté et lui présenta l'autre sein, il continua, tétant sans relâche, et elle gloussait de joie, la douleur du coup de son mari oubliée.

Quand Sean eut fini, presque épuisé de satiété, Audra versa la tasse de lait dans l'évier et ramena son fils dans la chambre. Elle l'emmaillota dans un lange propre, et il remua à peine quand elle le reposa dans le berceau, à côté de son lit. Elle s'enfouit sous les draps, plongeant la tête dans l'étreinte fraîche de l'oreiller. Puis elle ferma les yeux et perdit toute notion de la réalité jusqu'à ce que le soleil, à la fenêtre, vienne lui caresser le visage.

Elle se redressa tant bien que mal, s'extirpa des draps. Consulta le réveil, à côté du lit : 6 heures du matin, passé de quelques minutes. Combien de temps avait-elle dormi ? Sept heures au moins. Elle tendit la main vers le berceau, regarda à l'intérieur : il était vide.

— Sean ?

Elle avait déjà ressenti de la peur. Les fois où elle avait dû se cacher en entendant dans l'escalier les pas lourds de son père qui venait la chercher, la ceinture à la main. Ou le jour où elle s'était retrouvée coincée au sommet du dôme d'escalade, incapable d'en redescendre, sans personne autour qui puisse l'aider. Mais là… Là, c'était différent. Cette peur-là était une lame froide dans sa poitrine, qui s'enfonçait jusqu'au cœur.

Audra rejeta les draps et courut en direction de la porte, ses pieds nus martelant le plancher ciré. Elle ouvrit la porte de la chambre et se rua dans le couloir en criant le nom de son fils.

Margaret et Patrick levèrent les yeux quand elle fit irruption dans le salon. En souriant. Pourquoi souriaient-ils ?

Puis elle vit Sean dans les bras de Margaret. La tétine d'un biberon dans la bouche. Ses joues se gonflaient quand il tirait sur la tétine, ses narines relâchant l'air après chaque gorgée.

— Qu'est-ce que c'est que ça ? demanda Audra, le doigt tendu.

— Du lait maternisé, répondit Margaret en souriant un peu plus largement. Regardez-le faire, un peu. Un vrai petit affamé.

— Maman a rapporté ça cette nuit, dit Patrick comme si c'était là un geste d'une incroyable gentillesse. C'est son deuxième biberon. Il a descendu le premier d'un trait.

— Je n'en pouvais plus de l'entendre pleurer comme ça, dit Margaret. Alors qu'il y a un magasin Duane Reade au coin de la rue. Vous saviez qu'on trouve ce lait tout prêt ? En brique ? Comme du jus d'orange.

Audra porta la main à sa poitrine. Elle sentait encore son fils, sa chaleur contre elle.

— Pourquoi avez-vous fait ça ? demanda-t-elle.

— Ça n'a posé aucun problème, dit Margaret. Comme je le disais, la pharmacie est juste en bas, et c'est vraiment facile à préparer. Il suffit de mettre ça au micro-ondes et…

— Pourquoi avez-vous fait ça ?

Sean tressaillit en entendant le cri de sa mère. Le sourire déserta les visages de Patrick et Margaret. Ils la regardèrent fixement.

— Je veux l'allaiter, dit Audra.

— Si vous y tenez tant que ça, dit Margaret en retirant le biberon de la bouche de Sean pour le lui tendre. Allez-y, continuez.

— Non ! (Audra s'empoigna les seins.) C'est au sein que je veux l'allaiter. L'allaiter !

Margaret abaissa les coins de la bouche d'un air dégoûté.

— Vraiment, je ne vois pas ce qu'il y a de mal à…

— Rendez-le-moi, dit Audra en traversant la pièce, les bras tendus.

Margaret se leva.

— D'accord, dit-elle. Mais rappelez-vous que la santé de votre bébé passe avant votre orgueil.

Audra lui prit Sean, le serra contre elle pendant qu'il se mettait à chercher en poussant de petits cris.

— Je vais vous demander de partir, maintenant, dit-elle.

Patrick se leva d'un bond, la bouche ouverte, mais Margaret lui signifia d'un geste de se taire.

— Tout va bien, mon chéri, elle est forcément un peu à cran. Les premières semaines sont toujours les plus difficiles.

Tandis qu'elle se dirigeait vers la porte menant à l'entrée, Audra lança :

— Il y a une chose qu'il faut que vous sachiez.

Margaret s'arrêta, se retourna vers sa belle-fille, les sourcils haussés.

— Hier soir, votre fils m'a frappée.

Margaret regarda Patrick, qui regarda ses pieds.

— C'est difficile pour le père aussi, mais il n'aurait pas dû faire ça. Cela dit, j'imagine que vous l'aviez mérité.

Elle quitta la pièce, laissant le silence s'installer dans son sillage, jusqu'au moment où Patrick lança, d'une voix tremblante et mouillée :

— Ne refais plus jamais une chose pareille.

— Sinon quoi ?

— Ce qui se passe entre nous reste entre nous, dit-il.

— Je vais coucher Sean, dit Audra. Puis je vais prendre une douche, et ensuite je ferai mes bagages.

— Tu n'as nulle part où aller, dit Patrick.

— J'ai des amis.

— Quels amis ? reprit-il. À quand remonte la dernière fois que tu as vu un seul de tes artistes à la con ?

— Ne parle pas d'eux comme ça.

Sean remua dans ses bras, énervé par la colère grandissante de sa mère.

— Quoi qu'il en soit, à quand remonte la dernière fois que tu as vu un seul d'entre eux ?

Incapable de répondre à cette question, Audra se détourna et quitta la pièce, gagna leur chambre et ferma la porte. Elle changea une nouvelle fois Sean et alla ensuite dans la salle de bains attenante. La porte ouverte, elle se doucha, ses larmes se mêlant à l'eau chaude qui les emportait. Boule froide au creux du ventre quand elle se résigna à admettre que Patrick avait raison : elle n'avait nulle part où aller. Il n'avait jamais voulu rencontrer ses amis quand ils commençaient à se fréquenter, si bien qu'elle s'était éloignée d'eux, quittant doucement leurs sphères pour entrer dans celle de Patrick.

Après s'être séchée, elle serra étroitement sa robe de chambre et s'allongea sur le lit, regardant Sean au travers des barreaux du berceau. L'écouta respirer, se laissa emporter par ce bruit léger.

Quelques heures plus tard, il s'éveilla, à nouveau affamé. Audra le prit dans ses bras, le ramena jusqu'au lit où elle lui présenta le sein une nouvelle fois.

Il le refusa, et elle versa des larmes vaincues pleines d'amertume.

Elle retenta malgré tout sa chance plus tard, tout au long de la journée. Mais il gigotait et s'agitait, détournant les lèvres du sein. Les cris stridents reprirent, vrillant les nerfs d'Audra. Les petites tasses de lait maternel, en grande partie répandu et gâché, ne le calmaient pas. Elle vit Patrick l'épier au détour des portes, sans rien dire, et comprit ce qu'il attendait.

À 22 heures, ce soir-là, vingt-quatre heures après la première et dernière tétée au sein que Sean voulut bien prendre, Audra alla chercher dans le placard une des petites briques de lait maternisé. Aussi facile que l'avait dit

Margaret. Il suffisait de verser dans le biberon, réchauffer au micro-ondes. Pas plus compliqué que ça.

Elle s'assit sur le canapé pendant que Sean engloutissait le lait maternisé, envahie d'un vide desséché. Patrick vint alors la rejoindre, s'assit à côté d'elle. Lui passa un bras autour des épaules et déposa un baiser sur ses cheveux.

— C'est mieux, dit-il. Pour toi et pour lui.

Audra n'avait plus la force de protester.

16

Danny Lee regardait le journal télévisé tout en s'entraînant dans son salon. Il leva puis abaissa la paire d'haltères de dix kilos de ses cuisses à ses épaules, maintenant un souffle régulier, sans précipiter ni l'aller ni le retour, laissant ses biceps faire leur travail. Par séries de dix, espacées de trente secondes.

L'image de cette femme se jetant sur le shérif, encore et encore. Rien de nouveau n'avait surgi au cours de l'après-midi et la soirée, mais il continuait à regarder.

Il passa à des levés latéraux, avec les haltères de six kilos. Ses cheveux trempés de sueur lui tombaient devant les yeux. Il secoua la tête pour les écarter. Sur l'écran, un inspecteur de la brigade criminelle du ministère de la Sécurité publique de l'Arizona parlait d'équipes de recherche et de survol aérien. L'image changea pour montrer un hélicoptère de police tournoyant au-dessus d'une route du désert, puis des équipes d'hommes en uniforme se déplaçant parmi broussailles, rochers et cactus, et deux policiers de la route penchés sur une carte déployée sur le capot d'une voiture de patrouille.

Puis la photo d'une femme, cliché de police, le visage exprimant peur et stupéfaction. Cette femme, expliqua le présentateur, avait un passé d'addictions. Alcool et médicaments, overdose deux ans plus tôt. Avait détruit son couple. Les services d'aide à l'enfance l'avaient tenaillée, dernièrement, pour tenter de faire confier la garde des enfants à leur père. Elle avait donc mis les gamins dans sa voiture et pris la fuite. Quatre jours plus tard, elle était déjà dans l'Arizona.

Mais sans enfants.

Là-dessus, photo des gosses, âgés d'à peu près deux ans de moins qu'aujourd'hui. Tout sourire l'un comme l'autre au milieu de monceaux de papier cadeau déchiré et de jouets de Noël. Le présentateur s'adressa alors à la caméra, expliquant que les recherches visaient à retrouver Sean et Louise Kinney avant qu'il soit trop tard. Mais sans pouvoir taire cette intonation qui disait qu'il était déjà trop tard, que ces enfants étaient à coup sûr disparus.

Danny abaissa les poids jusqu'à terre, moulina des épaules, se massa les muscles à l'aide des poings. Il ferma les yeux un instant, savourant la fatigue qui lui tiraillait les avant-bras et le dos, l'afflux d'oxygène quand il inspirait par le nez, soufflait par la bouche.

Le visage de Mya miroitait dans son esprit.

Cinq ans qu'elle avait disparu. Et Sara six semaines avant elle. Mya n'avait pas pu faire face. Danny avait tenté d'être fort pour elle. Il avait fait tout ce qu'il pouvait. À la fin, Mya lui demandait sans cesse s'il la croyait.

Est-ce qu'il croyait que ces policiers avaient enlevé Sara ?

Bien sûr, qu'il le croyait. Bien sûr.

Mais elle dut lire quelque chose dans son regard, une lueur de doute. D'ailleurs, ne s'était-il pas lui-même posé cette question, certains soirs ? Et si la police disait vrai ? Et si Mya mentait ? Si elle avait vraiment fait la chose terrible que la police et les fédéraux avaient insinuée ?

Quand Mya mit fin à ses jours, les flics cessèrent de chercher Sara. Mais pas Danny. Son pragmatisme avait beau lui dire qu'elle était certainement morte, il ne put cesser de chercher avant que la piste soit complètement éventée. Ça n'avait sans doute aucun sens, mais aujourd'hui encore il gardait une lueur d'espoir, comme une bougie qui ne veut pas s'éteindre. Peut-être Sara était-elle encore en vie quelque part.

Presque sûrement impossible. Mais quand même.

Et maintenant cette femme, au fin fond de l'Arizona. Elle ressemblait un peu à Mya. Toutes les deux blanches, bien sûr, mais ce n'était pas seulement ça. Elles avaient les mêmes pommettes. La même belle mâchoire carrée, le même dessin des lèvres.

— Ils vous ont pris vos enfants ? demanda Danny à son salon vide.

Il se réprimanda de parler tout seul comme un fou, vida la bouteille d'eau posée sur la desserte, et éteignit la télé. Dix minutes plus tard, il se glissait dans son lit froid et vide. Mya n'y avait jamais dormi – il avait remplacé leur lit après sa mort, incapable de s'y coucher sans elle – mais sa forme pelotonnée sous les draps, la joue sur la paume, lui manquait toujours, de même que le bruit léger de sa respiration.

Mya l'avait sauvé. C'était indéniable. Sans elle, il aurait fini derrière les barreaux, peut-être un gros bonnet de la prison, mais en prison quand même. Elle savait qu'on l'appelait Danny Doe Jai, l'homme au couteau, mais n'avait jamais demandé pourquoi. Et il ne le lui avait jamais dit.

Danny avait été admis au sein du Tong à quinze ans. Pork Belly s'était porté garant, l'avait pris sous son aile. À seize ans, il vivait dans un appartement non loin de Stockton Street avec cinq autres jeunes hommes dotés de plus de colère que d'intelligence. Collectait quelques dettes par-ci, écoulait quelques sachets de poudre par-là. À dix-neuf ans, il gardait la porte d'un bordel situé à l'étage d'un restaurant, veillant à ce que les mecs bourrés n'entrent pas, à ce que les michetons aient de quoi régler leur plaisir. Veillant aussi à ce que les filles ne se fassent rudoyer par personne d'autre que les hommes pour qui elles travaillaient.

Ce fut alors qu'il attira l'attention de la Tête de Dragon.

Un marin bourré en tenue était entré pendant que Danny était parti pisser, et celui qui devait garder la porte n'avait pas eu le cran de le refouler. Après avoir cassé le nez d'une fille, le marin refusait de s'en aller. Danny sortit des toilettes et tomba sur le marin, à qui il fit dévaler l'escalier. Arrivé en bas, Danny sortit son couteau et le larda à tel point que Pork Belly dut venir chercher le type pour aller le larguer sur un des quais. Danny ne sut jamais s'il avait survécu ou pas. Ça ne devait pas être sa dernière victime, de toute façon.

Danny ne monta jamais très haut dans la hiérarchie. Il était trop utile dans la rue, si intelligent qu'il soit. Trop bon au couteau. Il esquinta quantité de gens.

Jusqu'au jour où il rencontra Mya.

Elle était à la table voisine, un jour que Danny mangeait et buvait avec Pork Belly et ses amis dans le restaurant situé au rez-de-chaussée du bordel. Les mecs avaient tous ricané quand elle s'était levée de sa table pour venir jusqu'à la leur.

Dans le cantonais le plus musical qu'il ait jamais entendu, cette jeune Blanche leur avait dit :

— Vous devriez surveiller votre langage en public, messieurs. Que diraient vos mères ?

Les mecs éclatèrent de rire, et Mya alla rejoindre son amie, visiblement pas abattue. Elle prit l'autre jeune femme par le bras et l'entraîna vers le comptoir où elle s'entretint avec le caissier avant de partir.

Quand l'addition arriva pour la table de Danny, Pork Belly l'examina à bout de bras.

— Ça ne tombe pas juste, dit-il. Qui a pris ça ?

L'addition passa de main en main autour de la table. Personne ne put répondre.

Danny savait, lui. Pendant que Pork Belly rappelait le serveur, Danny fut pris d'un énorme fou rire.

— La jeune dame, dit le serveur. Elle a dit que vous aviez proposé de régler leur repas.

Pork Belly resta figé sur place quelques instants, le regard fulminant. Puis il renversa la tête en arrière et partit d'un rire qui fit tressauter sa bedaine.

Danny mit une semaine à la retrouver. Il lui en fallut une autre pour la convaincre qu'elle pouvait se laisser inviter dîner quelque part un soir. Deux de plus pour tomber si éperdument amoureux qu'il comprit qu'il ne pourrait plus jamais respirer sans son approbation.

Elle était enseignante à mi-temps dans le département des Études asiatiques de l'université de San Francisco, tout en travaillant à son doctorat. Son père, banquier, avait exercé à Hong Kong pendant la majeure partie de l'enfance de Mya, et n'était rentré aux États-Unis qu'au moment où il s'était su atteint du cancer qui lui prit sa fortune et la vie. Mya parlait couramment cantonais, comprenait correctement le mandarin, et avait des notions de coréen et de japonais. Les amis de Danny l'avaient prévenu, au début, que c'était une touriste, attirée par son exotisme de mauvais garçon, un trophée à exhiber devant les autres Blancs.

Mais ils se trompaient. Danny en avait l'absolue certitude. Le jour où ils se marièrent, Mya devint la première personne – depuis la mort de la mère de Danny – à l'appeler par son prénom chinois : Lee Kai Lum.

Ce fut Mya qui le ramena dans le droit chemin. Mya qui l'encouragea à utiliser les gens qu'il connaissait pour aider les jeunes à rester hors des gangs. À travailler avec la police et la municipalité. À faire de son quartier un lieu meilleur, et non pire.

Danny la demanda en mariage le jour où elle lui annonça qu'elle était enceinte. Elle avait failli avorter, dit-elle, un choix torturant, avant d'accepter qu'elle pouvait être mère. Il jura qu'il ne l'abandonnerait jamais, que la petite vie qui grandissait en elle, bien qu'elle ne soit encore qu'un agglomérat de cellules, était une partie de lui. Et que, par conséquent, il était lui-même une partie de Mya. Ils étaient liés l'un à l'autre à tout jamais, qu'ils le veuillent ou non, alors pourquoi ne pas concrétiser ce lien ?

Le jour où les fameux flics arrêtèrent Mya sur une petite route déserte et lui enlevèrent Sara, ils auraient aussi bien pu lui mettre une balle dans la tête. Ils la tuèrent ce jour-là, bien qu'elle ait semblé continuer à vivre pendant les six semaines qu'elle mit à renoncer. Et, lentement mais sûrement, Mya entraînait Danny dans la tombe.

Mais il avait encore des choses à régler.

Le moindre souffle lui paraissait désormais une dette envers Mya, comme si les cinq années écoulées depuis n'avaient été qu'un emprunt. Mya et leur fille lui manquaient terriblement, comme des parties de son corps qu'on lui aurait arrachées. Surtout les soirs comme celui-là, quand il n'avait plus que les fantômes qui lui hantaient l'esprit.

Sans qu'il sache comment ni quand, le sommeil s'empara de lui dans l'heure qui suivit, l'engloutissant tout entier. Des rêves violents le harcelèrent, comme toujours. Mais de nouveaux visages y figuraient, cette fois, parmi les anciens : deux enfants et leur mère. Toutes choses qu'il ne pouvait pas modifier, pas atteindre, et voilà pourtant qu'ils étaient là, eux aussi, et peut-être qu'en tendant le bras assez loin, en perdant assez de sang, peut-être qu'il parviendrait à les atteindre.

Danny s'éveilla en sursaut dans le noir, le cœur battant à tout rompre, le souffle houleux, les nerfs vibrant comme des fils électriques. Il regarda son réveil : minuit passé de peu.

Quand son pouls fut calmé, et qu'il eut repris le contrôle de son souffle, il rejeta les draps et se leva. Vêtu de son seul caleçon, il quitta la chambre et descendit l'escalier. Ce fut seulement en arrivant en bas qu'il se demanda ce qui l'avait poussé à descendre.

— Soif, dit-il tout haut.

Il se passa le dos de la main sur les lèvres en complétant :

— Ouais, soif.

Se souvint de la brique de jus d'orange à peine entamée qui était dans le réfrigérateur, et traversa le salon en direction de la cuisine. Prit un verre dans le placard et le remplit. Le vida d'une traite, puis se détourna du réfrigérateur.

Son ordinateur portable était posé sur la table, fermé.

Sans réfléchir, il s'assit, posa le verre à côté, et ouvrit l'ordinateur. L'écran s'alluma, il entra son mot de passe. Le navigateur s'ouvrit à la page d'accueil de Google.

Il tapa : Vols San Francisco > Phoenix.

— Tiens, dit-il tandis qu'une liste de sites de voyagistes et de prix emplissait l'écran. C'est donc ça que je suis en train de faire.

17

La nuit avait traîné en longueur pour Sean. Du moins, il pensait que c'était la nuit. De fraîche, la température était passée à plus fraîche, le calme se muant en silence profond. Louise avait fait des petits sommes entrecoupés pendant la majeure partie du jour et de la nuit, et son front était devenu brûlant, alors même qu'elle frissonnait et se plaignait d'avoir froid.

Sean comprit que sa sœur était en train de tomber malade, mais il ne savait pas quoi faire. Il pensait demander un médicament à l'agent Collins quand elle reviendrait.

Si elle revenait.

Elle ne s'était pas montrée depuis le matin, quand elle avait apporté d'autres sandwichs, des chips et des fruits. Sean avait englouti deux bananes et une poignée de chips. Louise avait mangé une bouchée de pomme et rien depuis.

— Quand est-ce qu'on s'en ira ? avait demandé Sean.

— Peut-être demain, répondit Collins. Après-demain au plus tard.

— La police va nous rechercher, dit Sean. Avec des équipes exprès. Vous ne nous déplacerez que quand il n'y aura plus de risque. Quand vous ne pourrez plus vous faire prendre.

Collins sourit.

— Tu es un garçon intelligent. J'ai un fils, tu sais, il a à peu près un an de moins que toi.

— Comment il s'appelle ?

Collins hésita, puis répondit :

— Michael. Mikey.

— Il est comment ?

Son regard se perdit dans le vague.

— Intelligent, comme je disais. Et marrant.

— Il a un père ?

Elle secoua la tête.

— Il n'habite plus avec nous. Pour dire franchement les choses, c'était un peu un connard.

— Le mien n'habite plus avec nous non plus, dit Sean. Et je crois que c'est un connard aussi.

— Tu ne devrais pas dire de gros mots.

Sean fit mine de ne pas entendre la réprimande.

— Qu'est-ce qu'il aime faire, Mikey ? Il aime le sport ?

— Non, dit Collins. Il est souvent malade. Il a un problème au cœur. Ça l'empêche de faire des choses comme ça. Il doit rester couché presque tout le temps et prendre des médicaments. Alors il lit beaucoup. Des bandes dessinées, des trucs comme ça.

— Moi aussi, dit Sean. Je ne reste pas couché, mais je lis des bandes dessinées. J'adore ça. Peut-être que je pourrais rencontrer Mikey un jour. Et qu'on pourrait être copains.

Collins reprit soudain ses esprits, son regard se durcit, ses lèvres se pincèrent. Elle se pencha et empoigna la chemise de Sean, l'attira tout près d'elle, si près qu'il sentit son souffle sur sa peau.

— Je sais ce que tu es en train de faire, petit merdeux. Tu es peut-être malin, mais pas malin à ce point. Maintenant, tire-toi de mes pensées.

Sean la regarda droit dans les yeux pendant qu'elle lui parlait, et n'y vit pas de colère. Collins ne put soutenir son regard, détourna la tête et rougit. Elle pivota sur ses talons et gravit les marches, laissa retomber la trappe, poussa le verrou, ferma le cadenas. Puis Sean entendit la moto, le bourdonnement du moteur s'élevant dans les aigus à mesure qu'elle prenait de la vitesse dans les bois.

Combien de temps s'était-il passé depuis ce moment-là ? Est-ce que ça pouvait faire vingt-quatre heures ? Sean n'en savait strictement rien.

Il tendit la main et posa la paume sur le front de Louise, de l'autre côté du matelas. Toujours chaud, toujours trempé de sueur. Louise gémit et chassa la main de son frère.

— Ne t'inquiète pas, dit-il. Je vais nous sortir d'ici. On retrouvera maman et on ira en Californie, à San Diego, et on pourra aller à la plage. Comme elle nous l'a promis. Tu m'entends ?

Louise battit des paupières et répondit :

— Oui.

— Bon, dit-il. Maintenant, on va dormir un peu.

Il la regarda fermer les yeux, puis ferma les paupières à son tour, le bras autour des épaules de sa sœur dont le corps chaud se serrait contre lui. Le sommeil arriva comme un fantôme, le recouvrit, et il n'eut plus conscience de rien jusqu'au moment où le bruit de la trappe qui se rouvrait le réveilla brutalement.

Il cligna des yeux, ébloui par le rectangle de lumière sur lequel se découpait la silhouette de Collins en train de descendre, un sac de nourriture dans une main.

— Je crois que Louise est malade, dit-il.

Collins posa le sac par terre et fit le tour du matelas. Elle s'accroupit et tâta le front de Louise, puis glissa la main à l'intérieur de son T-shirt. Louise remua à peine.

— Et merde, fit Collins.

Sean se redressa sur son séant.

— Il va falloir que vous lui trouviez des médicaments, dit-il.

— Je ne sais pas si je vais pouvoir.

— Et si ça s'aggrave ?

— Bon, dit Collins en se relevant. Veille à bien la faire

boire. Enlève-lui la couverture, peut-être aussi son T-shirt, essaie de la rafraîchir. Je reviens plus tard.

Elle se détourna et remonta les marches.

— Agent Collins, appela Sean.

Elle s'arrêta, le regarda par-dessus son épaule.

— Merci, dit-il.

Elle cilla. Se retourna et finit de gravir les marches, referma la trappe sans répondre.

18

Audra avait le cerveau douloureux. Le monde était devenu si friable qu'elle s'imagina pouvoir le transpercer du bout du doigt. Tout avançait par soubresauts, trop lentement ou trop vite, et tout le monde parlait par à-coups inintelligibles. Elle savait, au fond d'elle, que c'était dû à l'épuisement, mais elle avait l'impression de se mouvoir dans un rêve, l'impression que rien de tout ça n'était réel. Que ça arrivait à une autre femme dans une autre ville, et qu'elle regardait tout ça se dérouler dans une étrange émission de télé.

Elle avait passé la nuit éveillée, à regarder le témoin rouge de la caméra, guettant le moment où il s'éteindrait, craignant qu'alors ils reviennent, lui mettent un revolver contre la tempe. Par moments, elle se demandait si c'était réellement arrivé. Avait-elle simplement rêvé, fait un de ces cauchemars qui se poursuivent une fois qu'on est éveillé ? Elle s'endormit pourtant, à un moment donné, pour mieux se réveiller, comme on se hisserait laborieusement hors de la mélasse, le cœur battant, les poumons incapables de retenir l'air qu'il leur fallait.

Quand elle ouvrit les yeux, Whiteside se penchait sur elle. Il s'accroupit à côté de la couchette.

— Il faut que vous les laissiez partir, dit-il. Ils sont partis, un point c'est tout.

Paralysée, elle ne put lever le poing pour le frapper.

Tout au fond, elle se demandait : *Est-ce que je rêve ? Est-ce qu'il est vraiment là ?*

Elle aperçut la main de l'homme, doigts ouverts, comme

s'il s'apprêtait à prendre un verre d'eau. Il la referma sur la gorge d'Audra. Serra. Juste un peu. Assez pour faire mal.

— Ne croyez pas que je ne le ferai pas, dit-il. Si j'y suis obligé.

Puis il la lâcha et se releva, quitta la cellule.

Restée seule, elle hoqueta, le cœur soudain emballé, la poitrine se soulevant et s'abaissant, cherchant l'air.

Elle n'aurait su dire combien de temps il fallut pour que les ondes de terreur refluent, mais le soleil s'était levé sur le monde extérieur, colorant tout ce qui entourait Audra en bleu sombre et gris.

Au bout d'un moment, elle devint moins sûre que Whiteside était effectivement venu. Peut-être n'était-ce qu'une illusion surgie de son cerveau privé de sommeil. Un autre pan de sa santé mentale qui se détachait et s'effondrait.

Peut-être était-ce le but. S'immiscer dans sa tête, la détruire de l'intérieur. La rendre folle, entretenir la peur. Car sous l'emprise de la peur on est facile à contrôler. Exactement ce que Patrick avait fait pendant toutes les années de leur vie commune.

Son mari l'avait fait douter de la moindre facette de sa propre personnalité, la maintenant constamment dans le déséquilibre, jusqu'à ce qu'elle distingue à peine la différence entre debout et couché. Tous les matins, il lui reprochait sa gueule de bois. Tous les soirs, il rapportait une bouteille. Lui disant un jour à quel point sa dépendance aux cachets était pitoyable, allant le lendemain faire établir une nouvelle ordonnance pour elle.

Ça avait commencé le soir de sa défaite, quand elle donna pour la première fois un biberon de lait maternisé à Sean. Patrick était rentré du travail avec une bouteille de vin blanc. Il la lui montra pendant qu'elle faisait boire leur fils.

— En quel honneur ? demanda Audra.

— Si tu n'allaites pas, dit Patrick, rien ne t'empêche de boire un verre.

— Je n'en ai pas envie, dit-elle.

Elle n'avait pas bu une goutte d'alcool depuis qu'elle avait su qu'elle était enceinte, s'était juré de ne plus y toucher après la naissance du bébé. Trop de soirées perdues dans un brouillard éthylique. Elle n'allait pas replonger dans ce marasme-là.

Patrick haussa les épaules et acquiesça.

— D'accord. Je mets ça au réfrigérateur pour le cas où tu changerais d'avis.

Si elle avait eu la lucidité de demander pourquoi il avait rapporté cette bouteille de vin, pourquoi il voulait qu'elle se soûle de nouveau après des mois de sobriété, les choses ne se seraient peut-être pas passées de la même façon. Mais elle ne demanda rien. Elle était trop brisée pour réfléchir rationnellement.

Les biberons nocturnes se succédaient, atténuant chaque fois l'acuité intellectuelle d'Audra, le sommeil lui semblant une notion étrange et vague, et non plus une chose à laquelle elle pouvait effectivement s'adonner. Le matin, Margaret faisait son apparition, proposait de prendre le relais pour laisser Audra se reposer. Audra tenta de résister, mais l'insistance de Margaret et les regards durs de Patrick l'emportèrent. Elle remit Sean à sa grand-mère et regagna la chambre, où elle rêva que son lait empoisonnait son fils, le rendait malade, après quoi elle s'éveilla avec un chagrin qui la tenailla tout au long d'une interminable journée.

Elle vit la bouteille dans le réfrigérateur, ce soir-là, mais n'y toucha pas, bien qu'elle ait eu très, très soif.

Nouvelle nuit de sommeil fragmenté et de rêves toxiques puis, alors même qu'elle tenait Sean dans ses bras, l'écoutait boire le lait maternisé, elle sentit que quelque chose était cassé entre eux deux. Elle avait renoncé à lui, perdu une chose qu'elle ne retrouverait plus jamais, même si elle en avait désespérément envie.

Au matin, Margaret revint à nouveau. Et à nouveau Audra lui remit son bébé. Une fois de plus, elle alla se coucher. Le lit était pareil à des sables mouvants, désormais, et elle avait envie d'être engloutie, de rester dans le noir à tout jamais.

Ce soir-là, elle se versa un verre de vin. Mais juste un.

Le lendemain soir, elle but à nouveau un verre. Puis un deuxième.

Le jour suivant, une nouvelle bouteille fit son apparition dans le réfrigérateur. Audra finit la première, et ouvrit la suivante. Elle ne s'arrêta qu'après avoir sombré dans l'ivresse sur le canapé. Patrick la réveilla le lendemain matin, lui dit qu'elle devrait avoir honte.

Le soir, il rapporta une bouteille de vodka.

Là encore, rétrospectivement, elle se disait qu'elle aurait dû demander pourquoi. Mais l'attrait de l'inconscience était trop fort pour qu'elle y résiste, quand elle ne demandait qu'à tout oublier.

Des semaines passèrent ainsi, nuits et jours se fondant en brouillards ivres et gueules de bois visqueuses. La nounou était installée dans l'appartement depuis presque quarante-huit heures quand Audra s'aperçut de sa présence. Elle s'appelait Jacinta, c'était une jolie jeune Vénézuélienne qui regarda Audra d'un air empreint de pitié quand elles se croisèrent dans le vestibule.

— Tu n'es pas en état de t'occuper de Sean, expliqua Patrick, alors j'ai engagé quelqu'un qui peut.

Audra se mit au lit et y passa quatre jours, n'émergeant que pour s'emparer de la bouteille que Patrick laissait à son intention dans le réfrigérateur ou le placard. Le cinquième jour, un médecin vint à l'appartement. Un qu'Audra ne reconnut pas. Il sentait mauvais, une odeur de sueur et de moisi, masquée par l'après-rasage. Il lui posa quelques questions, griffonna quelques mots sur un bloc et remit la feuille à Patrick. Ce dernier revint au bout d'une heure avec un flacon de cachets et un verre d'eau. Elle refusa l'eau, avala deux cachets avec une gorgée de vodka, et se rendormit.

Quand elle y repensait, Audra avait l'impression d'avoir été aspirée par une bonde, sans pouvoir remonter. Chaque fois qu'elle décidait de se passer d'un verre ou d'un cachet, Patrick faisait son apparition, un verre plein ou un flacon de cachets à la main.

Elle se demandait parfois comment allait son enfant. Elle fut surprise un jour, en traversant le salon pour se rendre dans la cuisine, de voir Sean marcher pour aller se jeter dans les bras de Jacinta, d'un pas chancelant, les bras écartés, les mains battant l'air, en riant aux éclats.

— Quand a-t-il commencé à marcher ? demanda Audra, se rendant soudain compte que des mois avaient dû passer à son insu.

— Il y a une semaine, dit Jacinta. Vous l'avez vu faire hier. Vous m'avez posé la même question.

Audra cilla.

— Ah oui ?

— Vous voulez le prendre ?

Audra ne répondit pas. Elle alla dans la cuisine et prit une nouvelle bouteille de vin.

Elle se souvenait du troisième anniversaire de Sean. Ils avaient fait une petite fête à l'appartement des parents de Patrick. Patrick avait caché alcool et médicaments, et lui avait dit qu'il voulait qu'elle s'abstienne de boire.

— Ne me fais pas honte, dit-il. Pas d'esclandre.

Le brouillard s'étant dissipé de son esprit ce matin-là, elle s'examina dans le miroir au sortir de la douche. Les cernes sombres autour des yeux, les marbrures sur les joues. La peau trop lâche sur l'ossature. Mais elle fit de son mieux avec le maquillage et les vêtements neufs que

Patrick avait achetés. Elle se présenta à lui avant qu'ils partent faire à pied le court trajet qui menait quelques blocs plus au sud.

— Ça le fera, dit-il avec un soupir las.

Elle marcha à son côté tandis qu'ils longeaient l'ouest de Central Park, Jacinta tenant par la main Sean, qui trottinait devant. Le vacarme de la circulation bruissait dans sa tête, l'air frais sur sa peau la picotait, la rendait consciente du contact de ses vêtements contre son corps, du poids de ses pieds sur le sol. Malgré la douleur qui grondait derrière ses yeux, elle éprouvait une sensation oubliée depuis bien longtemps : elle se sentait vivante.

— Patrick, dit-elle.

— Mmh ?

Il garda les yeux braqués droit devant lui, sans la regarder.

— Je pourrais peut-être me faire aider.

Sans répondre, il s'arrêta. Audra s'arrêta à son tour, et ils restèrent immobiles, pareils à deux îles que contournait le flot des passants.

— Je pourrais peut-être aller parler à quelqu'un, dit-elle. De l'alcool. Des médicaments. Essayer de changer.

Patrick garda le silence, mais sa mâchoire fonctionnait, comme s'il grinçait des dents.

— Je n'ai su que c'était l'anniversaire de mon fils que parce que tu me l'as dit.

Des larmes affluèrent, brûlantes sur ses joues.

Patrick lui prit la main, la serra très fort, jusqu'à lui faire mal.

— On parlera de ça quand on sera rentrés à la maison, dit-il. Ressaisis-toi. Ne me fais pas honte devant les amis de ma mère.

— Pourquoi est-ce que tu me gardes dans cet état ? demanda-t-elle. Pourquoi est-ce que tu me gardes, tout simplement ? Je ne suis pas une épouse pour toi. Je ne suis pas une mère pour mon fils. Pourquoi est-ce que tu ne me laisses pas partir, tout simplement ?

Il serra sa main de plus belle, si fort qu'elle dut se mordre la lèvre pour ne pas crier.

— Tu veux m'humilier ? demanda-t-il en s'avançant tout près d'elle. C'est ça que tu veux ? Je te garantis que je suis prêt à te massacrer là, dans la rue. C'est ça que tu attends de moi ?

Audra secoua la tête.

— Alors tu la fermes et tu marches, dit-il.

Audra s'essuya les joues, renifla, se ressaisit, et continua de marcher, la main dans celle de son mari, les membres moulus.

Chez les parents de Patrick, une foule de gens se pressait entre des tables chargées de petits en-cas et de verres de vin pétillant. Audra regarda les bulles, s'imagina sentir leur pétillement sur sa langue, la fluidité de la gorgée de vin. Patrick et elle s'assirent à une table au milieu de la pièce, avec Sean sur une chaise haute, et Jacinta qui l'aidait à manger un bout de gâteau.

Patrick Sr. était assis dans un coin, muet, les mains agitées de tremblements sur ses genoux, la démence évidente aux yeux de tous. Les invités ne lui prêtaient aucune attention, pas plus que son fils et sa femme. Du fond de la pièce, son regard lointain croisa celui d'Audra, rien qu'un instant, mais ce fut assez pour qu'elle se demande si le vieil homme l'avait vue. La reconnaissait-il, de même qu'elle le reconnaissait, perdus et seuls qu'ils étaient l'un et l'autre dans une pièce pleine de monde ?

Margaret vint s'asseoir avec Audra et Patrick Jr., le père Malloy – le prêtre qui avait baptisé Patrick – dans son sillage, tout sourire. Margaret prit la main de son fils dans la sienne.

— Maintenant, vous deux, dit-elle, il est temps de me donner un autre petit-enfant, vous ne croyez pas ? Nous ne pouvons pas laisser Sean grandir en enfant unique, comme Patrick.

Patrick rougit et sourit. Margaret lui serra le genou. Et Audra entrevit tout à coup sa propre fonction dans le couple. Elle frissonna et compta les minutes qui la séparaient du moment où elle pourrait rentrer chez eux et se réfugier dans le brouillard.

19

Danny dirigea sa voiture de location vers la sortie du parking de l'aéroport Sky Harbor, à Phoenix, puis suivit les indications du GPS pour gagner l'Ak-Chin Pavilion, à l'ouest de la ville. Un restaurant mexicain pas loin, doublé d'un bar, apprécié des gens du coin, lui avait-on dit.

Foutue chaleur. Bon sang, lui qui avait l'habitude du climat frais de San Francisco, jamais trop chaud, jamais trop froid. Contrairement à ici. Foutue chaleur qui lui cramait l'intérieur de la gorge. Il avait fait l'erreur de poser la main sur le capot de la Chevrolet en allant prendre la voiture, et l'avait aussitôt retirée comme s'il venait de toucher un gril.

Le trajet dura vingt minutes par l'autoroute, puis il dut tourner quatre ou cinq fois, après quoi le vaste parc qui entourait l'amphithéâtre se dévoila. Danny prit à gauche et, au bout de deux blocs d'immeubles, trouva le restaurant. Une enseigne peinte à la main au-dessus de la porte, grandes lettres rouges et cactus verts coiffés de sombreros. Plein de places le long du trottoir à cette heure de la journée. Il se gara.

Danny posa les doigts sur la poignée de la portière et se blinda en prévision. La climatisation de la voiture commençait tout juste à rafraîchir l'habitacle, et la sueur lui coulait au creux du dos, entre les fesses. Il ouvrit la portière, et la chaleur se jeta sur lui en rugissant.

Quelques pas le menèrent jusqu'à la porte du restaurant. À l'intérieur, un climatiseur installé au-dessus de l'entrée l'inonda d'une vague d'air glacial. Il resta là un instant, savourant cette sensation sur tout le corps. Une jeune Latino-Américaine s'approcha, ramassa un menu sur la table, à côté du panonceau indiquant VEUILLEZ ATTENDRE QU'ON VOUS PLACE.

— Une personne ? demanda-t-elle avec un grand sourire.

Danny lui retourna le sourire.

— Bonjour, ça va ? Je viens voir George. Je crois qu'il doit m'attendre.

Le sourire de la fille disparut.

— Attendez ici, dit-elle, puis elle fila au bar pour adresser quelques mots à un grand gaillard aux cheveux noirs lissés en arrière et aux bras couverts de tatouages.

Le type jeta de petits coups d'œil à Danny pendant que la fille lui parlait. Il décrocha le combiné d'un téléphone, prononça quelques mots, écouta, puis raccrocha avant de dire quelque chose à la fille.

Elle revint vers Danny, nerveuse cette fois, et dit :

— Par ici, s'il vous plaît.

Il la suivit dans la pénombre du restaurant, zigzaguant entre les tables et les quelques clients de l'après-midi. Une porte protégée d'un rideau de perles, surmontée d'un écriteau indiquant SALON PRIVÉ. La fille glissa la main entre les perles, les écarta pour permettre à Danny d'entrer, puis les laissa retomber avec un murmure bruissant quand il fut passé.

La pièce contenait une grande table ronde. Assez vaste pour accueillir confortablement une douzaine de convives, davantage s'ils acceptaient de se serrer un peu. Elle était disposée pour un rassemblement, nappe blanche immaculée, couverts et verres étincelants. Sur une des chaises, George Lin.

— Ça faisait longtemps, Danny Doe Jai, lança George.

— Dix ans, dit Danny.

— Ça m'a fait de la peine d'apprendre ce qui est arrivé

à ta femme et à ta petite. Personne ne devrait connaître ce genre de merdier. Viens, assieds-toi.

Danny fit le tour de la table, s'assit à deux chaises de distance de George. Un peu plus que la longueur du bras. Il n'avait pas peur de George Lin, mais ça ne voulait pas dire pour autant qu'il se sentait en confiance.

Danny promena le regard autour de la salle.

— Mexicain ?

— Quand je suis dans l'Arizona, dit George.

— Comment peux-tu supporter cette chaleur ?

— Quoi, tu n'aimes pas ? Il fait toujours froid et humide à Frisco. Ici, c'est l'été à longueur d'année. Pourquoi crois-tu que je sois venu m'installer ici ? J'ai une piscine dans ma cour et tout.

Danny secoua la tête.

— Je ne crois pas que je pourrais encaisser. Ça me rend dingue au bout d'un moment.

George sourit.

— Il faut te rafraîchir, mec, manger des glaces, boire un peu d'eau, et tout ira bien. Mais bon, tu n'es pas ici pour parler du temps qu'il fait.

Il plongea la main sous la nappe pour attraper quelque chose sur la chaise voisine, du côté opposé à Danny. Une grande enveloppe matelassée, froissée, déchirée, qu'il posa sur la table. Le cliquetis métallique d'un objet lourd se fit entendre.

— Tiens, voilà, dit George en se carrant contre le dossier de sa chaise, désignant l'enveloppe d'un geste vague de la main. Vérifie que ça te convient.

Danny attira l'enveloppe vers lui, l'entrouvrit entre pouce et index, jeta un coup d'œil à l'intérieur. Quand il l'inclina, un Smith & Wesson modèle 60 en dégringola, suivi de trois boîtes de cartouches et d'un chargeur rapide.

George tapota chacune des boîtes tour à tour.

— Pointe creuse 357, FMJ 357, et FMJ 38 Special.

À moins que tu envisages de mener une guerre, je pense que ça devrait te suffire.

Danny prit le pistolet en main, en braqua le court canon vers le mur et ouvrit le barillet pour vérifier que les cinq chambres étaient vides, le fit tournoyer, le referma, puis arma et tira à vide par trois fois.

— Ça ira, dit-il. Il remit le pistolet et les balles dans l'enveloppe.

George tendit la main. Danny sortit de sa poche un rouleau de billets, en compta quelques-uns de cent dollars qu'il posa dans la main de George.

La transaction réglée, George demanda :

— Alors, tu fais un peu de tir d'entraînement pendant que tu es dans le coin ?

— Un truc du genre, répondit Danny en prenant l'enveloppe puis en se levant pour prendre congé. Au plaisir de te revoir, George.

Comme il se dirigeait vers la portière de perles, George le rappela.

— Quoi que tu aies pu déclencher, Danny Doe Jai, fais attention à toi, d'accord ?

Danny lui adressa un bref regard par-dessus son épaule et répondit :

— Je vais essayer.

Il se glissa entre les perles, retraversa le restaurant, l'enveloppe sous le bras. La jeune femme qui l'avait accueilli lui adressa un sourire crispé quand il passa devant elle. Au moment où il atteignait le rideau d'air froid qui tombait du climatiseur, une pensée lui vint. Il se retourna vers la fille.

— Dites, lança-t-il. Il y a une quincaillerie dans le coin ?

20

L'homme en costume tendit la main par-dessus la table et annonça :

— Je m'appelle Todd Hendry, je suis le commis d'office.

La chaîne cliqueta quand Audra leva la main pour serrer celle de l'homme.

— Le quoi ?

— Votre avocat, dit-il.

Le néon de la salle d'interrogatoire se reflétait sur son crâne semé de taches. Il posa sur la table un mince dossier, un bloc-notes et un stylo en s'asseyant.

— Pourquoi êtes-vous ici ? demanda Audra.

— On ne peut pas se rendre à la lecture d'un acte d'accusation sans être accompagné d'un avocat, dit-il. Enfin, on peut, mais je ne vous le conseillerais pas.

— Un acte d'accusation ?

— Pour détention de drogue avec intention de trafic, précisa Hendry. L'audience commence dans une heure. On ne vous l'a pas dit ?

— Non, répondit Audra. Ils n'ont fait que m'interroger à propos de mes enfants.

Une autre séance avec Mitchell la veille au soir, une nouvelle dès la première heure ce matin. Les mêmes questions, encore et toujours, les mêmes réponses. Elle pouvait clamer autant de fois qu'elle le voulait à l'agent du FBI que Whiteside et Collins avaient emmené Sean et Louise, que son mari devait être derrière tout ça, Mitchell persistait à renverser les rôles et retourner la question à Audra. Avec toujours la même bienveillance dans le regard et le ton.

À un moment donné de la matinée, au cours d'une brève pause dans l'interrogatoire, alors qu'elle était seule dans la salle avec le policier, une idée s'immisça dans l'esprit confus d'Audra : et si elle avait vraiment fait du mal à ses enfants ? S'ils avaient tous raison ? Peut-être sa conscience ne pouvait-elle pas accepter la vérité et en avait-elle imaginé une autre ? Rien, dans cette histoire, ne semblait réel, après tout.

Ce fut été le moment où elle était le plus près de craquer. Elle se sentit s'effondrer, comme un mur dénué de fondations.

Hendry ouvrit le dossier sur ce qui se présentait comme un genre de rapport de police, actionna son stylo pour en faire sortir la pointe, qu'il posa tout près du bloc-notes.

— Alors, dites-moi précisément ce qui s'est passé le matin du 5.

Elle lui raconta. La supérette sur le bord de la route, la voiture de Whiteside garée devant, s'en allant ensuite, le gyrophare dans son rétroviseur, l'arrestation, la fouille.

— Attendez, dit Hendry. Avant d'ouvrir le coffre de votre voiture, le shérif Whiteside vous a-t-il demandé l'autorisation de le fouiller ?

— Non, dit Audra.

— Le sachet de marijuana était-il visible de l'extérieur du véhicule ?

— Il ne se trouvait absolument pas dans ma voiture. C'est lui qui l'y a mis pour...

Hendry leva la main.

— Écoutez, nous ne dirons rien sur le fait que quoi que ce soit aurait été mis dans votre voiture. Supposons – supposons seulement – que la marijuana était bel et bien dans votre voiture, là où il l'a trouvée, aurait-elle été visible de l'extérieur ?

— Non, dit Audra. Il a fouillé sous des couvertures pour la trouver, mais elle n'y était…

— C'est tout ce que j'ai besoin de savoir, coupa Hendry en souriant.

La juge Miller darda un regard scrutateur par-dessus la monture de ses lunettes, un peu au-delà de l'épaule d'Audra.

— Shérif Whiteside, est-ce exact ? demanda-t-elle, les rides qui lui encadraient la bouche se marquant un peu plus. Est-il exact que vous n'avez pas demandé la permission de fouiller le véhicule ?

Audra tourna la tête, vit Whiteside qui se levait de sa chaise parmi la foule des spectateurs, tenant son chapeau à deux mains, s'éclaircissait la voix.

— Non, Votre Honneur, dit-il. C'est faux. J'avais la permission de procéder à la fouille.

— La prévenue n'est pas de cet avis, dit la juge. Il me faut plus que votre parole, shérif.

Whiteside soutint son regard, se redressa, leva la tête.

— Je n'ai que ma parole, et si elle ne suffit pas à…

— Non, elle ne me suffit pas, shérif. Essayons de mettre un peu de logique dans tout ça, voulez-vous ?

Whiteside parut se ratatiner de quelques centimètres. Un tic nerveux palpitait sous son œil gauche.

Le silence se fit dans les rangs des journalistes qui occupaient le fond de la salle de réunion de la mairie. Des tables avaient été installées de façon à reproduire à peu près la disposition d'un prétoire, attribuées l'une à la défense, l'autre au procureur, face à face, et pour l'heure la juge Miller siégeait, l'air las. Elle retira ses lunettes et les posa sur le bloc-notes, devant elle.

Dès leur entrée, Hendry était allé voir un homme d'âge mûr, à l'autre table, au costume trop serré et trop vieux, et ils s'étaient lancés dans un étroit conciliabule. Le procureur de l'Arizona, avait deviné Audra. Hendry avait expliqué que Joel Redmond devait être venu en s'attendant à une simple plainte pour infraction mineure. Il n'était certes pas préparé à ce que Hendry lui apprit. Il se renversa contre le dossier de sa chaise en secouant la tête, puis se leva et alla parler à la juge. Celle-ci secoua la tête à peu près comme Redmond pendant qu'il regagnait la table pour remballer ses affaires.

La juge Miller reprit la parole.

— Donc vous repérez cette voiture qui, selon vous, était en surcharge. Vous l'arrêtez, n'y trouvez qu'une femme seule.

Audra ouvrit la bouche pour protester, mais Hendry lui agrippa le poignet pour lui intimer le silence.

— Qu'est-ce qui, dans ce scénario, vous a donné une raison valable de fouiller le véhicule ? (Elle leva une main avant que Whiteside puisse répondre.) Permettez-moi de répondre à votre place : rien. Vous n'aviez aucune raison de fouiller ce véhicule, donc vous n'aviez aucune raison d'en demander la permission. Par conséquent, j'incline à croire la version des faits de la prévenue.

Whiteside se dandina sur ses pieds en tripotant le bord de son chapeau.

— Eh bien, Votre Honneur, j'étais déjà devant le coffre dans l'intention d'en retirer quelques cartons pour les amener jusqu'à mon véhicule, ce qui permettait de soulager l'essieu arrière de la voiture. Et, puisque j'étais là, j'ai jugé que l'autorisation de fouiller était implicite.

— Shérif Whiteside, seriez-vous devenu un représentant de l'ordre au cours des cinq minutes qui viennent de s'écouler ?

— Non, Votre Honneur.

— Ou des cinq jours ? Cinq semaines ? Cinq mois ?

Whiteside soupira.

— Non, Votre Honneur. J'ai pris la fonction de shérif de cette ville quand j'ai quitté l'armée, en 1993.

— Cela fait donc presque un quart de siècle que vous représentez la loi, dit-elle, avec un petit sourire en coin.

— Oui, Votre Honneur.

L'expression de la juge se durcit, ses yeux fixant Whiteside comme deux lasers verts.

— Dans ce cas, vous savez parfaitement que ce coffre était une propriété privée, que vous n'étiez pas habilité à l'ouvrir et fouiller dedans, et que rien de ce que vous y avez trouvé ne peut être retenu comme preuve devant quelque tribunal que ce soit, même aussi foireux que celui-ci.

— Bien, Votre Honneur.

Le regard de Whiteside croisa celui d'Audra. Nouveau tic.

La juge Miller rechaussa ses lunettes, griffonna quelque chose sur son bloc-notes.

— Mr Redmond m'informe qu'il va nous éviter de perdre un peu plus de notre temps et laisser tomber cette affaire idiote comme une patate chaude. Shérif Whiteside, je n'apprécie pas qu'on me fasse déplacer ma carcasse jusqu'au comté d'Elder uniquement pour y découvrir que j'aurais mieux fait de rester chez moi. Mon mécontentement vous apparaît-il clairement, shérif Whiteside ?

— Oui, Votre Honneur.

La juge Miller se tourna alors vers Audra.

— Mrs Kinney, je constate que vous n'avez pas été arrêtée pour un motif lié à vos enfants, pas plus que vous n'avez été inculpée d'un quelconque autre délit. Vous êtes donc libre de repartir.

Audra réprima son envie de pousser un cri. Un brouhaha agité s'élevait des rangs des journalistes, pareil au bruit d'un moteur qui démarre. Le procureur ferma son attaché-case, se leva, et se dirigea vers la sortie.

— Toutefois, reprit la juge. (Elle frappa la table d'un poing osseux.) Nom d'un chien, mais vous allez la fermer, là-bas, au fond ? Si vous avez besoin de marmonner entre vous comme ça, allez le faire dehors, bande de vautours. (Elle attendit un moment que le calme revienne.) Toutefois, je crois que l'inspecteur Showalter a quelque chose à me soumettre.

— Oui, Votre Honneur, lança Showalter en se levant. Puis-je approcher ?

— Venez.

Showalter passa devant la table à laquelle Audra était assise à côté de son avocat. Sans un regard pour elle, il alla directement vers la juge et lui remit une enveloppe en papier kraft.

— Votre Honneur, lança-t-il, comme vous le savez, Audra Kinney est au cœur d'une enquête concernant la disparition de ses enfants. Je suis retourné à Phoenix ce matin et j'ai sollicité auprès du tribunal des affaires familiales une ordonnance particulière à l'encontre de Mrs Kinney, lui interdisant de quitter la ville de Silver Water tant que nos investigations ne seront pas terminées.

La juge Miller tira de l'enveloppe une lettre et un formulaire, y jeta un coup d'œil rapide.

— Mrs Kinney a-t-elle un point de chute ?

— J'ai parlé à Mrs Anne Gerber, Votre Honneur, qui est la propriétaire de la pension de famille River View. Elle n'a pas loué de chambre depuis un certain temps, mais elle accepte d'en louer une à Mrs Kinney pour les quelques nuits à venir.

— Très bien, dit la juge. Vous comprenez, Mrs Kinney ? Vous êtes libre de quitter ce tribunal, mais pas cette ville. Si vous mettez le pied en dehors de ses limites, nous vous replacerons aussitôt en cellule. C'est bien clair ?

Audra n'écoutait plus.

Libre.

Elle se cramponna à la table, submergée par le vertige.

Je peux sortir de cette cellule.

Qu'elle ne puisse pas quitter la ville n'avait guère d'importance, elle n'en avait pas envie. Mais elle allait maintenant pouvoir tenter de retrouver ses enfants. Elle ne savait pas du tout comment, mais au moins elle pourrait y réfléchir.

— Oui, Votre Honneur, dit-elle.

La juge Miller commença à rassembler ses affaires.

— L'audience est terminée, lança-t-elle. Bonne journée à tous.

Audra se leva.

— Madame, s'il vous plaît, est-ce que je peux vous parler un instant ?

La juge retira à nouveau ses lunettes, soupira, puis, d'un signe de son long index, l'invita à s'approcher.

Audra s'exécuta, sans trop savoir si ses jambes allaient pouvoir la soutenir jusqu'à la table de la juge. Mais elle couvrit la distance et, une fois devant la table, se baissa pour que leurs regards soient à la même hauteur.

— Madame, je…

— Appelez-moi Votre Honneur, s'il vous plaît.

— Votre Honneur, j'ai besoin d'aide.

— Ça, ma grande, ce n'est une nouvelle pour personne.

Audra braqua le pouce par-dessus son épaule en direction du shérif Whiteside.

— Cet homme, lui et son agent, ils ont emmené mes enfants. Sean et Louise. Je pense que mon mari les a payés pour ça. Il faut que je retrouve mes enfants. Ils sont tout ce que j'ai au monde. Je ne pourrai pas vivre sans eux. Je vous en prie, aidez-moi. Faites quelque chose, je vous en prie.

La juge Miller lui adressa un sourire bienveillant. Elle tendit la main par-dessus la table et prit celle d'Audra.

— La seule aide que je peux vous apporter, c'est un conseil, ma chérie. Dites-moi la vérité, c'est tout. Quoi qu'il advienne, quoi qu'on vous raconte, dites la vérité, et c'est tout. C'est la seule chose qui puisse aider qui que ce soit. Vous m'entendez ?

Ses doigts étreignirent le poignet d'Audra.

— Dites-leur ce que vous avez fait de vos enfants, c'est tout, dit-elle. Dites-leur où sont les corps et tout ça s'arrêtera. Je vous le promets.

21

Le trajet à pied de la mairie à la pension de famille prenait moins de cinq minutes, mais Audra eut l'impression qu'il durait une éternité. Hendry avait refusé de l'accompagner, lançant en s'éloignant qu'il avait assumé ses responsabilités. Tandis que tout le monde se pressait autour de la table de la salle d'audience improvisée, le shérif Whiteside proposa de s'en charger, mais Audra déclina, disant qu'elle préférait affronter la presse seule.

— Et merde ! lança l'agent Mitchell. Je vais le faire. Inspecteur Showalter, agent Abrahms, vous venez aussi. Allons-y.

Showalter recula derrière la table en protestant.

— Ah non, pas moi. Non merci.

— Ce n'était pas une question, inspecteur, dit Mitchell. Abrahms, quittez votre veste.

Audra résista un moment quand Mitchell lui prit le bras d'une poigne ferme et la tira de sa chaise, mais elle se laissa ensuite guider en direction de la porte. La majeure partie des journalistes avait quitté la salle, Audra entendait un brouhaha de conversations en provenance de l'entrée principale de la mairie. Ils attendaient de pouvoir la prendre en photo, peut-être de lui lancer quelques questions. À son arrivée dans la salle d'audience, ils étaient déjà tous entassés au fond, et un murmure contenu courut parmi eux quand elle fit son apparition, menottée, flanquée d'un policier de chaque côté. À présent, ils étaient lâchés en plein air et semblaient prêts à mordre.

Mitchell s'adressa à Whiteside.

— Il existe une autre sortie ?

— La sortie de secours, sur le côté, dit-il en tendant le doigt. Il faut traverser le hall, prendre à droite. L'alarme est sûrement branchée, mais…

Mitchell n'attendit pas la fin de sa phrase. Elle entraîna Audra vers les grandes portes du hall, qu'elle laissa battre après leur passage. Showalter en prit une dans le genou et jura.

Une bonne dizaine de policiers se retourna. Le hall avait été transformé en une sorte de centre stratégique, une grande carte de l'Arizona fixée sur un chevalet, des épingles rouges traçant une ligne en travers de l'État. Tous les regards suivirent Mitchell qui passait entre eux, guidant Audra, et gagnait la double porte située sur la droite. Un écriteau vert, au-dessus de la barre d'ouverture, signalait qu'il s'agissait d'une sortie de secours. Mitchell ne ralentit pas l'allure avant d'atteindre la porte. Là, elle s'arrêta, adressa un signe de tête à son collègue.

Abrahms posa sa veste sur la tête et les épaules d'Audra de façon à ne lui laisser qu'un mince champ de vision. Elle entendit plus qu'elle ne vit Mitchell abaisser la barre, puis l'alarme se déclencher, sentit la chaleur du soleil de l'après-midi tandis qu'on la guidait au-dehors. Pas très loin, les journalistes s'écrièrent :

— Là, là-bas, la voilà !

— Vite ! dit Mitchell.

Abrahms lui tenant un bras, Mitchell, l'autre, Audra traversa l'allée sans presque toucher terre, sortit par un parking puis tourna sur un trottoir. Bruits de pas précipités, derrière. Et les voix, criant son prénom.

— Où sont vos enfants, Audra ?

— Que leur avez-vous fait, Audra ?

— Qu'avez-vous fait de Sean et Louise, Audra ?

Mitchell raffermit sa prise sur le bras d'Audra.

— Gardez la tête basse, ne vous arrêtez pas.

Audra ne voyait que ses pieds survolant le trottoir craquelé. Les pas les rejoignaient en courant, derrière, la doublaient.

— C'est bon, reculez, écartez-vous.

La voix de Showalter, dure, furieuse.

— Où sont les corps de vos enfants, Audra ?

Sans Abrahms et Mitchell qui la soutenaient, elle serait tombée. Une soudaine découverte la frappa : *Ils croient que j'ai tué mes enfants*. Les autorités en étaient persuadées, bien sûr, mais à présent elle comprenait que le monde entier le croyait. Cette pensée l'horrifia.

— Par ici, dit Mitchell en entraînant Audra dans une autre ruelle qui les ramena à la rue principale.

Mais toujours les bruits de pas, tout autour, les questions, les cris, les accusations. Audra se concentra sur ses pieds, courir, ne pas trébucher. Tout ce qu'elle parvenait à se dire, c'était qu'il fallait quitter la rue, se mettre à l'abri des journalistes.

Les chiens, les chiens, ils me poursuivent.

Un souvenir éclair, une petite fille près de la cour de son grand-père, talonnée par les terriers du voisin qui aboyaient en montrant les dents.

Au secours, ils me poursuivent.

Elle avait envie de se mettre à courir, fouettée par l'adrénaline et la peur mêlées.

— On y est presque, dit Mitchell, on y est presque.

Ils atteignirent quelques marches en bois, et là Audra trébucha bel et bien, rattrapée de justesse par ses deux accompagnateurs, mais elle se cogna le tibia et le genou sur le nez d'une marche. Les voix, autour d'elle, les questions, se haussèrent subitement, et elle entendit les mêmes mots, encore et toujours, du mal, les corps, vos enfants. Et leurs prénoms. Ils ne cessaient de répéter les prénoms des enfants. L'envie vint à Audra de leur crier de se taire, de la laisser tranquille, de ne plus jamais dire un mot à propos de Sean et Louise.

Tandis qu'Abrahms et Mitchell la relevaient, une porte s'ouvrit et Audra gagna la fraîcheur d'un intérieur de maison. Elle entendit la porte claquer derrière elle, puis la voix de Showalter, à l'extérieur, dire aux journalistes de s'en aller, maintenant, ça suffit, allez-vous-en.

Les mains libres, à présent, Audra retira la veste qui lui couvrait la tête et la jeta par terre. Son cœur battait si fort qu'elle le sentait dans sa tête, dans son cou. L'adrénaline s'était muée en une vibration nauséeuse qui l'enveloppa tandis qu'elle s'efforçait de retrouver son souffle. Elle s'appuya contre un mur, le front sur l'avant-bras.

— Tout va bien, dit Mitchell, essoufflée, elle aussi. Détendez-vous.

— C'était quoi ? demanda Audra entre deux aspirations.

— Vous êtes de l'actualité brûlante, dit Mitchell. (Elle se baissa, ramassa la veste d'Abrahms et la lui rendit.) Vous ne le saviez pas ?

Audra regarda la porte et, à travers la partie vitrée, discerna le rempart d'hommes et de femmes. Les micros et les caméras. Showalter les bras levés, essayant de calmer la meute.

— Seigneur, dit Audra.

— On se souciera d'eux plus tard, reprit Mitchell. Allons vous trouver un endroit où dormir.

Audra regarda autour d'elle, s'aperçut qu'elle était dans le vestibule de ce qui avait jadis été une grande et belle demeure, avec son vaste escalier et ses hauts plafonds. Un petit comptoir de réception au pied des marches, et derrière, sur un panneau, une douzaine de crochets nus où étaient autrefois accrochées des clés. Une odeur de moisi flottant là, l'odeur de l'inutilité, de l'abandon, de portes jamais ouvertes.

Une femme âgée se tenait à côté du comptoir, fixant Audra d'un regard gris dur.

Mitchell posa la main au creux du dos d'Audra, la fit avancer dans le vestibule, approcher du comptoir.

— Audra, je vous présente Mrs Gerber, qui a très gentiment accepté de vous louer une chambre pour quelques nuits.

Audra s'apprêtait à remercier, mais Mrs Gerber parla la première.

— En tant que mère, je vous jetterais volontiers à la rue d'un bon coup de pied, dit-elle. Mais en tant que chrétienne je ne vous chasserai pas. Maintenant, il y a près d'un an que je n'ai pas loué de chambre, alors n'attendez pas l'impossible. J'ai aéré autant que je le pouvais, changé les draps et tout le cirque. Les repas ne sont pas fournis, et je n'ai pas l'intention de partager ma table avec vous, donc il faudra vous débrouiller par vous-même.

Mrs Gerber sortit de la poche de son cardigan une longue clé en laiton ornée d'un jeton en cuir sur lequel se devinait encore le chiffre 3. Audra tendit une main encore tremblante, mais Mrs Gerber l'ignora et remit la clé à Mitchell.

— Merci, madame, fit cette dernière. Nous trouverons.

Elle dit à Abrahms d'attendre là, puis précéda Audra dans l'escalier jusqu'au deuxième étage. Audra attendit pendant que Mitchell tournait la clé dans la serrure, ouvrait la porte et s'effaçait pour la laisser entrer. La chambre était modeste, pourvue d'un grand lit et d'une salle de bains. L'unique fenêtre donnait sur un jardin qu'une ruelle séparait de l'arrière d'une autre propriété.

Mitchell posa la clé sur une coiffeuse.

— Fermez à clé derrière moi quand je m'en irai. Je reviendrai ce soir pour vous apporter de quoi manger, quelques vêtements de plus, des affaires de toilette. D'accord ?

— Merci, dit Audra. Pour tout.

La mine de Mitchell se durcit, comme si la gratitude d'Audra l'irritait. Elle fit un pas vers Audra.

— Pendant mon absence, je veux que vous réfléchissiez très sérieusement à ce que vous allez me dire. Vos enfants ont disparu depuis au moins quarante-huit heures, maintenant. J'espère qu'ils sont en vie, mais tout ce que j'ai vu par le passé me dit que ce n'est pas le cas. Et tout ce que j'ai vu par le passé me dit que vous savez où ils sont. Quand je reviendrai, je veux que vous me disiez. Je perds patience, Audra. Il n'y a plus qu'une façon de régler les choses, à présent. Vous savez ce qu'il vous reste à faire.

L'agent regagna le fond de la pièce, où un vieux poste de télévision à tube cathodique trônait sur une coiffeuse. Mitchell appuya sur un bouton et l'écran s'alluma, l'image convulsée et sautillante. Elle parcourut les diverses chaînes jusqu'à en trouver une d'information.

Audra vit son propre visage. Une terreur froide s'empara d'elle.

— Vous feriez bien de regarder, dit Mitchell, jetant la télécommande sur le lit tout en se dirigeant vers la porte. Ça vous aidera peut-être à réfléchir.

22

« Nous enchaînons, lança la présentatrice, avec de nouveaux détails inquiétants dans l'affaire concernant Sean et Louise Kinney, les enfants disparus à Silver Water, dans l'Arizona. »

Le présentateur se tourna vers la caméra. « Et, croyez-moi, vous ne pouvez pas manquer ce tout dernier retournement dans une histoire qui tient toute la nation en haleine. »

— Oh ! non, fit Audra en posant les mains de part et d'autre du téléviseur comme si les images allaient faire exploser leur cadre.

Musique claironnante, le logo de la chaîne tournoyant dans l'espace, puis publicité. Pour un antidépresseur délivré sur ordonnance. Une femme toute grise prenant des couleurs rayonnantes en racontant à quel point elle se félicitait d'en avoir parlé à son médecin. Puis une voix d'homme énonçant la longue liste des effets indésirables possibles, dont les pensées suicidaires. Audra en aurait ri si elle n'avait pas retenu son souffle en attendant la suite des informations.

À nouveau, musique claironnante et logo tournoyant, puis les présentateurs reparurent.

« Bienvenue si vous nous rejoignez, dit la femme. Comme nous vous le disions il y a quelques instants, de nouveaux détails inquiétants se sont fait jour dans l'affaire concernant la disparition des enfants Kinney, Sean, dix ans, et Louise, six ans. Leur mère a été arrêtée mercredi soir tout près de la petite ville de Silver Water, dans l'Arizona, pour détention de drogue. Cette femme de trente-cinq ans avait quitté le quartier de Brooklyn, à New York, quatre jours plus tôt, avec ses enfants à bord du véhicule. Quand le shérif du comté d'Elder a stoppé la voiture pour une petite infraction à la circulation, les enfants ne s'y trouvaient plus. Aujourd'hui, lors d'un retournement-surprise, l'affaire de détention de drogue a été rejetée par la cour, la juge Henrietta Miller décrétant illégale la fouille du véhicule. Rhonda Carlisle, notre envoyée spéciale à Silver Water, nous en dit plus. »

La caméra enchaîne sur une jolie jeune Afro-Américaine dans la rue principale de la ville. À l'arrière-plan se presse une foule de journalistes.

« En effet, Susan, des scènes très marquantes, ici, à Silver Water, aujourd'hui, quand la juge Miller a établi que, le shérif Ronald Whiteside n'ayant pas sollicité la permission exprès de fouiller le break que conduisait Audra Kinney, la preuve tangible devenait irrecevable. Elle n'a donc pas eu d'autre choix que de rejeter l'inculpation, ce qui laissait Mrs Kinney libre de repartir. Ou presque. »

Changement de plan : Audra penchée devant la juge qui lui tient la main. Puis Audra qu'on entraîne dans la rue, la veste sur la tête, entre Mitchell et Showalter. La voix de la journaliste explique à l'arrière-plan :

« Un inspecteur de la brigade criminelle du ministère de la Sécurité publique de l'Arizona a obtenu du tribunal des affaires familiales de Phoenix, dans l'Arizona, une ordonnance interdisant à Audra Kinney de quitter la ville de Silver Water tant que l'enquête portant sur la disparition de ses enfants sera en cours. »

Audra titubant sur les marches de la pension, Mitchell la soutenant.

« Mrs Kinney est logée dans une pension de la ville, en résidence surveillée. Le FBI et la police d'État concentrent leurs recherches le long de l'itinéraire emprunté par la mère des deux enfants pour traverser l'Arizona d'est en ouest, et exploitent les données GPS de son téléphone portable.

Ils savent qu'elle a franchi la frontière en provenance du Nouveau-Mexique, au nord, environ vingt-quatre heures avant d'être arrêtée par le shérif du comté d'Elder, et des témoins, dans un bar-restaurant du bord de la route, ont affirmé avoir vu les enfants le lendemain matin, si bien que les autorités savent que ce qui est arrivé à Sean et Louise s'est produit dans l'État d'Arizona. »

Retour au studio, et le présentateur s'adressa alors à une image en incrustation de la journaliste.

« Rhonda, vous nous confirmez donc que de nouveaux détails inquiétants ont été révélés au sujet d'Audra Kinney, la mère des enfants disparus. »

Retour à Silver Water.

« C'est exact, Derek. Comme cela a déjà été dit ailleurs, Audra Kinney a quitté son riche mari il y a dix-huit mois, emmenant ses deux enfants de leur appartement de l'Upper West Side pour emménager dans un deux-pièces à Brooklyn. La grand-mère des enfants s'est entretenue aujourd'hui même avec nos envoyés spéciaux devant son appartement, près de Central Park. Elle a brossé un tableau inquiétant d'Audra Kinney, une femme ayant un passé de problèmes mentaux et d'addictions. »

Rhonda Carlisle regarda alors hors champ, avec un air grave et anxieux.

— Oh ! non ! fit Audra.

Là, sur l'écran, Margaret Kinney, ses cheveux teints en roux, son pâle visage dur. Elle se tenait sur le trottoir, devant son immeuble où un portier attendait qu'elle entre. Flanquée du père Malloy dont le visage exprimait une chaleureuse compassion.

« Je regrette amèrement le jour où mon fils a rencontré cette femme, dit Margaret. Elle lui a fait vivre un enfer ces dernières années. Entre alcool et médicaments. Vin et vodka, principalement, et tous les antidépresseurs et calmants qu'elle pouvait persuader les médecins de lui prescrire. Elle connaissait à peine ses propres enfants. C'est moi qui me suis chargée pour la plus grande partie de leur éducation, aidée de leur nounou. »

« Menteuse, dit Audra. Espèce de sale menteuse. »

« Avant que mon fils et elle se séparent, les choses allaient de plus en plus mal, c'était à peine si elle quittait son lit. Puis elle a fait une overdose et a fini à l'hôpital. Mon fils, par amour, a fait tout ce qu'il pouvait pour la remettre sur pied, mais elle est ensuite partie avec les enfants. Voilà maintenant dix-huit mois qu'il tente de les récupérer, parce qu'ils ne sont pas en sécurité avec elle. Les services d'aide à l'enfance en convenaient et s'apprêtaient à obtenir un mandat l'obligeant à les restituer à leur père, et c'est alors qu'elle a pris la fuite. Et maintenant voilà. Je vous demande pardon ? »

Son front se plissa tandis qu'elle inclinait la tête pour mieux entendre.

« Oui, dit-elle. En effet, je suis très inquiète. »

Ses yeux s'emplirent de larmes. Le père Malloy lui posa la main sur l'épaule.

« Nous nous efforçons de rester positifs, je prie nuit et jour, mais je crains le pire pour ces deux petits. »

Elle inclina de nouveau la tête, tout en essuyant une larme.

« Quel message je lui adresserais ? Dites-nous seulement ce que vous avez fait d'eux. »

Margaret regarda la caméra bien en face, sa résolution l'abandonnant, le père Malloy semblant la soutenir dans sa détresse.

« Audra, quoi que vous ayez fait de mes petits-enfants, où qu'ils soient, je vous en prie, dites-le-nous. Ne nous torturez pas ainsi. Je ne peux pas le supporter. Patrick est anéanti. Nous avons tous du mal à tenir. Faites la seule chose correcte que vous puissiez faire désormais. Dites la vérité. »

Elle disparut, remplacée par Rhonda Carlisle dans la rue principale de Silver Water.

« Une déclaration forte de Margaret Kinney, la grand-mère des enfants disparus. À vous le studio. »

Retour aux présentateurs, qui remercièrent l'envoyée.

— Et Whiteside, dans l'histoire ? demanda Audra au téléviseur. Et Collins ?

Elle frappa l'écran du plat de la main. L'image bascula, puis reprit sa place.

La mine de la présentatrice s'assombrit. « Nous ne manquerons pas, bien sûr, de vous tenir informés en temps réel de l'évolution de cette affaire, mais voilà presque quarante-huit heures que les enfants ont disparu. (Elle se tourna vers son collègue.) Les autorités doivent craindre le pire à l'heure qu'il est, Derek. »

Derek hocha gravement la tête. « Comme nous tous, je crois. »

Audra gifla l'écran de nouveau.

— Ils sont en vie, sale connard.

Derek revint à l'écran. « Restez avec nous dans les heures qui viennent, où nous nous demanderons : qui est Audra Kinney ? De la séduisante jeune femme que son mariage fit entrer dans une des familles de l'élite new-yorkaise, à la mère supposément toxicomane soupçonnée d'avoir commis le pire crime imaginable, nous en découvrirons plus après une page de publicité. »

D'un coup de poing, Audra enfonça le bouton d'arrêt, s'éraflant les phalanges.

— Qu'ils aillent se faire foutre, dit-elle.

La colère l'envahissait, brûlante, flamboyante. Ils avaient pratiquement dit qu'elle avait tué ses enfants et jeté leur corps quelque part dans le désert. Aucune allusion à ce qu'elle avait dit à Mitchell. Personne ne mettait en doute la version de Whiteside. La colère se mua en terreur froide quand elle comprit ce que le pays entier devait penser. Qu'elle était un monstre. Elle ne s'était jamais beaucoup intéressée aux réseaux sociaux, Facebook, Twitter, et tout

180 | HAYLEN BECK

le reste, mais elle imaginait sans peine ce qui pouvait s'y dire. Ils devaient tous la mettre en pièces.

Audra gagna le fond de la pièce, se blottit contre le mur, la tête entre les mains, enserrant son crâne entre ses doigts écartés, comme pour le contenir tout entier. Ce poids écrasant sur ses épaules, qui lui encerclait la poitrine.

— Tiens-toi, se dit-elle. Ils veulent te faire craquer.

De là, elle apercevait la cour par la fenêtre et, au-delà, la clôture, qui n'était plus de première fraîcheur. Et derrière, juché sur quelque chose qui lui permettait de s'assurer un meilleur point de vue, un jeune homme armé d'une caméra vidéo, qui lui retournait son regard.

— Seigneur ! lança Audra. Elle alla à la fenêtre et abaissa le store.

Puis elle s'affala sur le lit, remonta les genoux sous le menton et les enserra dans ses bras.

Allongée dans la pénombre, elle se remémora une chambre d'hôpital bien loin d'ici. Une chambre où elle s'était réveillée avec une douleur lancinante derrière les yeux. Peur et désorientation. Un médecin lui avait expliqué qu'elle avait fait une overdose. La nounou l'avait trouvée par terre dans la chambre, dit-il, à demi nue, presque inconsciente. Sans elle, Audra serait sans doute morte. Les ambulanciers lui avaient fait un lavage d'estomac et une injection massive d'adrénaline.

Patrick était venu la voir ce soir-là, quelques minutes à peine.

— Comment as-tu pu être aussi bête ? demanda-t-il.

Une autre personne lui rendit visite le lendemain. Elle portait une robe grise unie et un crucifix autour du cou. Elle s'appelait sœur Hannah Cicero, et demanda à Audra pourquoi elle avait pris tant de cachets, et pourquoi avec de la vodka pure. Audra lui répondit qu'elle ne s'en souvenait pas.

— Avez-vous choisi de faire une overdose ? lui demanda sœur Hannah. Avez-vous tenté de vous supprimer ?

— Je ne m'en souviens pas, dit Audra.

Mais elle se demanda. L'avait-elle choisi ? Avait-elle fini par atteindre le stade où la mort semblait préférable à la vie ? Elle savait que les derniers mois avaient été sombres, qu'elle avait la conviction que le monde se passerait fort bien d'elle.

— Voulez-vous prier ? demanda la religieuse.

— Je ne suis pas croyante, dit Audra.

— Ce n'est pas grave, dit sœur Hannah. Je suis thérapeute diplômée, en plus d'être religieuse. Ces deux aspects ne coïncident pas toujours.

— Thérapeute, répéta Audra en se rappelant la conversation qu'elle avait eue avec Patrick le jour du deuxième anniversaire de Sean.

Sean avait huit ans et demi, à présent, et Louise, pas tout à fait quatre. Patrick ayant insisté, Audra avait cessé de boire dès que le test de grossesse se révéla positif et qu'elle sut qu'elle portait un nouvel enfant. On l'autorisa à continuer les médicaments, mais à doses réduites. Après la naissance de Louise, Margaret fit à nouveau irruption et prit le relais. Cette fois, Audra n'eut même pas à essayer d'allaiter son bébé. De fait, elle n'avait aucun souvenir d'avoir même donné le biberon à Louise. Trois jours après la naissance, Patrick donna une bouteille de vin à Audra, qui replongea dans le piège infernal.

— Avez-vous envie de parler ? demanda sœur Hannah.

Audra ne répondit pas. Elle se tourna sur le côté, regardant ailleurs.

— Vous préférez que je m'en aille ?

Audra ouvrit la bouche pour répondre par l'affirmative, mais le mot ne franchit pas ses lèvres. Le silence tomba dans la pièce, et cela la terrifia tant qu'elle se sentit obligée de dire quelque chose.

— Je ne connais pas mes enfants.

— Vous savez comment ils s'appellent ?

— Sean et Louise.

— Eh bien, c'est déjà quelque chose. Quel âge ont-ils ?

— Huit et trois ans. Ou peut-être plutôt quatre. Je ne sais pas trop.

— Un autre point positif. Essayez d'en trouver encore un.

Audra réfléchit un moment.

— Louise a un lapin rose. Elle l'appelle Gogo.

— Quel sentiment éprouvez-vous quand vous pensez à vos enfants ?

Audra ferma les yeux, se concentra sur la douleur qu'elle éprouvait dans les seins.

— Ils me manquent. Je les ai laissés tomber. Je ne les mérite pas.

— Personne ne mérite les enfants, dit sœur Hannah. Ce ne sont pas des prix qu'on obtient parce qu'on est méritante. Si j'ai bien compris, c'est la nounou des enfants qui vous a trouvée inconsciente. Qui l'a engagée ?

— Mon mari, répondit Audra. Il disait que je n'étais pas en état de m'occuper de mon fils. Elle vit chez nous depuis. Je vois mes enfants le soir, au dîner, et ils viennent me dire bonne nuit et m'embrasser. Je les vois au petit déjeuner, et ils viennent me dire bonjour et m'embrasser. Ils m'appellent « mère ». Ils appellent Patrick « père ». Pas maman et papa. Ce n'est pas bien, n'est-ce pas ? Je devrais être leur maman.

— Vous devriez. Alors je pense que la question qui se pose est la suivante : pourquoi ne l'êtes-vous pas ?

— Je vous l'ai dit, je ne les mérite pas.

— Foutaises, dit sœur Hannah. Si vous me redites encore ça, je vous botte le cul. Est-ce que Patrick boit ?

— Non, dit Audra. Pas comme moi.

— Et les médicaments, les antidépresseurs, tout ça. Il en prend aussi ?

— Non, jamais.

— Que dit-il du fait que vous buvez ?

La bouche d'Audra s'assécha. Elle imagina la fraîche suavité du vin sur sa langue. Sa fluidité dans sa gorge.

— Il m'évite quand je suis ivre, dit-elle. Il me dit que je suis une merde quand j'ai la gueule de bois le matin. Puis, en rentrant du travail, il m'apporte de quoi boire. Du vin, en général, parfois de la vodka.

Sœur Hannah garda le silence un moment, puis demanda :

— C'est aussi lui qui vous apporte les cachets ?

— Oui, dit Audra. Ce que je ne comprends pas, c'est pourquoi. Pourquoi est-ce qu'il me garde ? En quoi est-ce que je lui suis utile ? Je ne suis ni une mère ni une épouse, alors à quoi est-ce que je sers ?

Nouveau silence. Audra sentait dans son dos le regard de sœur Hannah.

— Dites-moi, avez-vous des amis ?

— Non, dit Audra. Je n'en ai plus.

— Mais vous en aviez.

— Avant notre mariage. Mais Patrick ne les aimait pas.

— Alors vous avez perdu de vue vos amis, dit sœur Hannah.

— Oui.

— Vous arrive-t-il de sortir sans Patrick ? D'aller faire des courses, vous promener, ou quoi que ce soit d'autre ?

— Non, dit Audra.

— Lui est-il arrivé de vous frapper ?

Audra se sentit sombrer dans l'oreiller, se ratatiner sous le drap.

— Quelquefois. Pas souvent.

Elle sentit la main de sœur Hannah se poser sur son épaule.

— Audra, écoutez-moi très attentivement. Vous n'êtes pas la première femme à vivre ce genre d'épreuve. Et Dieu sait que vous ne serez pas la dernière. J'ai vu toutes sortes de sévices. Croyez-moi, les coups ne sont pas les seuls mauvais traitements. Votre mari est un pervers narcissique. Il vous

184 | HAYLEN BECK

maintient dans la dépendance à l'alcool et aux médicaments, pour que vous ne vous rebelliez pas, que vous soyez manipulable. Il ne vous aime pas, mais, pour une raison qui lui appartient, il ne peut pas vous laisser partir. Il vous tient prisonnière, il faut bien que vous compreniez ça. L'alcool et les médicaments sont les liens avec lesquels il vous ligote.

— Qu'est-ce que je peux faire ? demanda Audra. Comment m'en sortir ?

— Partez. Allez-vous-en, tout simplement. En sortant de cet hôpital, ne rentrez pas chez vous. Je peux vous trouver une place dans un refuge où vous serez en sécurité. Patrick n'aura pas la possibilité de vous atteindre là-bas.

— Mais mes enfants…

— Vous ne pourrez les aider qu'en vous aidant d'abord vous-même. Il faut que vous alliez bien, ensuite, vous pourrez vous soucier d'eux.

— J'ai envie de dormir, dit Audra, sur quoi elle se pelotonna dans le lit.

Elle s'endormit avant même que la religieuse quitte la pièce.

23

Danny mordit dans son club sandwich. Pas mal. Le bacon était carrément bon, la dinde, pas trop sèche. Il extirpa les tranches de tomate du pain toasté et les laissa sur l'assiette. Danny n'aimait pas les tomates.

La serveuse s'arrêta devant le box qu'il occupait, à côté de la vitre, pour remplir à nouveau sa tasse de café. Carrément bon aussi. Mais le service était lent. Il se disait que l'endroit n'avait sans doute pas connu une telle activité depuis des années.

— Merci, dit-il, avant de se tamponner les lèvres à l'aide d'une serviette. Dites, qu'est-ce qui se passe dans le coin ?

La serveuse – qui s'appelait Shelley, à en croire le badge qu'elle portait – se mit à rire, puis le sourire s'effaça de son visage.

— Vous n'êtes pas au courant ?

Danny tourna la tête vers la rue, les journalistes qui erraient comme des zombies en quête de chair fraîche.

— Au courant de quoi ?

— Excusez-moi, je me disais juste que… (Elle lui agita une main devant le visage.) Enfin, bon, vous n'êtes pas d'ici, alors je me disais que vous étiez journaliste. Comme eux.

Danny sourit et dit :

— Non, je ne suis que de passage. La dame d'une boutique, sur le bord de la route, a dit que vous faisiez du bon café. Elle avait raison. Alors qu'est-ce qui se passe, ici ?

— Ah, mon Dieu ! s'écria Shelley en se glissant sur la banquette en face de lui, la cafetière à la main. C'est affreux.

Je n'ai jamais vu ça de ma vie. C'est vrai, dans cette petite ville, ou ce qu'il en reste, la grande nouvelle, c'est quand quelqu'un pète en public.

Danny lâcha un rire.

Shelley baissa la voix et tendit le pouce par-dessus son épaule, en direction du comptoir.

— Y a deux jours, le shérif Whiteside a arrêté la fameuse femme.

Danny regarda à l'autre bout de la salle, vit le shérif. Un grand type, fortes épaules, forte panse. Siégeant sur son tabouret comme si c'était un trône et qu'il était le roi de la région.

— Il a trouvé de la drogue dans la voiture, poursuivit Shelley en chuchotant un peu plus fort. Aux nouvelles, ils ont dit que c'était de l'herbe, assez pour qu'elle soit dealer, mais j'ai entendu dire qu'y avait d'autres trucs. Genre coke, crystal meth, et je sais pas quoi encore. Alors il l'a amenée ici. À ce qu'il paraît qu'elle est partie de New York y a trois ou quatre jours avec ses deux enfants, mais ils étaient pas dans la voiture quand Ronnie, le shérif, l'a arrêtée. Ça fait longtemps qu'elle a des problèmes, mentaux, tout ça, alors ils pensent qu'elle a fait quelque chose à ses gosses, peut-être quelque part en plein désert.

— Nom d'un chien, dit Danny. Qu'est-ce qui est arrivé, à leur avis ?

— Allez savoir, dit Shelley en secouant la tête. Mais ils ont fait venir la police d'État et le FBI, qui enquêtent. Moi, ça me retourne de penser à ce qu'elle a fait à ces pauvres gosses. Je prie pour qu'ils soient en vie quelque part, mais au fond de moi j'y crois pas. Pas vraiment.

— Vous pensez qu'elle leur a fait du mal ?

— Oh ! qu'elle les a tués, même, dit Shelley. Aussi sûr qu'on est assis là, vous et moi, elle les a supprimés, ces petits. Si seulement elle voulait bien dire ce qu'elle a fait des corps, on saurait tous. Alors, il est comment, ce sandwich ?

— Bon, dit Danny.

— Vous avez eu de la chance d'avoir trouvé quelque chose à vous mettre sous la dent. Harvey, mon boss, il a dû faire le trajet jusqu'à Phoenix hier soir pour aller s'approvisionner. On a pas vu une activité pareille depuis avant la fermeture de la mine de cuivre. C'en est arrivé au point qu'hier soir je pouvais même plus servir une tasse de café.

Elle tendit la main et tapota celle de Danny.

— Bon, allez, bon appétit. Ça m'a fait plaisir de discuter un peu.

— Moi aussi, Shelley, dit-il en lui adressant son sourire le plus chaleureux.

Elle le lui rendit, radieuse, et se glissa hors du box.

Danny n'eut pas le temps de mordre à nouveau dans son sandwich qu'une ombre se glissa sur la table. Il leva les yeux. Le shérif Whiteside le regardait de toute sa hauteur.

— Tout se passe bien ? demanda Whiteside.

— Très bien, dit Danny. Et vous ?

— Oh ! pas mal, tout bien pesé. Je n'ai pas pu éviter d'entendre votre conversation avec Shelley.

— Gentille fille, dit Danny.

— C'est sûr, et pourtant elle n'a pas eu une minute pour souffler depuis hier. N'oubliez pas de lui laisser un pourboire correct, d'accord ?

— Je n'y manquerai pas, dit Danny.

— En tout cas, comme je disais, je n'ai pas pu éviter de vous entendre discuter. Alors, comme ça, vous ne faites pas partie des journalistes ?

— Non, monsieur, dit Danny.

— Ah, eh bien, je trouve ça curieux.

— Ah oui ?

— Oui, confirma Whiteside. Permettez que je m'assoie ?

Danny désigna la banquette d'en face et répondit :

— Je vous en prie.

Whiteside se glissa à côté de Danny jusqu'à lui toucher l'épaule.

— Comme je disais, je trouve ça curieux. Enfin, bon, ça n'a rien d'une critique, mais vous n'êtes visiblement pas du coin.

Sans se départir de son ton calme et uni, Danny répondit :

— Qu'est-ce qui vous fait penser ça ?

— Eh bien, je vais vous dire ça comme je le pense, parce que les conneries de politiquement correct, moi, je ne pratique pas. Voyez-vous, Silver Water est une ville à peu près aussi blanche qu'on peut l'être. Depuis que la mine a fermé, il n'y a même plus un Hispanique en ville. Il y a bien deux ou trois familles de Mormons, mais c'est tout ce qu'on a en matière de diversité.

— Je vois, dit Danny.

— Ah oui ? Vous voyez où je veux en venir ? Donc, si vous n'êtes pas journaliste, qu'est-ce que vous faites ici ?

— Je suis juste de passage, dit Danny. J'ai entendu dire que le café était bon.

— Ouais, il est bon, le café, mais ça ne fait pas vraiment partie de mes préoccupations. Voyez-vous, Silver Water est une petite ville un peu isolée dans son genre. On n'est pas vraiment sur la route de quoi que ce soit. À moins d'avoir des choses à faire ici, les gens n'ont pas trop tendance à passer par chez nous. Surtout pas les messieurs comme vous.

Danny sourit.

— Comme moi ?

— Vous voyez ce que je veux dire.

— Non, je ne vois pas.

Whiteside se gratta le menton.

— Les Américains d'origine asiatique. C'est comme ça qu'on est censé formuler les choses, à l'heure actuelle ?

— Chinois, c'est très bien, dit Danny.

— Chinois, Japonais, Coréens, Mongols, je m'en fous pas mal. Whiteside se pencha tout près du visage de Danny.

Ce que je suis en train de dire, c'est qu'il se trouve que vous êtes de passage dans une ville où personne ne passe jamais, et aujourd'hui, qui plus est, avec tout ce qui se passe. Vous allez me dire que c'est une coïncidence ?

Danny soutint le regard de Whiteside.

— Je ne vois pas quel autre nom donner à ça.

— OK, donc c'est une coïncidence. Très bien. Mais, si vous traînez dans les parages pendant plus de temps qu'il en faut pour finir ce sandwich, je serai moins tenté de voir les choses comme ça. Est-ce qu'on se comprend bien, vous et moi ?

— Je n'en suis pas sûr, dit Danny. Que je sois bien au clair : vous êtes en train de me dire qu'une fois que j'aurai mangé mon sandwich et bu mon café il faudra que je quitte la ville. Parce que j'ai pas une tête du coin. C'est bien ça ?

Whiteside acquiesça.

— À peu près, oui.

— Parce que je ne suis pas blanc.

Whiteside s'abstint de répondre, son regard se fit plus incisif.

— Premièrement, poursuivit Danny, il n'est pas en votre pouvoir de m'obliger à quitter la ville. Deuxièmement, je crois que certains des journalistes que voilà trouveraient intéressant que vous m'ayez dit de partir à cause de ma couleur de peau.

Whiteside le regardait fixement, le visage fermé comme un mur. Puis il reprit la parole :

— Bon, j'ai dit ce que j'avais à dire. (Il se glissa hors du box.) J'espère ne pas vous revoir une fois que vous aurez fini. Restons-en là.

Il se leva, ramassa son chapeau sur la table. Tandis qu'il s'éloignait, Danny lança :

— Je sais ce que vous avez fait, dit-il.

Whiteside s'arrêta et se retourna.

— Qu'est-ce que vous racontez ?

— Vous m'avez entendu.

Whiteside enserra le bras de Danny dans ses gros doigts.

— Je crois que, vous et moi, il va falloir qu'on aille finir la discussion dehors.

Danny lui sourit.

— Non, je crois que je vais rester là où je suis et finir mon déjeuner.

— Ne me cherchez pas, mec, dit Whiteside à mi-voix en se penchant. Si vous me cherchez, vous me trouverez, je vous conseille de ne pas oublier ça. Maintenant, venez avec moi.

— Regardez un peu, dit Danny. Ce bar est plein de journalistes. Combien de caméras est-ce que vous comptez ? Et dehors, dans la rue. Qu'est-ce que vous vous figurez pouvoir faire devant tous ces gens ? Alors maintenant virez vos sales pattes.

Les muscles de la mâchoire du shérif se nouèrent. Il resserra sa poigne sur le bras de Danny, puis le lâcha.

— Je vous tiens à l'œil, dit-il.

Il se redressa, mit son chapeau, et lança, assez fort pour que tout le restaurant l'entende :

— Finissez votre déjeuner, maintenant. Et, comme je disais, n'oubliez pas de laisser un bon pourboire. La pauvre Shelley n'a pas eu une minute pour souffler.

Shelley lui adressa un sourire rayonnant de derrière le comptoir, sur quoi le shérif effleura d'un doigt le bord de son chapeau avant de se diriger vers la porte. Puis il longea la vitre en direction du poste de police, le regard rivé sur Danny.

Danny prit son temps pour finir son sandwich, savourant chaque bouchée. Tout en mangeant, il regardait la pension, de l'autre côté de la rue, en se demandant ce qu'Audra Kinney pouvait faire là-dedans. *Se ronger les sangs*, supposa-t-il. *Est-ce qu'elle a seulement mangé ?*

Il repoussa son assiette, vida sa tasse de café. Aussitôt, Shelley reparut à côté de lui.

— Vous voulez jeter un coup d'œil au menu des desserts ? demanda-t-elle.

— Non, merci, dit-il en sortant son portefeuille. Je vais régler.

— Pas de problème, dit-elle en tournant les talons. Je vous apporte l'addition.

— Attendez, fit Danny. Vous vendez des plats à emporter ?

24

Audra commença à faire connaissance avec ses enfants au cours des semaines qui suivirent sa sortie de l'hôpital. Elle dormit beaucoup les premiers jours de son retour chez eux, des heures d'un néant noir ponctuées de cauchemars terrifiants. Dès le troisième jour, elle avait perdu le compte du nombre de fois où elle s'était réveillée en sursaut, le souffle coupé, les draps entortillés autour d'elle. Elle ne mangeait pratiquement rien. Le matin du quatrième jour, pendant que Sean était à l'école et que Louise faisait un somme, Jacinta frappa à la porte de la chambre.

— Entrez, dit Audra, battant des paupières pour chasser le sommeil.

Jacinta apportait un plateau chargé de toasts beurrés, d'une barre chocolatée, d'une pomme et de deux grands mugs de café. Sans un mot, elle posa le plateau sur le lit, à côté d'Audra, lui mit un des mugs dans la main, prit l'autre et alla s'asseoir dans le fauteuil, devant la fenêtre.

— Comment vous sentez-vous ? demanda-t-elle.

— Comme si j'avais la pire de toutes les gueules de bois que j'ai pu connaître, répondit Audra, une main sur le front.

— Je vous ai entendue crier, dit Jacinta. Mr Kinney ne voulait pas que je vienne vous voir, mais je me glissais dans votre chambre quand il partait au travail.

— Ah bon ? Je ne m'en souviens pas.

— J'ai déjà vu ça. (Jacinta contempla le contenu de sa tasse.) Mon père était alcoolique. Il a eu encore plus de mal que vous, quand il a essayé d'arrêter. Des hallucinations. Il disait que le diable était venu le voir. Que des poulets lui couraient autour des jambes, et que le diable les attrapait et leur tordait le cou. Si vous avez seulement des cauchemars, alors ce n'est pas trop méchant. Il y a une semaine que vous avez fait une overdose. Vous avez sans doute passé le pire, maintenant.

— On m'a dit, à l'hôpital, que c'était vous qui m'aviez trouvée. Vous m'avez sauvé la vie.

Jacinta haussa les épaules.

— J'ai juste appelé l'ambulance.

— Mais, quand même, merci.

— Vous devriez manger quelque chose.

Audra secoua la tête.

— Je n'ai pas faim.

— Vous devriez manger tout de même. Vous vous sentirez mieux. Ne serait-ce que la barre chocolatée.

Audra prit le Milky Way, en retira l'emballage. Chocolat et caramel se mêlèrent dans sa bouche, et c'était sacrément bon. Le reste de la barre disparut en moins d'une minute.

Jacinta sourit.

— Je vous l'avais dit.

Audra trempa les lèvres dans le café, odorant et chaud, le sentit se répandre dans sa gorge et son estomac, la réchauffer de l'intérieur. Jacinta désigna le flacon de cachets à demi vide, sur la table de nuit.

— Vous en reprenez ? demanda-t-elle.

— C'est mon mari qui me les a apportés, dit Audra, éludant la question.

— Je crois que vous ne devriez pas. (Jacinta baissa les yeux.) Si vous me permettez de vous dire ça.

Une bouteille vide trônait à côté du flacon, ainsi qu'un verre dans lequel il restait une gorgée de vin. Jacinta regarda tour à tour les trois objets, l'air attristé.

— Quoi donc ? demanda Audra.

— Il y a eu un appel téléphonique hier, dit Jacinta. Vous

194 | HAYLEN BECK

dormiez. Mr Kinney était au travail. C'était une dame de l'hôpital.

— Sœur Hannah, dit Audra.

— C'est bien ça.

— Qu'a-t-elle dit ?

— Elle a demandé comment vous alliez. Si vous preniez des cachets. Si vous buviez quoi que ce soit.

— Et que lui avez-vous dit ?

— J'ai dit que je ne savais rien de tout ça.

— Non, dit Audra.

— Non, quoi ?

— Je n'ai pris aucun cachet. Je n'ai pas bu.

Jacinta désigna bouteille et autres, sur la table de nuit.

— Mais…

— Jeté dans les toilettes, fit Audra. Ne le dites pas à Mr Kinney.

Jacinta sourit.

— C'est promis, répondit-elle. Ça me fait bien plaisir. Il ne devrait pas vous donner ces trucs.

— C'est un pervers narcissique. De la maltraitance. Il se sert de ces substances pour me maintenir sous sa domination. Mais maintenant c'est terminé.

— Je peux vous dire une chose ? demanda Jacinta.

Audra hocha la tête. Son estomac grondait, elle prit un toast sur le plateau, se délecta de la saveur du beurre salé sur ses papilles.

— Je n'aime pas Mr Kinney. J'aurais quitté cet emploi il y a longtemps, mais j'adore vos enfants. Vraiment. Entre votre état et le fait que Mr Kinney n'est jamais là, je ne pouvais pas partir. Ils n'auraient personne si je m'en allais.

Audra avala la dernière bouchée de toast.

— Merci. Vous ne me verrez plus dans cet état, maintenant.

— C'est bien, dit Jacinta. (Son visage s'éclaira.) Louise

ne va pas tarder à se réveiller. Voulez-vous venir la lever avec moi ?

— Ça me ferait plaisir.

— En fait, il faut que j'aille chercher Sean à l'école dans à peu près une demi-heure. D'habitude, j'emmène Louise, mais elle pourrait peut-être rester ici avec vous ?

— D'accord, dit Audra.

Audra s'installa donc par terre dans le salon, en robe de chambre, et joua avec une petite fille qu'elle connaissait à peine. Louise avait un peu protesté quand Audra, au lieu de Jacinta, l'avait levée, mais elle se calma vite. Et entreprit de sortir des jouets d'un grand panier, dans un coin de la pièce, un par un, pour ensuite les apporter à sa mère et lui dire comment ils s'appelaient. Lui montrer comment jouer avec eux.

Gogo était son préféré, presque intact à l'époque, avec encore ses deux yeux.

Louise était assise sur les genoux d'Audra qui lui lisait un livre quand la porte du salon s'ouvrit, trois quarts d'heure plus tard. Debout sur le seuil, son cartable à la main, Sean dévisagea Audra d'un regard froid et méfiant.

— Bonjour, dit Audra.

Jacinta poussa l'épaule de l'enfant.

— Va dire bonjour à ta mère.

Sean s'avança dans la pièce, posa son cartable par terre, à côté du panier de jouets. Il quitta son manteau, le laissa tomber à côté.

— Sean, lança Jacinta de l'entrée du salon. On ne laisse pas ses affaires traîner par terre. D'accord ?

— Oui, dit Sean.

— Bon. Alors, juste pour cette fois, apporte-les-moi et je vais les ranger comme il faut.

Sean rassembla cartable et manteau et les lui apporta. Jacinta ferma ensuite la porte, le laissant contempler le parquet. Quelques instants s'écoulèrent avant qu'il se tourne pour à nouveau regarder fixement Audra.

— Ça s'est bien passé, à l'école, aujourd'hui ? demanda-t-elle.

Sean haussa les épaules sans cesser de la regarder.

— Tu veux venir t'asseoir à côté de moi pour écouter l'histoire ?

— C'est des histoires pour les bébés, dit-il.

— Qu'est-ce que tu aimes, toi, comme histoires ?

— Les bandes dessinées. Les super héros.

— Tu me fais voir ?

Sean se dirigea vers le buffet, ouvrit une porte et sortit une caisse en plastique dont il tira une demi-douzaine de bandes dessinées qu'il étala par terre.

— *X-Men*, dit-il en pointant l'index. Lui, c'est Wolverine, et lui, le Professeur X. Et ces deux-là ils sont de *Star Wars*, dans les bandes dessinées et aussi dans les films. Et lui, c'est mon préféré.

— Spider-Man, dit Audra.

— Tu le connais ?

— Bien sûr. Je lisais les mêmes BD quand j'étais petite. Je les piquais à mon frère. Il se mettait en colère quand il ne les retrouvait pas, mais il n'a jamais su qu'elles étaient sous mon lit.

Sean sourit, et ils passèrent trois heures assis là, par terre, dans le salon. Puis Jacinta revint et annonça que Patrick n'allait pas tarder à rentrer. Audra embrassa ses enfants et regagna son lit.

Les choses continuèrent ainsi pendant six mois. Patrick achetait bouteilles d'alcool et flacons de cachets les uns à la suite des autres, et Audra les jetait quotidiennement dans les toilettes. Avant le dîner, elle se rinçait la bouche à la vodka ou au vin, juste pour l'odeur. Tous les soirs, la cuisinière leur servait à dîner, et ils mangeaient en silence. Sean, curieusement, sentit qu'il valait mieux ne pas parler à son père de leurs moments de jeu, et l'occasion ne se présenta tout simplement pas avec Louise.

Jusqu'à un soir de septembre.

Ce soir-là, Louise – qui avait maintenant quatre ans et demi – demanda :

— Je peux avoir de la glace ?

Patrick ne leva pas les yeux de l'article qu'il était en train de lire sur l'écran de son téléphone, les manches roulées jusqu'aux coudes, la cravate dénouée.

— Non, dit-il. Pas de glace les soirs de semaine. Mais tu peux manger un fruit.

Louise tourna la tête vers l'autre bout de la table.

— Maman, on peut avoir de la glace ?

Audra faillit répondre trop vite, d'une voix trop claire. Elle se reprit, cilla, et répondit, les paupières tombantes :

— Demande à ton père.

Trop tard. Patrick avait remarqué. Sans la lâcher des yeux, il s'adressa à Louise.

— Tu n'as pas à demander à ta mère. Tu m'as déjà posé la question et j'ai dit non.

Audra attrapa le verre de vin posé devant elle, le leva jusqu'à ses lèvres et le fit tinter contre ses dents avant d'en prendre une petite gorgée. Elle le reposa trop violemment, fit déborder le contenu.

— Il faut écouter ton père, dit-elle en atténuant les consonnes.

— Tout va bien, chérie ? demanda Patrick.

— On ne peut mieux, répondit Audra en forçant sur le ton sarcastique. Je vais me coucher.

Elle se leva et quitta la table sans se retourner. Une fois au lit, le drap remonté sous le menton, elle écouta les voix de ses enfants que Jacinta aidait à se brosser les dents avant de leur lire une histoire. Le silence régna un moment, et Audra s'assoupit peut-être, elle n'en était pas sûre, mais tout à coup elle perçut la présence de Patrick à côté de la table de nuit. Et son regard, dans son dos, qui la fixait.

Elle écouta tandis qu'il prenait la bouteille dans laquelle clapotait un fond de vodka. Puis les cachets s'entrechoquèrent quand il examina le contenu du flacon. Puis le silence, quand il resta là, à l'observer. Audra s'appliqua à respirer régulièrement, profondément, en attendant qu'il s'en aille.

— Je sais que tu ne dors pas, finit-il par dire.

Elle resta immobile, inspirant, expirant, encore et encore.

— Pense à ce que je pourrais te faire, dit-il avec un calme terrifiant. Je pourrais ouvrir la fenêtre et te jeter dehors. Tu crois que quelqu'un irait douter que c'était un suicide ? Ou tu pourrais ouvrir le coffre, dans l'armoire, y trouver le pistolet et te tirer une balle dans la tête. Ou te faire couler un bain et t'ouvrir les veines.

Il se pencha vers le lit, pesa sur Audra pour la retourner face à lui, les yeux grands ouverts à présent.

— Ce que je suis en train de dire, c'est que tu es une toxicomane, une alcoolique, une bouffeuse de cachets. Tout le monde le sait. Qui irait croire que tu ne t'es pas suicidée ? Demain, je vais demander une nouvelle ordonnance pour toi au Dr Steinberger. Et ensuite je passerai au magasin d'alcool. Et ensuite les choses reprendront leur cours normal dans cette maison.

Il se redressa et quitta la pièce.

Le lendemain matin, quand il fut parti au travail, Audra demanda à Jacinta de faire quitter son uniforme d'école à Sean pendant qu'elle passait un coup de téléphone à sœur Hannah. La sœur répondit, donna à Audra l'adresse d'un refuge dans le Queens en lui disant qu'elle et ses enfants y étaient attendus.

Jacinta les aida à descendre l'escalier avec tout ce qu'ils pouvaient emporter. Sur le trottoir, elle serra les enfants sur son cœur, les larmes aux yeux. Tandis qu'un chauffeur de taxi chargeait leurs bagages dans le coffre, Audra prit Jacinta dans ses bras.

— Faites attention, lui dit-elle. Il va être furieux.

— Je sais, dit Jacinta. Je ferai attention.

Sean et Louise lui firent signe par la vitre arrière du taxi. Louise pleura, cramponnée à Gogo, sachant qu'elle ne reverrait plus jamais Jacinta. Audra lui essuyait les joues. Tandis qu'ils se pelotonnaient les uns contre les autres à l'arrière du taxi, elle éprouva une joyeuse appréhension à l'idée de ce qui les attendait.

Ça faisait maintenant dix-huit mois, et deux ans qu'elle avait arrêté l'alcool et les cachets. Audra jura qu'elle ne laisserait plus jamais rien la séparer de ses enfants. Même si Patrick s'en était pris à elle par tous les moyens dont il disposait, encouragé par sa mère. Audra se cramponnerait à ses enfants jusqu'au bout de ses forces.

Et pourtant on les lui avait enlevés.

Audra prit une longue douche : l'eau de la pension était chaude, coulait à flots. Elle monta la température aussi haut qu'elle put le supporter et se frotta tout le corps jusqu'à avoir la peau rose vif. La crasse semblait incrustée dans ses moindres creux et plis, et même au bout d'une demi-heure elle n'en était toujours pas débarrassée.

Mais son esprit se clarifia. Si fatiguée qu'elle soit, Audra passa en revue les quarante-huit heures qui venaient de s'écouler pour y mettre un peu d'ordre. Pendant quelques instants, à nouveau, elle douta d'elle-même. Et s'ils avaient raison, tous ? Si elle avait fait une chose épouvantable qu'elle ne pouvait pas s'avouer à elle-même ? Puis elle se souvint de la mine de Sean quand il avait dit au shérif Whiteside de ne pas lui faire de mal. Sean, son petit homme, qui la défendait. Elle sourit presque à cette évocation, avant de se remémorer les sanglots terrifiés de Louise, à l'arrière de la voiture.

Le temps, depuis, s'était comprimé au point que deux jours semblaient deux heures. Mais cette même durée, ses enfants l'avaient passée quelque part dans la nature. Terrorisés, se demandant pourquoi elle n'était pas encore venue les chercher.

Non, Audra savait que l'agent Mitchell se trompait. Elle n'avait pas fait de mal à ses enfants. Et Mitchell se trompait sur un autre point : Sean et Louise étaient vivants. Audra le sentait dans la moelle de ses os. Il ne s'agissait pas de foutaises d'intuition maternelle : toute la logique l'indiquait. Whiteside et Collins ne lui auraient pas pris ses enfants juste pour les tuer. Il y avait autre chose en jeu : les enfants avaient une valeur. Et ils ne la conservaient que s'ils étaient en vie.

Qui irait payer quelqu'un pour lui prendre ses enfants ? Il n'y avait qu'une réponse plausible. Elle imagina son mari remettant une liasse de l'argent de sa mère, glissant une enveloppe dans la main de Whiteside.

Une idée terrifiante, mais qui signifiait que Sean et Louise étaient en vie. Et, si ses enfants étaient en vie, elle pourrait les retrouver. Il fallait simplement savoir comment.

Audra ferma le robinet, sortit de la douche, prit une serviette sur le porte-serviettes. Quelques minutes plus tard, elle s'était séchée, seuls ses cheveux étaient encore humides. Elle enfila les vêtements, les mêmes jean et chemise miteux qu'on lui avait donnés la veille. Ils sentaient la sueur, mais au moins elle était propre.

Elle s'assit sur le lit, à côté du vieux téléphone posé sur la table de nuit. *Il faut que je fasse quelque chose*, pensa-t-elle. *N'importe quoi.* Le plus petit geste vaudrait toujours mieux que rester assise là pendant que ses enfants étaient perdus quelque part dans le désert.

Un coup frappé à la porte la fit sursauter. Elle se leva

d'un bond, traversa la pièce, mit la chaîne en place. Puis elle tourna la clé dans la serrure et entrouvrit la porte, de quelques centimètres à peine. La logeuse, Mrs Gerber, attendait, le visage empourpré.

— Un homme est en bas, il insiste pour vous parler, déclara-t-elle, le souffle court. Je lui ai dit que non, mais il n'a rien voulu entendre. Il dit qu'il faut qu'il vous parle tout de suite. Il a failli user de violence pour...

— Un homme ? releva Audra. Comment s'appelle-t-il ?

— Il n'a pas voulu le dire. Je lui ai répété : dites-moi qui vous êtes et ce que vous voulez, mais il m'a tout simplement bousculée pour entrer. J'ai bien envie de faire venir un de ces policiers pour l'arrêter.

— Vous pouvez me le décrire ?

Mrs Gerber sembla se ressaisir à mesure qu'elle réfléchissait. Finalement, elle haussa les épaules et dit :

— Il n'a pas l'air d'être du coin. Il attend en bas, dans la salle à manger.

Audra ferma sa porte et descendit à la suite de sa logeuse jusque dans le vestibule.

— Je n'aime pas ça, lança Mrs Gerber par-dessus son épaule. Des inconnus qui s'amènent et qui entrent de force. Je n'ai pas besoin d'ennuis à l'âge que j'ai. Il est là-bas.

Audra se dirigea vers la double porte que lui indiquait Mrs Gerber, face à l'escalier. L'un des battants était ouvert, mais elle ne vit personne à l'intérieur. Elle s'approcha, se demandant si elle devait frapper. Idée idiote, elle poussa le deuxième battant et s'avança dans la pièce.

Il se leva de la table nue, le visage à peine visible dans la pénombre de la pièce. Mais elle le reconnut sans peine.

— Bonjour, Audra, lança Patrick Kinney.

25

Audra fut tentée de faire demi-tour, claquer la porte derrière elle et s'enfuir en courant. Mais elle ne pouvait pas. Elle demanda donc :

— Qu'est-ce que tu veux ?

Patrick se rassit. Sa veste était jetée sur le dossier d'une chaise. Une main à plat sur la table, une montre volumineuse au poignet. Rolex ou Tag Heuer, quelque chose de cher et moche.

— Je veux qu'on parle, dit-il d'une voix frémissante. Assieds-toi.

Elle aurait dû répondre qu'elle n'avait pas envie de parler avec lui, mais une interrogation flottait dans son esprit. Elle s'approcha donc de la table et s'assit en laissant deux chaises entre elle et son mari.

La pièce, vaste, était pourvue d'un bow-window à un bout, un voilage dissimulant l'intérieur à la vue. De grandes photos encadrées habillaient les murs, monuments et notables de l'Arizona dans des tons sépia. Une photo de mariage trônait sur le linteau de la cheminée monumentale, une jeune Mrs Gerber donnant le bras à celui qu'elle venait d'épouser. Elle semblait heureuse. Audra supposa qu'elle-même avait dû l'être un jour avec Patrick, bien qu'elle n'en garde aucun souvenir.

— De quoi veux-tu qu'on parle ? demanda-t-elle.

— À ton avis ?

— Tu veux m'aider ? Ou tu me veux du mal ?

Il se raidit, son beau visage se convulsa.

— Je veux qu'on me rende mes enfants.

— Moi aussi, dit-elle.

Un tic fit tressauter les paupières de Patrick. Un signe. La colère montait en lui.

Attention, pensa-t-elle. *Prudence.*

— Tu es la seule qui sache où ils sont, dit Patrick. Je veux que tu me le dises.

— Pas ça, rétorqua-t-elle.

— Pas quoi ?

— Pas de mensonge avec moi. Pas de faux-semblant. Nous savons tous les deux la vérité.

Il la regarda un moment, puis lança :

— De quoi parles-tu ?

— Tu veux que je le dise tout haut ?

Il ferma le poing et le porta à ses lèvres. La chevalière de fraternité qu'il portait depuis l'université scintilla.

— Oui, dit-il.

Audra le regarda bien en face, affronta sa colère.

— C'est toi qui es derrière tout ça, dit-elle. Tu as payé Whiteside et Collins pour enlever nos enfants.

Patrick serra le poing, secoua la tête.

— Qui ça ?

— Arrête, fit Audra. J'abandonne. Je ne sais pas comment tu t'y es pris, mais c'est toi qui as organisé ça. Tu as gagné. Dis-moi juste ce que tu veux, et tu l'auras. Du moment que je sais Sean et Louise en sécurité.

Patrick se massa les tempes du bout des doigts. Il se pencha en avant, posa les coudes sur ses genoux, inspira profondément.

— Tu es folle, dit-il.

La voix d'Audra trembla quand elle haussa le ton.

— Pour l'amour du ciel, dis-moi seulement ce que tu veux.

Il abattit la main sur la table avec violence.

— Je veux que tu me dises où sont mes enfants.

— Arrête ça, Patrick, tu sais où...

— Non, je n'en sais rien, dit-il en frappant la table à nouveau. Tu as complètement perdu la boule. Tu n'as pas vu le journal télévisé ?

— Je ne l'ai vu qu'en partie. On m'a à peine laissée...

— Ils veulent ta peau, dit-il. Tous les réseaux de télé, toutes les chaînes d'info. Tous sans exception, ils placardent ton visage à l'écran, en demandant ce que tu as fait de nos gosses. Ils savent tout de ton passé, l'alcool, les médicaments, la folie. La façon dont tu as fui les services d'aide à l'enfance. Ils serinent tout ça en boucle. Que tu es un danger pour toi-même et pour nos enfants. Tous les habitants du pays jusqu'au dernier sont persuadés que tu es un monstre. Que tu as fait du mal à Sean et Louise. Ils m'appellent toutes les cinq minutes pour me demander une déclaration. Ils appellent ma mère, bordel. À ton avis, comment est-ce qu'elle vit ça ?

Audra lâcha un petit rire cassant.

— Merde alors, je m'en voudrais de faire de la peine à Margaret.

Patrick se leva d'un bond, les poings serrés, fit un pas vers Audra. Se ressaisit, s'arrêta, et rouvrit les mains en secouant la tête.

— Je veux juste retrouver mes gosses, dit-il. S'il te plaît, dis-moi où ils sont.

Au beau milieu de la tourmente, où que leurs enfants aient pu être emportés, il ne se souciait que de sa mère et lui. Il ne lui venait même pas à l'idée de s'en cacher, se dit Audra, de faire comme s'il s'inquiétait vraiment pour eux.

Or, si c'était vraiment lui qui cachait Sean et Louise, il ferait mine de s'inquiéter. Il était assez intelligent et manipulateur pour dissimuler ses vrais désirs.

Audra resta assise quand cette soudaine constatation la frappa. Il ne savait pas où étaient Sean et Louise. Il ne le savait pas parce qu'il n'y était pour rien. Elle sentit un froid glacial envahir la pièce tandis que l'unique espoir auquel elle s'était raccrochée depuis le début s'effondrait.

— Mon Dieu, dit-elle en portant la main à sa bouche. Alors si ce n'est pas toi qui les as...

Il se pencha vers elle, ouvrant et refermant les doigts.

— Je vais te poser une dernière fois la question.

— Si ce n'est pas toi qui les as, alors qui ? (Audra se prit la tête entre les mains, commença à se balancer d'avant en arrière.) Oh non, non, non.

— Il faut que tu mettes un terme à ça, dit Patrick. Tu es la seule qui puisse mettre fin à tout ça. Dis-moi où ils sont.

Une idée commença à s'ébaucher dans son esprit, celle-là même qui lui était venue en parlant à Mel.

— Un détective privé, dit-elle.

— Quoi ?

— Ça doit bien se trouver à Phoenix. Sers-toi de ton fric. Paie quelqu'un pour enquêter sur Whiteside et Collins, trouve après quoi ils courent. Tu peux faire ça.

Elle leva les yeux vers lui, les mains jointes devant elle. Il secoua la tête.

— Espèce de malade.

Il prit sa veste sur le dossier de la chaise et se dirigea vers la porte.

— Tu ne le feras pas ? demanda Audra.

Il avança la main vers la poignée.

— Pauvre malade.

— Patrick, lança-t-elle.

Il se retourna et elle remarqua combien il avait vieilli, à quel point ses rides s'étaient creusées, ses traits, accusés.

Elle essuya une larme et poursuivit :

— Tu sais, il m'a fallu beaucoup trop longtemps pour comprendre qui tu étais. À quoi je te servais.

— Ce n'est pas le moment, coupa-t-il.

— Les moments se valent tous, rétorqua Audra. Je t'avais posé la question, tu te rappelles ? La fois où je me suis abstenue de boire pour l'anniversaire de Sean. Je t'ai demandé pourquoi tu me gardais, bourrée et droguée. Tu avais notre fils. Tu aurais pu me jeter dehors, tout simplement. Mais tu ne l'as pas fait, et il a fallu que je frôle la mort pour comprendre.

Il enfonça les poings dans ses poches, fixant un repère au-delà d'Audra.

— Comprendre quoi ?

— Tu n'as jamais voulu te marier, dit-elle. Tu n'as jamais voulu de famille. Tu voulais juste avoir l'apparence. Avoir l'air normal. Pour que ta mère soit heureuse. Une fois que je lui ai donné des petits-enfants, je ne t'étais plus d'aucune utilité. Alors tu m'as droguée pour me tenir à l'écart. À la fin, je n'étais plus qu'un poids mort. Et ça m'a amenée à me poser une autre question. Car, vois-tu, je ne me rappelle pas avoir ingurgité cette overdose. C'est vrai, je ne savais pas où j'étais les trois quarts du temps, mais je ne me rappelle pas avoir pris cette décision. C'est toi qui as décidé pour moi, Patrick ?

Il la dévisageait maintenant d'un regard haineux.

— Qu'est-ce que tu entends par-là ?

— Tu as essayé de me tuer ?

— Arrête, fit-il.

— Arrête quoi ? dit Audra, haussant la voix en même temps qu'elle se levait. D'oser questionner ? Te mettre en colère ?

Patrick fit un pas en avant, jeta sa veste par terre, se planta sur ses deux pieds.

— Ce n'est pas le moment de jouer à tes conneries habituelles, Audra. Tu vas me dire où sont mes enfants, et tout de suite, sinon…

— Sinon quoi ? (Elle s'approcha un peu plus de lui.) Sinon, tu vas me gifler ? Me faire des bleus qui ne se voient pas ? Me…

Patrick referma les doigts de la main droite autour de

la gorge d'Audra, serra, et la propulsa violemment contre le mur. Les photos encadrées cliquetèrent quand la tête d'Audra heurta le plâtre. Elle posa la main droite sur le torse de Patrick. Remonta à tâtons pendant qu'il resserrait sa poigne, cherchant le creux au-dessus du col de la chemise. Pression dans ses oreilles, derrière ses yeux.

Il leva le poing gauche, lui montra ses phalanges menaçantes.

— Dis-moi où ils sont ou je te jure que je…

Audra souda les doigts de façon à former une spatule rigide qu'elle plongea dans le creux vulnérable juste en dessous de la pomme d'Adam. Le mouvement partit de son épaule et elle maintint la pression sur la gorge de Patrick quand il recula. Avant qu'il soit hors de sa portée, elle replia les doigts et répéta son mouvement, avec les phalanges, cette fois.

Patrick porta les mains à sa gorge, les yeux exorbités. Il recula en titubant vers la table, entraîné par son propre poids, jusqu'à ce que ses cuisses heurtent le bord du plateau de bois. Il se retourna alors et s'affala sur la table, se retenant d'une main, l'autre toujours cramponnée à sa gorge.

— Respire, lança Audra en s'éloignant du mur.

Patrick la regarda fixement en haletant.

— Respire bien, dit-elle en décrivant de grands cercles avec les mains, comme si elle dirigeait un chanteur lyrique. Inspire à fond, lentement, tranquillement. J'ai appris ça aux cours de self-defence. Jamais eu à mettre en usage jusqu'à maintenant, mais c'est bien de savoir que ça marche.

Vidé de sa rage, Patrick se laissa tomber sur la chaise qu'il avait quittée d'un bond l'instant d'avant. Il avait maintenant l'air de ce qu'il était réellement : un homme faible et pitoyable, sous l'emprise de sa mère.

— Écoute-moi, dit Audra. Écoute bien. Tu n'as plus le droit de me toucher. C'est définitivement terminé. Tu n'as aucun droit de propriété sur moi, ni sur mes enfants. Nous ne sommes pas tes accessoires. Tu n'as jamais vraiment aimé nos enfants, mais moi je les aime. Maintenant, je vais trouver Sean et Louise. Soit tu m'aides, soit tu dégages. Qu'est-ce que tu choisis ?

Il toussa, cracha sur le tapis.

— Tu es cinglée.

— C'est bien ce que je pensais, dit-elle. Dehors, et ne reviens pas.

Il la foudroya du regard.

— Tu crois que je vais me laisser écarter ?

Audra lui désigna la porte.

— Fous le camp. Tout de suite.

Patrick se leva, toussa et cracha à nouveau. Il ramassa sa veste et se dirigea vers la porte. Sans se retourner, il lui lança :

— Tu le paieras.

— Je sais, dit Audra.

26

Patrick quitta la pièce, et un instant plus tard Audra entendit la porte d'entrée s'ouvrir et se refermer, puis un brouhaha de voix s'élever quand les journalistes l'assaillirent. Elle tourna la tête vers la fenêtre qui donnait sur la rue. À travers le voilage, elle les vit, pareils à des corbeaux sur une charogne. Ils firent silence quand Patrick dit quelques mots, micros et enregistreurs sous le nez. Puis un rugissement quand il se tut et fendit la foule en jouant des coudes.

Des monstres, tous. Des ogres cherchant de la viande à vendre. C'était pourtant elle qu'on dépeignait comme une bête sauvage. L'assassin de ses propres enfants.

Elle regarda Patrick se frayer un chemin à grand-peine jusqu'à une voiture garée en double file de l'autre côté de la rue, talonné par les journalistes. Il klaxonna pour qu'ils s'écartent, puis démarra dans un crissement de pneus, les journalistes détalant hors de sa trajectoire.

Ils s'égaillèrent, désœuvrés, se rassemblèrent par petits groupes. Les femmes retouchaient leur maquillage. Les hommes se repeignaient. Les cameramen et les preneurs de son tournaient en rond. Certains s'éloignèrent en direction du bar-restaurant, à l'autre bout de la rue.

— C'est moi qui suis un monstre ? demanda Audra à la pièce vide.

— Qu'en dites-vous ?

Audra pivota sur elle-même et découvrit Mrs Gerber dans l'encadrement d'une porte, au fond de la pièce, qu'elle

n'avait pas remarquée. Qui ouvrait sur la cuisine, constata-
t-elle par-dessus l'épaule de sa logeuse.

— Non, je ne suis pas un monstre, dit Audra.

Mrs Gerber regarda le tapis avec une moue réprobatrice.

— Cet homme a vraiment craché sur mon tapis ?

— Oui, dit Audra. Vous l'avez entendu ?

— Oui, fit Mrs Gerber. (Elle toqua du doigt contre le
hublot de la porte.) Et je l'ai vu, aussi.

— Je suis désolée, dit Audra en se tournant pour quitter
la pièce.

— Désolée ? Ne soyez pas stupide. Trop de femmes
s'excusent du comportement des hommes.

Audra ne sut que répondre. Elle gagna la porte qui
menait au vestibule.

— Mon mari aussi me battait, poursuivit Mrs Gerber.
C'est marrant, tout le monde le prenait pour le plus gentil
des hommes. Quand j'allais faire les courses, les gens me
disaient : tiens, j'ai vu ton Jimmy, hier, il est vraiment
adorable. Mais ils ne savaient pas. Même quand je portais
des manches longues alors qu'il faisait chaud, personne ne
pensait à demander pourquoi. Ils croyaient que c'était une
crème d'homme.

— Je suis désolée d'apprendre ça, dit Audra.

— Arrêtez de vous excuser, bon sang. Les gens disent
la même chose de Ronny Whiteside. Que c'est un brave
type, un héros de guerre, et tout le tremblement. Mais moi
je sais quel genre d'homme il est. Je l'ai vu de mes yeux.

— Racontez-moi, dit Audra.

Mrs Gerber soupira et ses petites épaules s'affaissèrent
dans son cardigan.

— Un soir, peu de temps après la fermeture de la mine,
j'étais au premier, à la fenêtre. Il y avait un bar en face, à
l'époque, le McGleenan, un endroit pas très fréquentable.
J'ai vu Lewis Bodie en sortir en titubant, c'était tout juste s'il
arrivait à mettre un pied devant l'autre. Bodie avait touché

une indemnité de la mine quand il avait perdu son emploi, comme pas mal des hommes du coin, mais il l'a bue plus vite que la plupart. Il sortait donc du bar en titubant et il a percuté le shérif Whiteside. Ils ont échangé quelques mots et je voyais Bodie qui commençait à s'énerver, alors je me rappelle m'être dit : tais-toi donc et rentre chez toi sinon tu vas finir au trou. Là-dessus, voilà que le shérif Whiteside lui colle une beigne en pleine mâchoire. Bodie s'est affalé comme un sac de sable, et je me suis dit : ma foi, il a dû le mériter. Mais ça ne s'est pas arrêté là.

Le regard de Mrs Gerber se porta vers la fenêtre, et la rue, dehors.

— Ronny Whiteside s'en est pris à Lewis Bodie comme s'il avait l'intention de le tuer. Il l'a frappé, frappé, et j'entendais le bruit des coups, de poing, de pied, et Bodie qui criait et qui suppliait. Même quand il s'est tu, le shérif Whiteside a continué. Quand finalement il s'est arrêté, il est resté planté là un moment, essoufflé. Puis il s'est penché, a pris le portefeuille de Bodie et s'est servi dans ce qu'il y a trouvé. Et je me souviens m'être dit que, si le cogneur avait été n'importe qui d'autre, j'aurais appelé le shérif. Mais, là, qui je pouvais appeler ? Le lendemain matin, je regarde à nouveau par la fenêtre, et je vois une ambulance de l'hôpital de Gutteridge devant les locaux du shérif. En fait, Lewis Bodie était mort dans sa cellule pendant la nuit. Et je n'ai jamais soufflé mot de tout ça à quiconque. Et voilà que maintenant je vous entends dire que Whiteside a pris vos enfants. Venant de lui, je pourrais le croire, mais Mary Collins ? Elle qui a un gosse malade et tout ?

— Je sais que ça paraît fou.

— Tout le monde ici pense que Ronny Whiteside est un brave type. Comme ils pensaient que mon mari en était un. Mais moi je sais. Dites-moi juste une chose.

— Oui ? fit Audra, sur le seuil de la porte du vestibule.

Mrs Gerber la fixait depuis la porte de la cuisine, à l'autre bout de la pièce, d'un regard dur aussi pénétrant qu'une lame. Audra s'aperçut qu'elles étaient l'une et l'autre sur un seuil, et se dit que ça avait certainement une signification. Mais elle ne put déterminer laquelle.

— Avez-vous fait du mal à vos petits ?

— Non, madame, dit Audra, soutenant le regard de la femme.

Mrs Gerber acquiesça.

— Bon, eh bien. Montez donc dans votre chambre et tâchez de dormir un peu. Je vous apporterai du café plus tard, et peut-être un bout de gâteau.

— Merci, dit Audra. J'apprécierais beaucoup.

Mrs Gerber acquiesça de nouveau et disparut dans la cuisine. Audra gagna le vestibule et monta les deux volées de marches. En approchant de sa chambre, elle vit que la porte était entrouverte de deux ou trois centimètres. Elle se rappela qu'elle n'avait pas tourné la clé dans la serrure mais elle était sûre de l'avoir fermée en sortant. Cela dit, c'était une vieille maison, le genre d'endroit où les planchers grinçaient, les fenêtres couinaient, et où les portes ne fermaient pas toujours bien.

Elle entra dans la chambre, et s'aida de l'épaule pour refermer la porte. Puis elle mit la chaîne en place et s'avança jusqu'au lit. La fatigue se fit pesante derrière ses globes oculaires quand elle s'assit au bord du lit et se déchaussa d'un coup de pied.

Ce fut seulement en relevant la tête qu'elle vit l'homme dans le coin de la pièce, un sac en papier kraft à la main.

27

Une nuée de micros assaillit le beau visage de Patrick Kinney.

— Cinq mille dollars, dit-il, pour qu'on me ramène mes enfants. Je me rends compte qu'à ce stade les chances de les retrouver en vie sont minces. Mais la récompense tient quand même. Que ce soit pour les serrer contre moi ou pour les enterrer, je veux récupérer mes enfants.

— Et merde, fit Mitchell en refermant l'ordinateur portable sur lequel elle venait de regarder l'extrait de reportage télévisé.

— Ouais, renchérit Showalter, un coude sur le bureau, le menton dans la main. On n'avait pas besoin de ça.

Whiteside avait regardé aussi, debout derrière eux.

— Ça ne change rien, si ?

Mitchell se retourna sur sa chaise et le regarda comme si elle avait affaire à un idiot.

— Ça ne nous aidera pas à les retrouver, non, mais ça veut dire que les lignes téléphoniques vont être saturées d'infos bidons données par des crétins qui n'ont que le fric en tête.

— Dans ce cas, vous feriez bien d'appeler Phoenix, dit Whiteside, et de dire à votre bureau local d'envoyer d'autres super héros en renfort.

Showalter eut un petit sourire goguenard.

Mitchell se leva.

— Merci du conseil. Si vous voulez bien m'excuser, j'ai deux enfants disparus à retrouver.

— Oh ! allez, fit Whiteside. Vous savez bien que ces

gosses sont morts. Quand allez-vous vous décider à dégager et laisser Showalter et les flics d'État arrêter cette femme ? Elle a tué ses gosses, vous le savez, ça, elle les a tués et les a laissés sur place quelque part dans le désert.

— Non, shérif Whiteside, dit Mitchell. Je ne sais pas ça. Et vous non plus. Nous ne saurons rien avec certitude tant que Sean et Louise n'auront pas été retrouvés. Je serai à la mairie si vous avez besoin de moi.

Elle sortit par la porte latérale, qu'elle laissa se refermer derrière elle.

Whiteside abaissa le regard vers Showalter.

— Vous savez ce qui lui manque, à cette bonne femme ?

Showalter eut un large sourire.

— Ouais, je le sais.

Ils s'esclaffèrent tous les deux.

À l'autre bout de la pièce, debout contre le mur, bras croisés, l'agent spécial Abrahms s'éclaircit la gorge.

— La ferme, gamin, c'est les hommes qui parlent. (Whiteside prit l'ordinateur portable et le lui tendit.) Tenez, on a fini avec votre ordinateur.

Abrahms s'approcha, tendit la main pour prendre l'appareil. Whiteside le lui retira prestement.

— Suffit comme ça, dit Abrahms. Rendez-moi ça.

Whiteside obtempéra.

— Pleure pas, petit.

Showalter lâcha un reniflement sarcastique.

Abrahms fit un pas de plus vers Whiteside.

— Vous êtes un authentique enfoiré, vous savez ça ?

— Des mecs bien mieux que vous m'ont traité de bien pire, dit Whiteside à mi-voix. Quand vous voudrez qu'on en reparle sérieusement, vous et moi, faites-moi signe. Je vous emmènerai derrière, histoire de vous montrer à quel point je suis vraiment un enfoiré.

— Allez vous faire mettre, rétorqua Abrahms en s'éloignant. Il s'assit au bureau qu'il avait réquisitionné sitôt arrivé, ouvrit le portable et commença à saisir quelque chose.

Whiteside tapota l'épaule de Showalter, puis ramassa son chapeau sur le bureau.

— Tenez le gamin à l'œil. Veillez bien à ce qu'il n'aille pas se faire mal avec cet engin.

Il sortit par la porte latérale, laissant Showalter ricaner. Le soleil l'assomma aussitôt, et il prit les lunettes qu'il avait accrochées au col de sa chemise. Il fit le tour du bâtiment et gagna la rue. Quelques journalistes approchèrent, des questions plein les yeux, préparant micros et enregistreurs.

— Je n'ai rien pour vous, dit-il en les chassant à grands gestes.

Le bar-restaurant était plus calme quand il y entra, mais il comptait toujours plus de clients qu'il n'en avait vu depuis des années. Des journalistes, pour la plupart. Whiteside les ignora et alla se poster au bout du comptoir. Shelley arriva aussitôt.

— Un café à emporter, ma grande, dit-il.

— Encore ? fit Shelley. Ça en fait combien, aujourd'hui ? Vous êtes sûr que vous ne préférez pas un déca ?

— Non, un vrai, ça ira.

Elle revint un instant plus tard avec un grand gobelet en carton coiffé d'un couvercle en plastique. Whiteside laissa tomber quelques billets sur le comptoir, piocha une serviette en papier dans le distributeur et en enveloppa le gobelet pour ne pas se brûler les doigts.

— Dis voir, Shelley, tu as une seconde ?

La serveuse était en chemin vers la caisse, mais elle revint vers le shérif.

— Bien sûr, dit-elle.

D'un signe, Whiteside lui intima de se rapprocher.

— Tu te souviens de ce monsieur avec qui tu parlais, tout à l'heure ? demanda-t-il, presque à voix basse. Là-bas, vers la vitre.

Elle agita les doigts devant son visage.

— Ah, vous voulez dire le…

— Oui, le monsieur asiatique.

— Bien sûr, que je m'en souviens. C'était un client sympa. Qu'est-ce que vous voulez savoir ?

— De quoi vous avez parlé, tous les deux ?

— De tout ça. (D'un geste circulaire, elle désigna le monde qui l'entourait.) De tout ce qui se passe. Il n'avait pas vu les nouvelles, alors je lui ai expliqué.

— Il a posé des questions sur quelqu'un en particulier ? La Madame Kinney, par exemple ? Ou moi ?

Shelley secoua la tête.

— Non, pas que je me souvienne. Il avait juste l'air de s'intéresser à toute cette affaire. Mais bon, qui ne s'y intéresserait pas ?

— Personne, j'imagine. Tu n'as pas vu, par hasard, dans quelle direction il est parti en sortant ?

— Non, désolée, la salle était bondée à ce moment-là. J'étais trop occupée à prendre les commandes pour le regarder. Il a demandé un autre sandwich à emporter et il m'a laissé un gros pourboire. Je ne l'ai pas revu depuis.

Whiteside se pencha vers elle.

— Il a commandé un autre sandwich ?

— Ouais, fit Shelley. À emporter. Il devait avoir faim.

— Il devait avoir faim, en effet.

— Vous ne pensez pas qu'il est mêlé à tout ça, hein ?

— Non, pas du tout. J'étais juste curieux de savoir, c'est tout. (Il laissa tomber deux billets de plus sur le comptoir.) Ne laisse pas Harvey te tuer au travail.

Whiteside emporta son café jusque sur le trottoir, remit ses lunettes de soleil et son chapeau. Il contempla la rue d'un bout à l'autre, sachant qu'il n'y verrait pas son homme. *Un sandwich à emporter*, pensa-t-il. Il avait peut-être faim, comme disait Shelley, mais Whiteside avait une tout autre idée. Il regarda la pension, un peu plus loin, se demanda si

Audra Kinney n'était pas en train de manger ce sandwich en ce moment même.

Ce n'était pas vraiment la couleur de peau du type qui l'ennuyait, bien que ce soit insolite dans le coin. Non, c'était plutôt le genre d'individu qu'était l'homme en question. Whiteside en avait assez croisé, au fil des ans. À force, on finit par les reconnaître dès le premier coup d'œil. Soit un type a la carrure pour tuer, soit il ne l'a pas. Rares sont ceux qui l'ont. Mais celui-là avait cette allure, les yeux qui voient plus loin qu'ils devraient, et un vide au fond, si on y regarde d'un peu trop près.

Ce vide-là, Whiteside l'avait vu dans le miroir. Cette pensée le glaça.

Mais, de toute façon, pourquoi un type comme ça se pointerait-il aujourd'hui plus qu'un autre jour ? Ça aurait pu être une coïncidence, mais Whiteside croyait aux coïncidences à peu près autant qu'au Père Noël. Cet homme-là était une menace, Whiteside en était certain. Et là, en ce moment-même, il était convaincu que l'homme était dans la pension, en train de donner de quoi manger à Audra Kinney. Et tout ce qu'il pouvait faire, lui, c'était observer et attendre.

Whiteside s'assit sur un des bancs disposés devant le bar-restaurant, but une gorgée de café chaud. De là, il apercevait la façade de la pension, et quelques mètres de la rue qui en partait en direction du nord.

Il n'avait même pas fini son café que, déjà, le merdier commençait.

28

Après sa passe d'armes avec Whiteside au bar-restaurant, Danny était parti se promener. Dans la rue principale, en premier lieu, qu'il descendit d'un bout à l'autre. Beaucoup d'endroits fermés, de commerces disparus depuis long-temps. Armurerie et sports, fournitures pour animaux domestiques, un bar, vêtements pour femmes, ameuble-ment, un magasin de vêtements pour hommes spécialisé dans les articles western, avec une paire de bottes pourvues d'éperons et un stetson peints sur l'enseigne. Commençant tous à se délabrer, avec leurs vitrines peintes en blanc ou barricadées de planches.

Les quelques autochtones, dans la rue, s'étaient retournés pour le suivre des yeux. Ils l'auraient dévisagé encore davantage s'ils n'avaient pas supposé qu'il était arrivé avec le raz-de-marée de journalistes. Il avait distribué signes de tête et sourires, poliment salué. Certains lui répondirent, d'autres pas.

Au bout de la rue, il arriva au pont qu'il avait franchi en voiture une ou deux heures plus tôt. Il emprunta l'étroit trottoir jusqu'au milieu de l'ouvrage et regarda par-dessus la rambarde. La rivière, en dessous, se résumait à un filet d'eau rougeâtre serpentant paresseusement au milieu d'un large lit, cerné de terre brun-rouge craquelée. Mourante, comme la ville elle-même.

Danny regagna la terre ferme. Une rangée de maisons, vides pour la plupart, s'étirait le long de ce qui avait dû être un joli bord de rivière. Une ruelle les longeait par l'arrière, côté cour, puis bifurquait à angle droit pour continuer derrière les magasins barricadés de la rue principale. De là, il voyait toute la longueur de la rue, jusqu'au mur qui délimitait le parking des locaux du shérif. À mi-distance, l'air chaud ondoyait à la sortie des bouches d'aération, sur l'arrière du bar-restaurant. Une douzaine de maisons d'ici à l'établissement, inoccupées pour la plupart. Se prêtant toutes à une effraction nocturne, histoire de trouver un lieu où dormir. Il allait d'abord essayer le magasin de meubles ; il y restait peut-être quelque chose de confortable sur quoi s'allonger. En passant par une fenêtre ou une porte de derrière, ou bien un Velux. Danny était doué pour ça.

Il fit demi-tour et regagna la rue principale, regardant à droite puis à gauche pour voir si quelqu'un avait remarqué ses allées et venues. Puis il traversa la chaussée à petites foulées et s'engagea dans la ruelle qui partait juste en face de celle qu'il venait d'explorer. Celle-ci, quant à elle, était coupée par le mur sud de la mairie, qui clôturait le parc. Danny compta mentalement. La pension devait être huit bâtiments plus loin. Il se remit à marcher.

La clôture en pin tranchait sur les autres, c'était la seule qui ait été lasurée au cours des quelques dernières années. Une rangée de poubelles se dressait à côté d'un portail. Il recula et leva les yeux. La maison semblait fatiguée, mais en meilleur état que ses voisines. Toutes les fenêtres intactes, tout encore en bonne place.

Nouveau regard à droite et à gauche, puis Danny essaya le portail. Un interstice juste assez large pour qu'il glisse la main et sente le cadenas, de l'autre côté. Pas grave. Il s'approcha d'une des poubelles, remarqua les empreintes de chaussures poussiéreuses sur le couvercle. Quelqu'un était monté dessus, sans doute pour mieux voir la maison. Danny en fit autant, puis se hissa par-dessus la clôture et se laissa retomber de l'autre côté sans faire plus de bruit qu'un chat. Une cour de belles proportions, mais un sol desséché. Ce qui avait jadis été une pelouse était cuit de soleil. Un carré de potager, sur le côté, où survivaient encore quelques légumes, trop flétris pour nourrir qui que ce soit.

Danny resta un moment immobile, aux aguets, tendant l'oreille pour guetter les cris d'alarme que risquait de susciter son intrusion. Personne ne l'avait repéré. Il traversa la cour et grimpa les quelques marches menant à la véranda arrière, avec ses fauteuils en rotin et sa balancelle. Un battant-moustiquaire protégeant une porte ouverte. Il se plaqua dos au mur entre la porte et la fenêtre, s'approcha légèrement de la vitre, regarda à l'intérieur.

Un petit téléviseur diffusait les actualités locales, l'écran montrant des images de la rue principale. Il discernait à peine le commentaire essoufflé du présentateur. Assise à la table, une femme âgée éminçait des tomates.

Merde, se dit Danny.

Il s'apprêtait à faire demi-tour et revenir par où il était arrivé quand la femme releva brusquement la tête. Danny se figea ; elle aussi. Puis il entendit tinter une cloche quelque part à l'intérieur de la maison. La femme se leva alors et quitta la cuisine.

Danny sortit de sa poche une lime en toile émeri et la glissa entre la porte-moustiquaire et son encadrement, actionna le loquet et entra dans la cuisine. Un ventilateur, au plafond, brassait l'air chaud de la pièce avec un bourdonnement régulier. Il referma la moustiquaire et s'avança à pas de loup vers la porte ouverte menant dans le vestibule. Des voix en provenaient, résonnant sous le haut plafond. Danny se coula de l'autre côté de la porte, s'accroupit dans le recoin sous l'escalier, s'enfonçant aussi loin qu'il le pouvait dans la pénombre.

Tendant l'oreille, il entendit une voix d'homme, dure et insistante, et les protestations de la vieille femme. L'homme qu'on conduisait dans une pièce, après quoi la vieille femme monta l'escalier au-dessus de la tête de Danny. Il attendit dans l'obscurité, entendit une autre conversation à l'étage, suivie de deux bruits de pas descendant les marches.

Il se tapit dans le noir quand la vieille femme passa, regagnant la cuisine. Quelques secondes plus tard, il entendit à nouveau des voix en provenance de la pièce située sur le côté du vestibule. Il se glissa alors hors du recoin et gagna le pied de l'escalier. Il monta les deux volées de marches jusqu'au palier du haut, vérifia les portes une à une.

Toutes fermées, sauf la chambre numéro trois. Il entra et attendit.

Il s'écoula plus de vingt minutes avant qu'il entende Audra s'approcher de la chambre.

29

Audra se leva d'un bond.

— Qui êtes-vous ? Que faites-vous ici ?

L'homme leva les mains, sans lâcher le sac en papier qu'il tenait.

— Je suis désolé de m'immiscer comme ça, mais c'était la seule façon dont je pouvais…

Elle recula vers le fond de la pièce en désignant la porte :

— Sortez d'ici !

— Madame… Audra… s'il vous plaît, laissez-moi vous expliquer.

— Sortez, répéta-t-elle, l'index toujours braqué vers la porte. Sortez d'ici.

— Je vous en prie, écoutez.

— Sortez ! Audra passa mentalement en revue ses quelques possessions, se demandant laquelle pourrait lui servir d'arme.

— Je m'appelle Danny Lee, dit-il.

— Je me fiche de comment vous vous appelez, sortez d'ici.

— Ce que vous êtes en train de vivre, dit-il, je l'ai vécu il y a cinq ans, la même chose.

La colère d'Audra surpassa sa peur.

— Fermez-la, vous ne savez rien de ce que je vis.

Il s'avança d'un pas et elle saisit le vase vide qui se trouvait sur le bord de la fenêtre.

— Écoutez simplement, dit-il, mains en l'air, tête basse. Je crois que je sais ce qu'ils sont en train de faire à vos enfants. Il se pourrait qu'il ne soit pas trop tard. Je peux peut-être vous aider à les retrouver.

Elle passa le vase d'une main à l'autre.

— C'est des conneries, ça.

— Est-ce qu'au moins vous acceptez de m'écouter ?

Audra désigna le sac en papier.

— Qu'est-ce qu'il y a là-dedans ?

— C'est pour vous, dit-il. Un sandwich, ça vient du bar-restaurant. Vous avez faim ?

Machinalement, Audra porta la main à son estomac.

— Prenez-le, dit-il en jetant le sac sur le lit.

Audra s'avança, laissa tomber le vase sur le dessus-de-lit et prit le sac. Quand elle déplia le haut, l'odeur du bacon et du pain chaud s'en échappa. Son estomac grogna.

— Ils sont bons, dit-il. J'en ai mangé un tout à l'heure. Goûtez.

Audra savait qu'elle ne devait pas. Il pouvait y avoir mis n'importe quoi. Mais cette odeur. Et elle avait tellement faim. Elle plongea la main dans le sac, en sortit un demi-sandwich, mordit dedans.

— Vous pourriez peut-être vous asseoir, suggéra-t-il. Accordez-moi cinq minutes pour vous expliquer.

Elle s'installa sur le bord du lit, mastiqua, déglutit.

— Vous avez jusqu'à la fin de ce sandwich, dit-elle. Allez-y.

30

Danny et Mya s'étaient disputés avant qu'elle s'en aille. Sara avait demandé ce qui se passait. Danny lui avait caressé les cheveux :

— Rien, ma chérie.

Sara était fine, elle comprit. Elle vit les larmes sur les joues de sa mère, dans le reflet que lui envoyait le rétroviseur.

Ni l'un ni l'autre n'avait prononcé le mot de séparation. C'était simplement deux ou trois jours d'éloignement, Mya faisant les quelques heures de trajet qui menaient chez ses parents, entre Redding et Palo Cedro. Elle serait de retour après le week-end, avait-elle dit, mais ni l'un ni l'autre n'y croyait.

Au bout de deux heures de trajet, elle avait quitté l'autoroute pour trouver un endroit où manger. À l'orée de la petite ville de Hamilton, elle s'était fait arrêter par un policier, le sergent Harley Granger, pour une infraction mineure. Un truc tellement insignifiant que Danny ne se rappelait même pas de quoi il s'agissait. Selon le policier, Mya était nerveuse et assez récalcitrante, si bien qu'il passa un appel radio pour demander qu'un autre véhicule de police vienne le seconder. Sur place, donc, deux voitures de patrouille sur les six que comptait la flotte du poste de police de Hamilton. À en croire Granger et Lloyd, l'autre flic, il n'y avait pas d'enfant dans la voiture avec Mya. Il y avait un rehausseur et un sac de vêtements, mais pas trace de Sara.

Quand Danny arriva au poste de Hamilton, Mya était dans un état proche de l'hystérie.

— Ils l'ont emmenée, répétait-elle sans relâche. Ils l'ont emmenée.

Le FBI débarqua le lendemain matin. Ils interrogèrent Mya pendant trois jours pleins. Le quatrième, Mya tenta de se pendre dans sa cellule, après quoi ils la relâchèrent. Danny et elle rentrèrent à San Francisco. L'histoire alimenta les nouvelles régionales, et la photo de Mya devint un incontournable des journaux télévisés du soir. Des connaissances, de vieux amis, les dévisageaient dans la rue. L'histoire continua d'intéresser la presse pendant une semaine, puis les journalistes passèrent à autre chose. Mais pas les amis de Danny et Mya. Ils continuèrent de les dévisager, de ne pas répondre aux appels téléphoniques du couple. Tout au long de cette période, Danny et Mya se soumirent volontairement à des interrogatoires au bureau local du FBI pendant que la police de Hamilton rassemblait des éléments.

Ce que Danny ne sut pas, ce fut que, le dernier matin, le chef de la police de Hamilton appela pour annoncer à Mya qu'elle avait vingt-quatre heures pour se rendre dans le cadre d'une arrestation liée au meurtre de sa fille. Si elle n'obtempérait pas, un mandat serait lancé contre elle, et la police de San Francisco procéderait à son arrestation.

Danny l'avait embrassée avant d'aller à la réunion du Comité de sensibilisation des jeunes qui se tenait ce soir-là, lui déposant un baiser sur la joue. S'il avait su que c'était la dernière fois, il l'aurait serrée plus longuement dans ses bras, embrassée plus fort.

Ça faisait cinq ans, presque jour pour jour. Danny rentra chez lui après la réunion, fatigué et abattu. Il appela Mya en arrivant dans la maison plongée dans l'obscurité, le silence lui indiquant que quelque chose n'allait pas. Pas trace d'elle dans aucune des pièces du rez-de-chaussée. En montant l'escalier, il vit la porte de la salle de bains fermée, et la boucle d'un de ses ceinturons prise dans le haut de l'encadrement.

Il dut donner un coup d'épaule pour ouvrir, entendit la boucle lâcher puis l'horrible bruit d'un poids tombant sur le sol, de l'autre côté. Il resta figé pendant une éternité, sachant ce qu'il allait découvrir quand finalement il trouverait le courage d'aller voir. Il le trouva cependant, retira le ceinturon du cou de Mya et la berça longuement dans ses bras en criant son nom, aveuglé par les larmes, avant de penser à appeler une ambulance.

Deux mois après le suicide de Mya, Danny retourna à Hamilton. Par les contacts qu'il avait au sein de la police de San Francisco, il avait appris que le sergent Granger avait pris un congé suite au stress causé par l'affaire. Il était parti récupérer au Mexique. Personne ne savait quand il reviendrait.

Mais Lloyd était là, lui, et allait picoler tous les soirs dans l'unique petit bar de la ville. Dernièrement, il s'était montré généreux avec les pourboires, avait payé beaucoup de tournées à ses amis. Il s'était même acheté une voiture neuve. Rien de luxueux, une Infiniti, mais assez haut de gamme pour que les compagnons de picole de Lloyd la remarquent.

Lloyd était un crétin notoire, qui plus est.

Danny attendit devant le bar, en observant. Lloyd n'habitait qu'à une vingtaine de minutes de marche et laissait habituellement sa nouvelle Infiniti garée dans la rue, devant le bar, pour revenir la chercher le lendemain. Il était en train de pisser dans une ruelle quand Danny le chopa.

Une heure plus tard, Lloyd était ligoté, suspendu par les poignets à la poutre d'un hangar abandonné que Danny avait repéré une semaine plus tôt. Personne sur des kilomètres à la ronde pour l'entendre crier. Armé de son couteau, Danny prit son temps. Lloyd ne savait pas grand-chose, seulement ce que Granger lui avait dit. Quand Lloyd dit à Danny qu'ils avaient touché moins d'argent que prévu parce que la fillette était métisse, Danny perdit le peu de sang-froid qu'il avait, si bien que Lloyd mourut trop vite à son goût. Tant pis, il se rattraperait avec Granger, et trouverait le moyen de remonter jusqu'au payeur.

Quand il le trouverait, il le maintiendrait en vie juste assez longtemps pour savoir ce qui avait été fait à Sara. S'ils l'avaient laissée en vie ou pas. En son for intérieur, il connaissait la réponse à cette question, mais il la poserait quand même. Il la poserait durement.

Danny avait réservé un vol pour Cabo San Lucas deux jours plus tard, mais arrivé au Mexique, quand il commença à se renseigner, il apprit que Granger avait été poignardé huit jours plus tôt au cours d'une rixe dans un bar. Sur une plage dont le sable lui brûlait la plante des pieds, Danny pleura sa femme et sa fille, conscient qu'il ne retrouverait sans doute jamais ceux qui avaient détruit sa vie.

Il ne parla pas à Audra des heures passées avec Lloyd, à montrer au flic des petits bouts de lui-même avant de les jeter au feu. Mais il lui parla de Granger. Elle s'était calmée, entretemps, avait fini le sandwich. Elle était restée sur le lit, et Danny, quant à lui, avait pris le fauteuil chichement capitonné.

— C'est un groupe d'hommes, dit Danny, d'hommes très riches. Ils versent une grosse somme pour obtenir l'enfant qui leur convient. Une somme à sept chiffres, d'après ce que j'ai entendu dire. Ils ont un meneur, qui organise des soirées dans une grande demeure quelque part sur la côte Ouest. Ses amis et lui se procurent ces enfants et...

Audra détourna les yeux. Danny s'éclaircit la voix.

— Enfin, bon, je suppose que vous comprenez, reprit-il. Ils pourraient facilement obtenir des enfants via des filières de trafic, des réfugiés, ou autres, mais ils veulent des gosses

américains. Blancs, si possible. Ils ont une méthode spéci-
fique, une façon de procéder. Ils utilisent le Dark web, la
face cachée d'Internet, en quelque sorte, que fréquentent
criminels et pervers. Un petit cercle de flics pourris exerçant
dans tout le pays s'y retrouvent pour discuter entre eux. Ça
fait des années que j'essaie d'imaginer un moyen de l'infil-
trer, mais je n'y arrive pas. On m'a dit qu'ils discutaient des
différentes manières de se faire de l'argent. Petits boulots
pour la mafia, falsification de preuves, parfois même assas-
sinats commandités. Et ces fameux hommes si riches leur
demandent de trouver des enfants. Si un de ces flics vient
à croiser le chemin d'un parent vulnérable voyageant avec
des enfants, seul de préférence, ils trouvent un prétexte
pour arrêter le véhicule, le séparent de ses gosses, puis
prétendent que les gosses n'étaient pas dans la voiture. S'ils
s'y prennent bien, s'ils ciblent bien leur prise, les soupçons
retombent sur le parent. Ils peuvent rééditer leur manège
peut-être une fois par an, deux au maximum.

— Pourquoi est-ce qu'ils ne tuent pas le parent ? demanda
Audra. Pourquoi est-ce que Whiteside ne m'a pas tout
simplement tuée ? Ce serait plus simple, non ?

Danny secoua la tête.

— Plus simple pour les flics, peut-être, mais pas pour
ceux qui les paient. Moi, vous savez, je pense que, s'ils
se contentent d'enlever les gosses et de tuer le parent, les
autorités comprendront qu'un assassin traîne quelque part
et commenceront à le rechercher. Si le parent est vivant, et
que les soupçons portent sur lui, les autorités vont perdre
des jours et des semaines à courir en rond. Regardez toutes
ces affaires de disparitions d'enfants, où à l'issue d'une
grande battue on découvre un corps. Combien de fois
l'assassin était-il le père, le beau-père, l'oncle, le cousin ?
Naturellement, les autorités se tournent vers le dernier
membre de la famille à avoir vu l'enfant. Et si le parent en
question fait ce que ma femme a fini par faire…

Audra compléta :

— Alors l'affaire meurt avec lui.

— Exactement.

Elle resta figée, silencieuse, contemplant le sol.

— Vous me prenez pour un fou ? demanda Danny. Un barjot qui serait venu ici pour vous harceler ?

Sans lever les yeux, elle répondit :

— Je ne sais pas ce que vous êtes. Le bon sens me dit que je devrais vous jeter dehors, mais...

— Mais quoi ?

— En ce moment, je n'ai personne dans mon camp.

Danny s'avança dans le fauteuil.

— Comprenez bien une chose : je suis dans mon camp à moi. Pas dans le vôtre. Si je vous aide, c'est parce que ça peut me permettre d'arriver à ceux qui m'ont pris ma fille. Et, si elle est en vie quelque part, peut-être même de la retrouver. Je ne suis pas le bon Samaritain.

— Alors comprenez-en une autre, dit Audra. Je ne vous écoute que parce que je n'ai pas d'autre solution.

— Nous sommes d'accord, dit-il. Mais encore une question : qu'est-ce qui me pousse à vous faire confiance ? S'ils disaient vrai à votre sujet, après tout ?

— Vous ne seriez pas là si vous pensiez ça.

— Donc nous n'avons ni l'un ni l'autre de raison de nous faire confiance. Et pourtant nous y voilà.

Audra souffla un coup et répéta :

— Nous y voilà. Si c'est bien comme vous le dites, pensez-vous qu'ils aient déjà livré Sean et Louise ? Ou qu'ils les détiennent encore quelque part ?

— Comment le savoir ? dit Danny. À mon avis, ils ne vont pas tarder à devoir les acheminer, si ce n'est pas déjà fait. Dans un cas comme dans l'autre, le temps presse.

Elle le regarda alors, durement.

— Comment est-ce que je les récupère ?

Danny se rendit alors compte que cette femme n'était

pas comme Mya. Elle possédait une force que Mya n'avait pas. Quoi qu'elle ait pu endurer par le passé, elle en était ressortie avec une trempe d'acier.

— Il n'y a qu'un moyen, dit-il. En nous servant des flics. Vous avez dit que le shérif vous avait arrêtée, après quoi son assistante avait emmené vos enfants.

— C'est bien ça, dit Audra. Elle s'appelle Collins.

— Bien, on passe par elle. On la chope, on lui colle un revolver sur la tempe et on lui soumet un choix tout simple : elle nous dit où sont les gosses, ou on la tue.

Audra se leva en secouant la tête, se mit à faire les cent pas dans la chambre.

— Non. Non, ça, je ne peux pas. Je ne suis pas quelqu'un comme ça.

— Peut-être pas, dit Danny, mais moi si.

Elle s'arrêta soudainement, le regarda.

— Vous avez déjà tué quelqu'un ?

Il ne répondit pas.

— Il faut qu'on chope vite l'assistante. Ce soir, si possible.

— Non, dit Audra. On ne peut pas. Si ça se passe mal, si elle est blessée, on m'assassinera. La presse n'a rien dit sur Whiteside et Collins, sans doute parce qu'ils n'ont pas été informés de ce que j'ai dit. Aux yeux du public, Collins n'est qu'une assistante de shérif qui fait son boulot. Si on s'en prend à elle, ça ne fera qu'aggraver les choses. Il doit y avoir un autre moyen.

— Si vous avez un meilleur plan, dit Danny, je vous écoute.

— L'agent du FBI, Mitchell. Nous allons la trouver. Vous lui racontez tout ce que vous m'avez dit. Elle interrogera Whiteside et Collins.

— Vous lui avez déjà parlé d'eux, objecta Danny. Est-ce qu'elle les a interrogés pour autant ?

Audra détourna les yeux.

— Non, pas encore. Mais elle n'a pas entendu votre histoire.

— Il y avait aussi un agent du FBI pour traiter l'affaire de Sara. Section spécialisée dans les enlèvements d'enfants, c'est bien ça ?

Audra acquiesça.

— Dans mon cas, l'agent s'appelait Reilly. Je lui ai raconté tout ça juste avant de… Enfin, bon, je ne sais pas s'il ne m'a pas cru ou s'il n'a simplement pas voulu écoper des retombées, en tout cas, il n'a rien fait.

— Mais Mitchell fera quelque chose, elle, dit Audra. Je le sais. C'est quelqu'un de bien.

— Les gens bien peuvent faire des erreurs. Ça leur arrive sans arrêt.

— Laissez-moi essayer. (Elle s'accroupit devant lui, les mains jointes en un geste de supplication.) Si j'arrive à obtenir qu'elle vous écoute, vous voudrez bien lui parler ?

— Ça m'obligerait à prendre bien des risques, dit Danny.

— Quel genre de risques ?

— Je n'ai peut-être pas envie que le FBI ou les flics se penchent trop sur mon cas.

— Pourquoi ? Qu'avez-vous fait ?

Il ne put soutenir son regard.

— Je ne parlerai ni aux flics ni aux agents fédéraux. Ça n'avancera à rien. Pas sans moyen de pression.

— De pression ?

— Pression de l'extérieur, expliqua Danny. Si Mitchell n'a pas agi de son propre chef, peut-être qu'une incitation venue d'ailleurs lui forcera la main.

Audra se leva et commença à faire les cent pas dans la chambre, s'attaquant à un ongle dont il ne restait apparemment pas grand-chose.

— La presse, dit-elle. Je vais parler à la presse. Si Mitchell ne veut pas les informer de ce que j'ai dit, alors c'est moi qui vais le faire. Que le public sache ! À ce moment-là, elle sera obligée de les interroger.

— C'est risqué, dit Danny. Si vous vous en prenez comme ça au shérif, il ripostera.

Audra s'immobilisa.

— Je tente le coup. Ils veulent une histoire ? Je vais leur en donner une.

31

— Hé ! cria Audra.

Quelques rares journalistes tournèrent la tête, les autres ne bougèrent pas.

— Hé ! Vous, là-bas !

Un plus grand nombre s'aperçurent de sa présence et ils se dépêchèrent d'accourir. Brandissant micros, caméras, téléphones portables, tout ce qui pouvait prendre une photo ou un son.

Audra se tenait au sommet des marches, devant la porte de la pension. Elle avait tenté de mettre un peu d'ordre dans son apparence, sans parvenir à grand-chose. *Du moment que je n'ai pas l'air d'une folle*, s'était-elle dit en se regardant brièvement dans le miroir du vestibule. Mrs Gerber l'avait appelée alors qu'elle se dirigeait vers la porte, lui avait dit « ne sortez pas de ce côté », mais Audra l'avait ignorée. Et elle attendait maintenant, debout, regardant les journalistes se précipiter vers elle comme des cochons vers leur auge.

Le premier déboula devant elle et lui braqua son micro sous le nez. Ils crièrent des questions mais elle n'entendait pas. Elle garda le silence jusqu'à ce qu'ils soient tous attroupés autour d'elle, se bousculant pour obtenir le meilleur angle. Sans cesser de crier, une voix couvrant l'autre.

— Taisez-vous, lança Audra.

Le vacarme s'amplifia.

— La ferme ! hurla-t-elle à s'en érailler la gorge. J'ai quelque chose à dire.

Ils se turent alors, et le bruit de la rue sembla brusquement enfler autour d'eux. À l'autre bout, Audra vit le shérif Whiteside qui la fixait depuis le banc où il avait pris place, devant le bar-restaurant. Regard assassin. L'envie de tourner les talons et de regagner l'intérieur de la pension lui traversa brièvement l'esprit, mais elle la chassa. *Parle*, se dit-elle. *Parle, pour Sean et Louise.*

— Je n'ai pas fait de mal à mes enfants, commença-t-elle.

La clameur enfla de nouveau. Audra leva les mains pour les faire taire.

— Sean et Louise étaient avec moi, ils avaient un peu trop chaud, ils étaient fatigués, mais ils étaient en sécurité avec moi quand j'ai été arrêtée tout près de la ville, il y a deux jours de ça.

Elle tendit le bras vers l'autre bout de la rue. Whiteside pinça les lèvres.

— L'homme que voilà, le shérif Whiteside, m'a arrêtée. Il m'a dit que mon véhicule était en surcharge. Puis il a fouillé dans le coffre et a trouvé un sachet de marijuana. Ce sachet n'était pas à moi. Il l'a glissé dans le coffre pour pouvoir me mettre en état d'arrestation. Mes enfants étaient dans ma voiture pendant qu'il la fouillait puis me passait les menottes. Il a appelé l'agent Collins pour lui demander de venir chercher Sean et Louise. J'ai demandé où elle les emmenait, mais tout ce qu'il a dit c'était : « Dans un endroit sûr. » L'agent Collins est repartie en emmenant mes enfants dans sa voiture. Je ne les ai pas revus depuis.

Les micros se disputaient la place devant la bouche d'Audra. Chœur de questions. Audra n'y prêta aucune attention.

— Quand le shérif Whiteside m'a ramenée à la prison, j'ai demandé où étaient mes enfants. Il a dit qu'il n'y avait jamais eu d'enfants avec moi. Il ment depuis ce moment-là, de même que l'agent Collins. J'ai expliqué ça à tout le monde, la police d'État, le FBI, tout le monde, mais personne ne me croit. Ils ne vous ont même pas informés, vous, les journalistes, de ce que j'ai dit. Alors je vous le dis maintenant : mes enfants sont là, quelque part, ils sont en vie, et cet homme sait où ils sont.

À nouveau, elle désigna Whiteside. Le shérif s'éloigna du bar-restaurant, prit le trottoir en direction de son bureau.

— Allez l'interroger, dit Audra. Vous verrez ce qu'il vous dira.

Certains journalistes quittèrent l'attroupement et se dirigèrent vers Whiteside, qui pressa le pas, accéléra à petites foulées, le regard rivé sur l'entrée de ses locaux.

— C'est tout ce que j'ai à dire.

Elle se tourna vers la porte, n'offrant plus que son dos à l'afflux de questions. Une fois à l'intérieur, elle mit en place la barre de la porte. Puis, derrière la vitre, elle regarda le reste de la meute s'éloigner vers Whiteside, et se renfonça dans la pénombre du vestibule.

Mrs Gerber attendait dans l'embrasure de la porte de la cuisine, presque dissimulée par les marches, observant Audra.

— Vous venez de vous attirer tout un tas d'ennuis, dit-elle.

Sans répondre, Audra monta les marches.

— Vous savez ce que je pense de Ronny Whiteside, reprit Mrs Gerber en venant se poster au pied de l'escalier. Mais Mary Collins ! C'est une brave fille. Vous êtes sûre, pour elle ?

Audra marqua un temps d'arrêt au tournant de l'escalier et répondit :

— Oui, sûre.

— On croit connaître les gens. Vous voulez toujours du café et du gâteau ?

— Oui, s'il vous plaît, répondit Audra. Vous pouvez prévoir pour deux ? J'ai de la visite.

— De la visite ? Je n'autorise pas l'accès aux chambres. Qui avez-vous fait monter ?

Audra réfléchit un instant avant de répondre :

— Je ne sais pas trop.

Elle regagna le deuxième étage et sa chambre. Danny attendait, assis là où elle l'avait laissé.

— Alors ? demanda-t-il.

— Alors je leur ai dit. Nous verrons si ça déclenche quoi que ce soit.

Danny se leva, fouillant d'une main dans la poche latérale de son pantalon.

— Je suppose qu'ils ont gardé votre téléphone. Tenez.

Il lança sur le lit un portable bas de gamme.

— Il est pré-payé, dit-il. Un seul numéro dans le répertoire. Le mien. S'il arrive quoi que ce soit, vous m'appelez tout de suite. Je laisserai mon téléphone allumé. Faites pareil.

Audra prit le téléphone, en ouvrit le clapet.

— D'accord, dit-elle. Merci.

— Bon. Il faut que je sorte d'ici, maintenant.

— Attendez, lança Audra, étonnée de sa propre envie de voir son visiteur rester encore.

Elle se rendit compte qu'elle était seule depuis qu'on lui avait pris ses enfants, et n'avait pas envie de retrouver la solitude. Pas encore, tout du moins.

— La propriétaire de la pension, Mrs Gerber, elle nous monte du café. Et du gâteau.

Danny haussa les épaules et se rassit.

— Alors, s'il y a du gâteau…

32

Tous les regards se tournèrent vers Whiteside quand il entra. Les flics d'État, le FBI, tous le dévisagèrent. Y compris l'agent spécial Mitchell, qui s'avança à grands pas vers lui du fond de la pièce.

— Bon, alors tout le monde a entendu, je suppose, lança-t-il. Ça ne change rien. Cette bonne femme est folle, voilà tout.

— Ça change un tas de choses, contra Mitchell.

— Vous savez qu'elle dit n'importe quoi, non ? Elle y croit peut-être mais ce ne sont que des conneries. Vous ne pouvez pas prendre ça au sérieux.

— Je prends tout au sérieux, poursuivit Mitchell en se croisant les bras. Depuis que je suis arrivée ici. Et je n'écarte aucune possibilité pour le moment.

— Alors allez-y, dit-il en se rapprochant. Arrêtez-moi. Interrogez-moi. Branchez-moi sur un bon sang de détecteur de mensonges. Je prends tout ce que vous proposez. Vos agents ont fouillé la voiture de Collins, non ?

— C'est exact, confirma Mitchell.

— Est-ce qu'ils ont y trouvé une trace des enfants en question ? Hein ? Elle était propre, non ?

— Très propre, dit Mitchell. On n'y a rien trouvé d'autre que quelques traces d'eau de Javel, comme si elle avait été récurée de fond en comble.

— Et mon véhicule de patrouille ? reprit Whiteside d'un ton plus dur. Vous voulez le fouiller aussi ? Ma maison, peut-être ? J'ai une cave. Vous voulez aller y voir ?

— Ça ne sera pas nécessaire, dit Mitchell en se détournant. Pour le moment.

— Diffusez les photos, dit-il.

Mitchell s'immobilisa.

— Quoi ?

— Celles du T-shirt et du jean. Tachés de sang. Diffusez-les à la presse, dites-leur que ces vêtements ont été découverts dans la voiture de la mère. Ça calmera le truc.

— J'y songerai, dit Mitchell. C'est tout ?

— Ouais, c'est tout.

Whiteside promena le regard à la ronde pendant que Mitchell s'éloignait, défiant quiconque de le regarder à présent. Chacun s'activa, retournant à ses cartes et ordinateurs portables.

— Quelqu'un a quelque chose à me dire ? demanda-t-il d'une voix de stentor.

Personne ne leva le nez.

— Bien ce que je me disais, conclut-il.

Il gagna la porte latérale, abaissa la barre d'ouverture et sortit sur le plan incliné. Une envie lui desséchait le fond de la gorge. Mais pas celle de boire un verre. Plutôt de fumer une des cigarettes de Collins, il en imaginait la chaleur dans ses poumons.

Comme convoquée par cette pensée, la voiture de patrouille de Whiteside entra sur le parking. Collins s'en était servie pendant que les fédéraux fouillaient la sienne. Elle roula jusqu'au fond du parking pour trouver une place, le reste étant occupé par les véhicules des flics d'État et du FBI. Il descendit la courte rampe et se dirigea vers Collins, qu'il rejoignit à mi-chemin.

— Vous avez entendu les nouvelles ? demanda-t-il.

Collins regarda par-dessus l'épaule de son chef, s'assura qu'il n'y avait personne à portée de voix.

— En partie. Qu'est-ce qu'on fait ?

— Rien, dit-il. La presse continue de la prendre pour

une folle. De vouloir la voir mourir sur le bûcher. Je vais peut-être pouvoir les encourager un peu.

— Comment ça ?

— Laissez-moi me soucier de ça.

— Peut-être que…

Elle resta figée, ouvrant et refermant la bouche, avec une idée trop effrayante pour franchir ses lèvres.

— Quoi ? insista Whiteside. Allez-y, dites.

— Peut-être qu'il y a une issue. Qu'il n'est pas trop tard.

— De quoi est-ce que vous parlez ?

— On lui explique qu'elle pourra récupérer ses gosses à condition de jurer de ne pas nous impliquer. On les retrouve en train d'errer je ne sais où, et on devient des héros du moment qu'ils la ferment. Il y a le demi-million de récompense offert par le père. Ce n'est pas autant que ce qu'on voulait, mais ce n'est pas rien.

Whiteside empoigna Collins par le haut du bras, serra très fort.

— Arrêtez ça. En raisonnant comme ça, vous allez nous faire plonger tous les deux. Gardez votre sang-froid. On fera l'échange demain et ensuite ce sera terminé. D'accord ?

Elle acquiesça, les yeux pleins de larmes.

— D'accord.

— Bien, fit-il. Maintenant, ressaisissez-vous. Plus qu'une journée, c'est tout.

Whiteside se détourna pour s'éloigner, mais Collins reprit :

— La gamine est malade.

— Malade comment ?

— Elle a de la fièvre, la respiration ronflante, elle dort beaucoup.

— Et le frère ?

— Il va bien. C'est juste la petite.

— Merde, fit Whiteside. (Les mains sur les hanches, il contempla les collines tout en réfléchissant.) Vous avez des médicaments chez vous, non ? Pour votre gamin.

— Quelques trucs, oui, dit Collins.

— Des antibiotiques ? Pénicilline, amoxicilline ? Quelque chose du même genre ?

— De l'amoxicilline, dit Collins. Je suis obligée d'en avoir à portée de la main pour le cas où Mikey ferait une infection.

— Bon, donnez-lui de ça. Montez ça là-bas ce soir si vous pouvez. Donnez-lui-en une double dose pour la remettre sur pied.

— Mais c'est pour Mikey.

— Eh bien, vous lui en rachèterez. (Il regarda alentour, baissa la voix.) Bon sang, Mary, reprenez-vous. Ne faites pas foirer le truc.

Sur ces mots, il rebroussa chemin en direction du local en espérant pouvoir contenir sa colère.

33

Forum privé 447356/34
Admin. : RR ; membres : DG, AD, FC, MR, JS
Fil de discussion : Ce week-end
Initiateur : RR

De : DG, vendredi 18 h 02
On maintient, RR ? Je ne sais pas ce que vous en pensez tous, mais moi je commence à me sentir un peu nerveux. C'est la première fois qu'on attire à ce point l'attention des médias.

De : MR, vendredi 18 h 11
Je me posais la même question. On devrait peut-être limiter les dégâts à ce stade ?

De : FC, vendredi 18 h 14
J'ai déjà versé mon demi-million. Comme tout le monde, je suppose. Je n'ai pas engagé une somme pareille pour qu'on annule tout bonnement la soirée à cause de je ne sais quelle annonce de presse.

De : MR, vendredi 18 h 18
En l'occurrence, FC, il y a largement plus en jeu que de l'argent. Si vous ne pouvez pas vous permettre de perdre un demi-million, vous ne faites pas vraiment partie de ce groupe.

De : FC, vendredi 18 h 20

MR, je vous emmerde. Je peux me permettre de perdre bien plus que ce que vous avez gagné l'année dernière sans que ça me donne l'ombre d'une palpitation. Si vous voulez vous dégonfler, allez-y.

De : MR, vendredi 18 h 23

Facile à dire, FC, quand on peut compter sur le filet de sécurité de son père en cas de chute.

De : DG, vendredi 18 h 27

Restez courtois, messieurs, je vous prie. Nous ne sommes pas sur un mur Facebook, et nous n'avons pas lieu de nous chamailler. Attendons simplement de voir ce que RR a à nous dire.

De : JS, vendredi 18 h 46

Du nouveau, messieurs ? J'avoue que je me sens nerveux, moi aussi. L'histoire fait la une de l'actualité.

De : DG, vendredi 18 h 50

Calmons-nous tous. RR nous informera le moment venu.

De : RR, vendredi 19 h 08

Messieurs, nous procédons comme prévu. Le vendeur a pris contact et garanti qu'il avait la situation bien en main.

Par ailleurs, j'ai trouvé quelques articles d'importation, si bien que, si quelque chose devait mal se passer, nous aurons de quoi nous divertir pendant la soirée. Nous préférons tous les articles de source locale, bien sûr, mais ceux-là feront l'affaire si nous ne pouvons pas nous procurer les articles attendus – ce que je n'ai aucune raison de croire.

FC & MR : continuez à vous bouffer le nez comme ça et vous serez radiés.

Je compte sur vous tous demain.

34

Sean attendait dans le noir, au pied des marches. Quelques secondes plus tôt, il avait menti à Louise, tenant serré contre lui son corps aussi brûlant que si elle avait eu un brasero sous la peau. Elle transpirait tant que ça lui avait détrempé le devant du T-shirt, si bien que maintenant il grelottait. La respiration de sa sœur ronflait et sifflait.

Il s'était levé du matelas en entendant approcher le bruit de la moto. Des pas au-dessus, maintenant, se dirigeant vers la trappe. Claquement du cadenas, grincement du verrou, puis lumière filtrant de l'ouverture. Il recula, laissant l'ombre l'engloutir.

Collins descendit pesamment les premières marches, s'arrêta à un tiers de la hauteur. Sean leva les mains.

— Où es-tu, Sean ?

Il resta figé, muet, les mains prêtes.

— J'ai des médicaments pour ta sœur, dit Collins. Allez, montre-toi, maintenant, on va la guérir.

Figé, muet.

— Sean, avance là où je pourrai te voir. Je n'ai aucune envie de me mettre en colère contre toi.

Elle descendit une marche de plus. Puis une autre.

— Allez, ça suffit. Je suis crevée et je n'ai pas la patience.

Elle descendait un peu plus, à présent, et plus vite. Sean suivait des yeux ses bottes entre les marches. Quand les talons en furent à la hauteur de ses yeux, il empoigna les chevilles de Collins. Un simple contact, mais ce fut suffisant.

L'instant parut durer une éternité : les pieds de la femme

dérapèrent sur le bord de la marche, ses bras moulinèrent dans les airs. Puis elle bascula en avant, heurtant si fort les marches que Sean sentit le choc se propager dans le sol et jusque sous ses pieds. Collins dégringola le reste des marches, épaules et visage surgissant alternativement. Elle atterrit lourdement sur le plancher, à plat dos, et il entendit l'air s'échapper de ses poumons.

Fonce, se dit-il. *Maintenant.*

Il surgit de sa cachette, contourna les marches et s'élança, les gravissant deux à deux. Un cri s'éleva d'en bas, de rage et de peur. Il ne se retourna pas mais, en arrivant au sommet, sentit le poids de Collins sur les marches du bas.

Il gagna le plancher de la cabane. Le pied lui manqua quand il voulut marquer un temps d'arrêt et se retourner pour empoigner la trappe. Il se jeta dessus, vit Collins monter à toute vitesse vers lui. Agrippa la trappe, lui donna de l'élan et la rabattit de toutes ses forces. Collins hurla à nouveau quand le battant s'écrasa sur son crâne alors que ses mains griffaient déjà le sol.

Sean courut vers la porte, franchit la véranda d'un bond et atterrit sur le matelas d'aiguilles de pin qui tapissait le bois. Les poumons emplis d'air propre et frais, il passa devant la moto et fila en direction des arbres.

— Arrête !

Il zigzagua entre les pins, gauche, droite, attendant la balle qui le soulèverait de terre.

— Arrête, sale petit…

La voix ne s'était pas rapprochée. Peut-être arriverait-il à la distancer. Peut-être.

Son pied accrocha alors une racine et tout fut sens dessus dessous, il vit le sol basculer puis s'élever tandis qu'il voltigeait un instant, roula au bas de la pente, son épaule puis sa hanche heurtant le sol meuble en roulé-boulé. Collins apparut dans son champ de vision au moment où il s'immobilisait. Vidé de son air, il tenta de se redresser mais elle lui tomba dessus en corps à corps, le renversant à nouveau.

Bats-toi, se dit-il. *Bats-toi sinon tu es mort.*

Il serra les poings et frappa, sentit la chair souple des seins de Collins. Elle se laissa tomber sur lui de tout son poids et tenta de lui attraper les poignets. Il se dégagea en se tortillant, lui bourrant les côtes de coups de poing, passa derrière elle et empoigna du tissu. Elle lui flanqua une gifle du plat de la main, il vit un éclair blanc, puis un fourmillement de points noirs. Elle lui posa un genou sur la poitrine, le bloqua sur place.

— Nom d'un chien, tu veux que je te tue, c'est ça ? hurla-t-elle si fort que sa voix retentit entre les arbres. Et ta sœur avec, c'est ça que tu veux ?

Sean cligna des paupières en direction du ciel. Très loin au-dessus, un avion traçait un sillon dans le bleu de plus en plus foncé. Quelque part, du fond de sa peur, il se demanda s'il se pouvait que quelqu'un là-haut regarde et le voie pris au piège. Puis Collins se pencha, le nez presque collé à celui de Sean, l'empêchant de voir l'avion.

— Je le ferai, dit-elle. N'en doute pas une seconde.

Elle se redressa, cherchant quelque chose.

Pendant une fraction de seconde, Sean pensa : *Ah, mon Dieu, elle va s'en rendre compte, elle va s'en rendre compte et me tuer.* Puis elle appliqua le canon de son revolver contre la joue de Sean, qu'une vague de soulagement submergea alors. Si puissante qu'il faillit se mettre à rire.

Elle appuya plus fort.

— Je vous collerai une balle dans la tête, petit connard, tu m'entends ? À toi et ta sœur. Elle d'abord, comme ça, tu me verras faire. (Elle retira son genou de la poitrine de Sean, se releva, lui braqua l'arme vers le front.) Lève-toi et en route.

Sean resta un instant immobile, contemplant le ciel, cherchant l'avion. Il trouva le sillon, le suivit jusqu'à ce qu'il repère l'engin entre les branches. Puis se releva, brossa son T-shirt et son jean pour en faire tomber les aiguilles de pin noirâtres.

Collins agita son arme en direction de la cabane.

— Avance, dit-elle.

Sean obéit, le souffle court, la tête basse.

— Je crois pas que vous le feriez, dit-il comme ils regagnaient la clairière.

— La ferme, dit Collins.

— Le shérif, oui, poursuivit-il en risquant un regard par-dessus son épaule. (Le pistolet était toujours braqué vers lui.) Mais vous, non. Parce que vous avez un garçon de mon âge.

— Tais-toi et entre.

D'une bourrade entre les omoplates, elle lui fit franchir la véranda et le seuil de la cabane. Il s'avança jusqu'à la trappe, en haut des marches. Louise était toujours allongée là où il l'avait laissée, le regardant de ses yeux grands ouverts dans son visage trempé de sueur.

Collins descendit la moitié des marches à sa suite, puis s'arrêta. Il marqua un arrêt au pied des marches pour la regarder. Elle désigna les sacs en papier posés par terre.

— Voilà votre dîner, dit-elle. Et un flacon d'antibiotiques. Donne trois gélules à ta sœur maintenant, et trois autres plus tard ce soir. Il faut qu'elle aille mieux si vous voulez vous en aller d'ici.

Sean s'agenouilla, regarda à l'intérieur des sacs, écartant sandwichs et fruits. Un petit flacon cliqueta quand il s'en empara. Amoxicilline, disait l'étiquette.

— Recommence tes conneries, dit Collins, et tu verras ce que je suis capable de faire ou pas.

Elle fit demi-tour et remonta les marches, laissa tomber la trappe, la ferma au cadenas.

— Tu es parti sans moi, dit Louise.

Stupéfait, Sean tourna la tête vers sa sœur.

— Quoi ?

— Tu t'es enfui sans moi, dit-elle avec un regard dur et accusateur.

— Mais non.

— Si, dit-elle. Je t'ai vu.

Sean rampa jusqu'au matelas pour s'agenouiller à côté.

— Je ne me suis pas enfui, dit-il. Il fallait juste que j'aille chercher un truc.

— Chercher quoi ? demanda-t-elle en levant la tête.

Sean fouilla la poche avant de son jean, et ses doigts trouvèrent le métal.

— Ça, dit-il. Regarde.

— C'est quoi ?

Sous les yeux de sa sœur, Sean ouvrit le canif pliant qu'il avait pris dans la poche de l'agent Collins, lui en montra la lame étincelante.

35

Audra regardait le journal télévisé, la main sur la bouche. Le studio passa l'antenne à Rhonda Carlisle, derrière laquelle l'obscurité gagnait la rue principale de Silver Water.

« Nouveaux événements importants ce soir dans le comté d'Elder, suite à la déclaration choc livrée par Audra Kinney il y a maintenant quelques heures, annonça l'envoyée spéciale. Une source anonyme impliquée dans l'enquête visant à retrouver Sean et Louise Kinney a laissé fuiter des clichés de preuves physiques trouvées dans la voiture de la mère, arrêtée voilà quarante-huit heures aux abords de cette petite ville du désert de l'Arizona. »

Les photos du T-shirt taché et du jean déchiré. Audra aurait voulu détourner les yeux, mais elle en fut incapable.

« Selon la source en question, ces articles ont été trouvés dissimulés sous le siège passager du break d'Audra Kinney, par une équipe d'agents du FBI du bureau local de Phoenix. Elle précise en outre que des traces de sang ont été découvertes vers l'arrière du véhicule, ce qui renforce les craintes des autorités au sujet des enfants. »

Retour au studio, où le présentateur demanda à la journaliste :

« Est-il possible, Rhonda, que cette fuite soit une réponse directe aux accusations qu'Audra Kinney a portées cet après-midi à l'encontre du service du shérif du comté d'Elder ? »

La journaliste reparut à l'écran, le visage grave.

« C'est assurément une coïncidence étonnante, Derek. Il ne s'agit bien sûr que de suppositions, mais on pourrait avancer que l'équipe d'investigation a voulu réparer les dégâts causés par la déclaration d'Audra Kinney. Avec la découverte des vêtements ensanglantés et ce que nous savons des problèmes nerveux et mentaux de cette femme, ainsi que de son lourd passif de dépendances, se brosse un tableau très sombre pour elle, aussi bien que pour son fils et sa fille.

« La source que je citais précédemment est allée plus loin en nous apprenant qu'avec ces preuves tangibles la brigade criminelle du ministère de la Sécurité publique de l'Arizona a en main tous les éléments permettant d'arrêter Audra Kinney pour le meurtre supposé de ses enfants. Mais, nous a-t-on dit, l'équipe d'intervention spécialisée dans les enlèvements d'enfants du FBI, qui dirige les recherches, prend le pas sur la police d'État dans l'espoir que Mrs Kinney avoue où se trouvent ses enfants, qu'ils soient morts ou en vie. Toujours selon la même source, les autorités sont à bout de patience et prévoient de délivrer un mandat d'arrestation dans les vingt-quatre heures à venir. Quand ce sera chose faite, officiellement, il ne s'agira plus d'une enquête portant sur une disparition, mais d'une enquête pour homicide. »

Audra éteignit le poste.

— C'est Whiteside qui a fait fuiter les photos, dit-elle. C'est forcément lui.

— Je vous avais dit qu'il riposterait, dit Danny. (Une tasse vide et une assiette contenant quelques miettes de gâteau étaient posées par terre, à côté de sa chaise.) S'ils avaient voulu vous arrêter aujourd'hui, ils l'auraient fait, à l'heure qu'il est. À mon avis, ils viendront vous chercher demain matin. Si nous devons agir contre Collins, c'est cette nuit qu'il faut le faire.

— On ne peut pas, dit Audra. *Moi*, je ne peux pas. Je ne suis pas...

Elle le regarda, puis détourna à nouveau les yeux.

— Comme moi ?

— Ce n'est pas ce que je voulais dire. Je ne vous connais même pas.

Audra s'approcha du lit, regarda à nouveau la carte qu'elle avait empruntée à Mrs Gerber.

La logeuse avait regimbé en trouvant Danny dans la chambre, exigé de savoir qui était ce nouvel arrivant, et comment il s'était introduit dans la maison. Audra avait eu toutes les peines du monde à la calmer et lui assurer que tout allait bien.

Après s'être un peu fait prier, Mrs Gerber était allée chercher la carte et avait indiqué les différentes régions.

— Si je devais cacher deux enfants, dit-elle ensuite, je ne choisirais pas la plaine du désert. J'irais au nord, là où il fait plus frais, loin dans la forêt, en altitude. (Elle tapota la carte du bout du doigt.) Ça, là, c'est le Mogollon Rim, l'escarpement très abrupt qui grimpe jusqu'au plateau du Colorado. On est au beau milieu des figuiers de Barbarie, puis tout à coup des genévriers, et avant qu'on ait le temps de s'en rendre compte on se retrouve à plus de 2 000 mètres et il n'y a plus que des pins sur des kilomètres et des kilomètres. Rien d'autre que la forêt entre ce coin-là et Flagstaff. Si je voulais perdre quelqu'un, c'est là que j'irais.

Audra regarda l'endroit en question, cette immense étendue, en secouant la tête.

Danny vint se poster à côté d'elle.

— Même si j'arrivais à vous sortir d'ici ni vu ni connu, où commenceriez-vous vos recherches ? Il faut qu'on chope Collins. C'est le seul moyen. Vous savez que j'ai raison.

— Il y a une autre solution, dit Audra. Vous allez parler à Mitchell.

— On ne recommence pas avec ça, je ne peux pas...

Il s'interrompit comme on frappait à la porte. Il regarda Audra, qui lui rendit son regard.

— Qui est là ? lança-t-elle.

— L'agent spécial Mitchell. L'inspecteur Showalter est avec moi. On peut discuter un instant, Audra ?

Audra alla jusqu'à la porte, appliqua l'œil contre le judas, vit les silhouettes distordues de Mitchell et Showalter en train d'attendre dans la pénombre du couloir.

— Tout de suite ? demanda-t-elle.

— Oui, tout de suite, répondit Mitchell d'un ton agacé.

Audra se tourna vers Danny, lui désigna la salle de bains. Il se glissa à l'intérieur, ferma doucement la porte. Audra tourna la clé dans la serrure, retira la chaîne, ouvrit.

Mitchell et Showalter entrèrent sans même attendre qu'elle les y invite.

— J'ai entendu une voix, dit Mitchell. Je me suis dit que vous aviez peut-être de la compagnie.

— La télé, dit Audra. Que voulez-vous ?

Mitchell regarda la carte encore déployée sur le lit.

— Vous préparez un voyage ?

— Je me demandais où Whiteside et Collins avaient pu emmener mes enfants.

Showalter leva les yeux au ciel en secouant la tête. Mitchell l'ignora.

— Et vous vous êtes fait une idée ?

— Au nord, dit Audra. En altitude, dans la forêt. Il y fait plus frais, il y a plein d'endroits où cacher quelqu'un.

Mitchell pencha la tête de côté.

— Pas à l'est ? Par là où vous êtes arrivée ?

Audra s'affala dans le fauteuil.

— Je vous en prie, je suis très fatiguée. Qu'est-ce qui vous amène ici ?

— Je suis venue vous dire que vous avez fait une sacrée bêtise cet après-midi.

— Je m'en fiche, dit Audra. Il fallait que je fasse quelque chose.

Mitchell s'assit au bord du lit, se pencha en avant, les mains croisées.

— Vous voulez faire quelque chose ? Commencez par me dire où sont vos enfants.

Audra ferma les yeux, appuya la tête contre le dossier du fauteuil.

— Mon Dieu, non, ne recommencez pas ça, je ne peux pas. Si c'est tout ce que vous avez à me dire, je préfère que vous partiez.

Mitchell se leva et alla s'accroupir devant Audra.

— Écoutez, je suis venue pour que nous puissions discuter de façon informelle. Pas de caméras, pas de blocs-notes. Pour vous donner encore une chance avant que la police d'État prenne des mesures.

— Prenne des mesures ?

— Ils n'ont pas besoin d'un corps pour vous inculper de meurtre, Audra. Les vêtements que nous avons trouvés dans votre voiture suffisent. Si vous n'avez pas été arrêtée pour le meurtre de vos enfants, c'est uniquement parce que j'ai voulu vous donner une chance de dire la vérité. De vous faciliter vous-même les choses. À l'heure qu'il est, c'est moi qui suis chargée de retrouver vos enfants, mais, quand tout ça deviendra une enquête pour homicide, c'est Showalter qui prendra le relais. Et ce ne sera plus moi mais la brigade criminelle qui décidera de ce qui se passera. Je les ai tenus en respect aussi longtemps que possible, mais je ne peux plus prolonger. À cause de votre petit numéro de cet après-midi. Alors maintenant, pour l'amour du ciel, dites-moi où sont Sean et Louise.

— Seigneur, fit Audra, comment pouvez-vous être aveugle à ce point ?

— Demain matin, 10 heures, reprit Mitchell. Dans quatorze heures. C'est tout ce dont vous disposez, Audra. Ensuite, vous serez aux mains des flics de l'Arizona, de la brigade criminelle. Et je ne serai plus là pour vous aider. Vous trouvez votre situation pénible ? Eux, ils vous boufferont toute crue.

Audra se redressa dans le fauteuil.

— Avez-vous interrogé Whiteside ?

— Je lui ai parlé, oui, mais…

— L'avez-vous interrogé ? insista Audra d'un ton plus dur. En tant que suspect.

Mitchell secoua la tête.

— Non.

— Et Collins ?

— Non plus.

Audra la regarda droit dans les yeux, froidement.

— Dans ce cas, vous ne m'êtes d'aucune utilité. Je vous demanderai de sortir, maintenant.

Elle ne vit pas Showalter s'avancer à côté d'elle, sentit seulement une main qui lui empoignait les cheveux et lui rejetait la tête en arrière. Elle lâcha un cri. Lui agrippa le poing à deux mains, essaya de lui desserrer les doigts. Il se pencha sur elle et, quand il lui parla, elle sentit son haleine chargée de tabac, ses postillons sur sa peau.

— Maintenant, écoutez-moi bien, espèce de malade. Si ça ne tenait qu'à moi, je vous ferais cracher le morceau par la force. Il se pourrait que j'y vienne. Vous avez jusqu'à demain matin pour nous dire ce que vous avez fait de vos gosses. Ensuite, vous serez tout à moi. Et je ne joue pas réglo.

Mitchell se redressa.

— Lâchez-la, inspecteur Showalter.

Il se rapprocha encore, tira un peu plus les cheveux d'Audra.

— Demain matin. Vous m'entendez ?

— Showalter, nom de Dieu, arrêtez ça.

Comme il resserrait sa prise, Audra poussa un cri.

— Lâchez cette femme, lança Danny Lee.

36

Danny avait écouté aussi longtemps qu'il avait pu. Les voix le ramenèrent cinq ans en arrière. Les accusations, l'incrédulité délibérée. Debout derrière la porte de la salle de bains, poings serrés, mâchoires soudées, il se représentait Mya dans cette pièce, confrontée aux mêmes questions. Puis il entendit le cri, et les propos virulents, haineux du flic.

Quand il franchit le seuil, ce fut dans l'intention d'étendre ce type. Mais il se ressaisit en voyant que c'était Audra qui se trouvait là, et non sa défunte femme.

Tandis que Mitchell, Showalter et Audra le dévisageaient, il se demanda : et maintenant que faire ? Je ne peux pas intervenir physiquement, alors quoi ?

— Nom d'un chien, mais qui êtes-vous ? demanda l'agent spécial Mitchell, les yeux ronds.

— Je m'appelle Danny Lee, dit-il en s'avançant dans la chambre. S'adressant au grand flic qui tenait Audra par les cheveux, il lança, d'une voix frémissante de rage :

— Je vous ai demandé de lâcher cette femme.

Showalter lâcha prise, repoussant la tête d'Audra comme s'il jetait un détritus.

— Vous avez tout intérêt à vous expliquer dare-dare, mon ami, dit-il, avant que je vous sorte d'ici à coups de pied dans le cul.

Que faire ? se demanda Danny.

Puis il se décida.

— Puis-je m'entretenir avec vous, madame ? demanda-t-il à Mitchell.

Les mains sur les hanches, elle lança :

— À quel propos ?

— Je préférerais vous parler en privé, répondit Danny avec un geste de la tête en direction de Showalter.

— Minute, gronda l'inspecteur.

Mitchell leva une main et le fit taire.

— Redites-moi comment vous vous appelez, demanda-t-elle.

— Danny Lee.

— Mr Lee, je n'ai aucune idée de qui vous êtes ni de ce que vous faites ici. En toute franchise, votre présence m'inquiète plutôt qu'autre chose et j'ai bien envie de demander à l'inspecteur Showalter de vous coffrer pour entrave à l'enquête en cours. Pourquoi devrais-je vous accorder un peu de mon temps ?

— Parce que vous voulez retrouver ces enfants, dit Danny.

L'agent spécial Mitchell écoutait sans rien dire, son carnet ouvert posé sur la vieille table de la salle à manger. Elle avait déclaré qu'il y avait trop de monde dans la chambre, si bien qu'ils l'avaient tous suivie jusqu'au rez-de-chaussée. Quand elle demanda à Showalter d'attendre dans le vestibule, il protesta, mais elle lui rappela que, pour ce soir au moins, c'était encore elle qui commandait.

Audra s'adossa au mur et regarda Mitchell prendre des notes pendant que Danny parlait. Mitchell ne l'interrompait pas, ne faisait pas de commentaires sur ce qu'il disait. Il s'efforçait de déchiffrer son expression, mais n'y parvenait pas.

Assis face à Mitchell, de l'autre côté de la table, il parlait d'un ton aussi neutre que possible, sans émotion, même lorsqu'il décrivit la découverte du corps de sa femme. Comme s'il n'avait plus de larmes à verser depuis bien longtemps. Et qu'il ne lui restait plus qu'une plate énumération des faits.

Quand il eut terminé, Mitchell resta immobile, les yeux

rivés sur son carnet. Les muscles de la mâchoire contractés.
Au bout de quelques instants, elle inspira, souffla, puis se
leva.

— Accordez-moi un instant, dit-elle en s'emparant de
son carnet. Elle sortit dans le vestibule, ferma la porte
derrière elle.

Audra s'approcha de la table, s'assit. Danny la regarda
en secouant la tête.

— Elle ne tentera pas le coup, dit-il.

— Il se pourrait que si, dit Audra. De toute façon, il
fallait qu'on essaie.

Danny se leva et alla se poster devant la fenêtre qui
donnait sur la rue. Il écarta les rideaux et regarda dehors.
La rue semblait tellement déserte. Tellement nue.

— Les journalistes sont partis, dit-il. Pour la plupart,
en tout cas.

— Je crois qu'il y a un motel dans la ville voisine, dit
Audra. Ne vous inquiétez pas, ils seront de retour dès
demain matin. Ils ne laisseront pas passer une nouvelle
occasion de se mettre quelque chose sous la dent. Vous
savez ce que c'est. Ça vous est arrivé.

— Pour eux, vous êtes un monstre, dit Danny sans
cesser de contempler la rue. Mya s'est fait éreinter quand
ça nous est arrivé, mais vous ça sera pire.

— Pourquoi ça ? demanda Audra.

Il se détourna de la fenêtre et la regarda dans les yeux.

— Vous ne savez vraiment pas ?

Elle secoua la tête.

— Parce que vos enfants sont blancs. Une petite métisse
à demi chinoise, ça n'a pas autant d'importance à leurs yeux.

— Mon Dieu, fit Audra. (Elle ferma les yeux, enfouit
le visage entre ses mains.) Si je ne les retrouve pas, je ne
crois pas que je pourrai survivre. Ce que votre femme a fait.
Comment est-ce que je pourrais ne pas en faire autant ?

— Je crois que vous êtes plus forte que l'était Mya, dit

Danny. (Il regagna la table et reprit sa place.) Vous avez dû connaître de sales moments, j'imagine.

Audra releva la tête et répondit :

— En effet.

— Vous tiendrez le coup, dit-il.

Elle ne put lui répondre que d'un hochement de tête accompagné d'un pâle sourire, mais il vit qu'elle doutait. Il ne chercha pas à la rassurer davantage. Ils attendirent en silence jusqu'au retour de Mitchell.

Son visage restait indéchiffrable quand elle referma la porte. Elle s'approcha de la table mais ne s'assit pas, posa les mains sur le dossier d'une chaise, l'agrippant de ses doigts fermes.

— Mr Lee, j'ai pu joindre l'agent spécial Reilly. Il a confirmé que votre enfant avait disparu et que votre femme avait mis fin à ses jours. Je suis navrée pour vous, Mr Lee, mais l'agent spécial Reilly m'a dit qu'il n'avait jamais cru la version des faits que soutenait votre femme. Il m'a également dit que vous aviez un passé assez haut en couleur. Deux séjours en prison pour crimes avec violence, une longue liste d'arrestations, y compris pour meurtre.

— Ça date de bien longtemps, dit Danny.

— Vous êtes donc un repenti, c'est très bien, mais ça ne m'aide pas à l'heure qu'il est. Pas plus que ça n'aide Mrs Kinney. J'aimerais maintenant que vous quittiez la ville ce soir. Si vous n'obtempérez pas, je demanderai à l'inspecteur Showalter de vous arrêter pour entrave à l'enquête en cours.

Audra dévisagea Mitchell, les poings serrés. Le regard dur que lui rendit l'agent spécial lui fit presque détourner les yeux. Presque.

Mitchell s'adressa alors à elle.

— À 10 heures demain matin, un mandat d'arrestation sera délivré pour vous inculper du meurtre de vos enfants, Sean et Louise Kinney. Vous avez la soirée pour y réfléchir, je me suis montrée aussi aimable et patiente avec vous que je peux l'être, mais une fois ce mandat délivré je ne pourrai plus vous aider. Et, croyez-moi, ils ne vous témoigneront aucune pitié. Ils vous mettront en pièces.

Debout, Audra se pencha au-dessus de la table en direction de Mitchell.

— Faites juste une chose pour moi. S'il vous plaît.

— Laquelle ?

— Interrogez Whiteside comme vous m'avez interrogée moi. Et aussi Collins. Mettez-les sur la sellette. Sous pression. Voyez si vous arrivez à déceler une faille dans ce qu'ils racontent. Faites-le dès ce soir.

— Je vous en prie, arrêtez ça, dit Mitchell en se massant le front du bout des doigts. Pour l'amour du ciel, arrêtez !

— Questionnez-les, poursuivit Audra. Là, au moins, vous pourrez dire que vous avez tout essayé, que vous avez fait votre boulot.

— Allez vous faire foutre ! (Mitchell la foudroya du regard.) Mon boulot, je le fais, et je le fais bien. J'ai retrouvé plus d'enfants qu'aucun autre agent de l'équipe d'intervention spécialisée. Sérieusement, allez vous faire foutre ! Au nom de quoi croyez-vous avoir le droit de mettre en doute la façon dont je fais mon boulot ?

— Au nom de quoi ? releva Audra. Mais parce que vous n'êtes pas persuadée que j'ai fait du mal à mes enfants.

Mitchell resta figée sans rien dire, dardant à Audra un regard brûlant.

— Interrogez-les seulement, dit Audra. S'il vous plaît.

Mitchell secoua la tête en soupirant.

— Je vais voir ce que je peux faire. Mais, à moins qu'ils me conduisent tout droit auprès des enfants, vous serez arrêtée demain matin. Et n'envisagez même pas de vous enfuir. Ils seront partout pour surveiller la rue et veiller à ce que vous n'en bougiez pas. (Elle désigna Danny.) Vous, je ne veux plus vous voir.

Sur ces mots, Mitchell tourna les talons et quitta la pièce, claquant la porte derrière elle.

— Je crois que vous l'avez mise en rogne, dit Danny.

— Bien.

Il se leva et vint se placer à côté d'Audra.

— Tenez-vous prête à partir à 5 heures demain matin. Je vous attendrai.

— Pourquoi ça ?

— Parce que, quoi que dise Mitchell à ces flics, ils ne lâcheront pas vos gosses. Alors, demain matin, nous irons les chercher.

Il gagna la porte et sortit sans un mot de plus.

37

Whiteside traversa la rue en sortant de la mairie où se tenait maintenant la coordination des recherches. Les sonneries stridentes des téléphones lui cassaient encore les oreilles, les lignes affolées par la promesse de récompense d'un demi-million de dollars. Dehors, la ville semblait fantomatique et déserte maintenant que les journalistes s'étaient éclipsés. Il les imagina tous au motel de Gutteridge, pourtant miteux, en train de se reposer un peu. L'épuisement commençait à ronger sa lucidité, et, s'il avait espéré pouvoir dormir un moment, il serait rentré chez lui pour se coucher dès maintenant. Il aurait peut-être tenté le coup, mais Mitchell venait d'appeler son portable pour lui dire de revenir au local.

Il avait appelé Collins plusieurs fois, lui avait envoyé des textos, mais elle n'avait pas répondu depuis son départ pour la cabane. L'idée que quelque chose ait pu mal se passer trottait dans la tête du shérif, mais il fit de son mieux pour l'ignorer. S'inquiéter ne lui ferait aucun bien.

Le calme régnait au local, les plus gradés des flics d'État ayant regagné leurs pénates. Toute l'affaire donnait le sentiment d'être en train de se tasser à cette heure, la disparition des enfants semblait peu à peu s'accepter, et puis voilà. Il le lisait sur le visage des flics et des fédéraux.

Tous sauf Mitchell, qui avait l'air de ne jamais renoncer.

Elle attendait devant la salle d'interrogatoire en compagnie de ce connard de Showalter. Quand elle l'invita d'un signe à entrer, il répondit d'un hochement de tête. Son laquais

Abrahms était assis derrière un bureau, un ordinateur portable ouvert devant lui. Il regarda Whiteside approcher.

— Qu'est-ce que vous me voulez ? lança Whiteside. J'étais sur le point de rentrer chez moi me reposer un peu.

Mitchell ouvrit la porte de la salle et la laissa pivoter sur ses gonds, juste assez pour qu'il passe devant elle et entre. Whiteside regarda la porte, puis Mitchell, Showalter, et à nouveau Mitchell.

— Quoi ? fit-il.

— Juste quelques minutes de votre temps, dit l'agent spécial. Vous n'y voyez pas d'inconvénient, n'est-ce pas ?

— Vous allez m'interroger ? demanda-t-il en désignant la porte ouverte. Sérieusement ?

— Quelques questions, c'est tout.

Whiteside regarda Showalter, qui haussa les épaules, l'aire de dire : que faire ?

— D'accord, dit Whiteside en décernant un sourire à Mitchell. Mais faisons vite. Mon lit m'attend.

Il s'assit à la table pendant que Mitchell s'occupait de la caméra vidéo, et comprit alors ce qu'Abrahms fabriquait avec son ordinateur.

— Vous allez envoyer ça au type de Phoenix, le comportementaliste ?

— En effet, dit Mitchell.

— Et quel genre de comportement est-ce qu'il recherchera, au juste ?

Mitchell vint s'asseoir à la table, disposa son carnet et son stylo devant elle.

— Oh ! rien de particulier. Juste la routine. Vous connaissez.

— Un peu, que je connais. Et il a trouvé quelque chose à dire sur votre entretien avec Mrs Kinney, votre type ?

— Oui, son compte rendu est arrivé cet après-midi.

— Et ?

— Mrs Kinney croit ce qu'elle dit.

Whiteside allait objecter mais Mitchell leva une main.

— Veuillez s'il vous plaît énoncer votre nom et votre fonction, pour les archives.

Whiteside soutint son regard.

— Je m'appelle Ronald Whiteside, je suis le shérif du comté d'Elder. Mrs Kinney croit peut-être les salades qu'elle raconte, mais, même sans tenir compte des preuves physiques découvertes dans sa voiture, vous savez tout comme moi qu'elle est complètement cinglée.

— L'état mental de Mrs Kinney peut prêter à controverse, shérif, mais la version des événements qu'elle donne depuis le premier interrogatoire auquel je l'ai soumise est invariablement la même.

Whiteside adressa un clin d'œil à Showalter.

— Donc elle est invariablement cinglée.

Showalter afficha un petit sourire en coin.

— Prenons la chose au sérieux, shérif, dit Mitchell.

— Oh ! je la prends au sérieux, croyez-moi. Je la prenais déjà au sérieux avant que vous arriviez avec votre beau tailleur et votre caméra. Alors allez-y, demandez-moi ce que vous avez à me demander, que je puisse m'en aller d'ici.

Mitchell tourna une page dans son carnet.

— Où avez-vous vu Mrs Kinney pour la première fois ?

— Sur le parking d'une supérette en bordure de la route du comté, environ sept kilomètres avant la bifurcation vers Silver Water. J'étais assis dans ma voiture, en train de boire un café de mon thermos, quand elle est venue se garer. Elle est descendue de voiture et a regardé autour d'elle. Elle m'a vue et ça a paru la contrarier.

— Comment ça ?

— Elle faisait tout son possible pour avoir l'air détaché, si vous voyez ce que je veux dire. Mais bon, tout ça, je vous l'ai déjà raconté avant-hier.

— Pas devant la caméra. Vous avez trouvé que votre présence semblait la mettre mal à l'aise.

— C'est ça. Comme si elle n'avait pas envie de voir un flic. Alors, pendant qu'elle était dans le magasin, je suis allé me garer derrière le bâtiment et j'ai attendu qu'elle sorte et reparte. Comme ça, je pouvais la suivre et m'assurer qu'il n'y avait pas de problème avec la voiture, ou sa façon de conduire. Il s'est trouvé que la voiture était en surcharge, alors je l'ai arrêtée.

— Comment était Mrs Kinney quand vous l'avez abordée ?

— Tout effarouchée, dit Whiteside. Comme une biche qui sait qu'on l'a en ligne de mire.

— Quelle a été votre attitude ?

— Polie, décontractée, aimable. Comme je le suis toujours.

Il se remémora l'échange, la femme assise dans la voiture, les mains sur le volant.

— À ce moment-là, avez-vous remarqué le rehausseur, à l'arrière de la voiture ?

Il se représenta la banquette arrière, vide.

— Oui.

— N'avez-vous pas trouvé bizarre qu'il y ait un rehausseur et pas d'enfant ?

— Pas vraiment, dit Whiteside. Souvent, quand un parent sort sans ses gosses, il laisse les rehausseurs dans la voiture.

— Dans une voiture immatriculée à New York, insista Mitchell. Ça vous a semblé normal que quelqu'un fasse tout le trajet depuis l'État de New York avec un rehausseur sur la banquette arrière et pas d'enfant ?

— Ça ne m'a pas frappé sur le moment, mais plus tard j'ai en effet…

— Avez-vous questionné Mrs Kinney à propos de ce rehausseur ? De l'enfant ou des enfants qui n'étaient pas là ?

Il secoua la tête.

— Non. Il n'a pas été question d'enfants avant que je la mette en cellule ici, derrière. C'est à ce moment-là qu'elle m'a demandé où ils étaient.

— Quelle a été votre réaction ?

Whiteside essaya de déchiffrer son intention. Rien. Il se demanda quels atouts elle détenait.

— Je lui ai demandé : « Quels enfants ? » C'est là qu'elle a commencé à se mettre dans tous ses états, alors je l'ai laissée un moment, en espérant qu'elle se calmerait. Quand je suis revenu, plus tard, on a parlé et j'ai expliqué qu'il n'y avait pas d'enfants dans sa voiture quand je l'ai arrêtée. C'est à ce moment-là qu'elle m'a agressé, comme vous l'avez vu sur les images de la vidéosurveillance. Après ça, j'ai commencé à me renseigner sur ces enfants avec l'aide des autorités. Et c'est à peu près là que vous vous êtes invitée ici.

— Où était l'agent Collins à ce moment-là ?

— En patrouille. Elle fait une ronde dans la ville et sur les routes avoisinantes. Le truc de base, classique. Puis elle est rentrée chez elle, pour autant que je le sache. Elle habite avec sa mère et son petit garçon, sur Ridge Road. Vous allez l'interroger, elle aussi ?

— Je n'ai pas réussi à la joindre, dit Mitchell. Vous auriez une idée de la façon dont je pourrais la contacter ?

Whiteside consulta sa montre.

— Son service est fini, à l'heure qu'il est. Vendredi soir. Elle doit être en train de se détendre avec un verre de vin ou une bière, si elle a deux sous de jugeote. Elle a pu éteindre son téléphone portable.

Mitchell tourna une page.

— Venons-en à la version des événements que donne Mrs Kinney.

— Bon sang, fit-il, autant aller dire que les alunissages étaient des faux, tant qu'à faire. Ou que le 11 Septembre était un coup monté cent pour-cent américain.

Mitchell maintint le rythme.

— Mrs Kinney affirme catégoriquement que, quand vous l'avez arrêtée, ses enfants Sean et Louise étaient sur la banquette arrière. Elle dit que vous leur avez parlé, que vous avez même sommé le garçon de remonter en voiture. Elle déclare aussi que vous avez appelé l'agent Collins par radio pour lui dire de venir chercher les enfants afin de les mettre en sécurité pendant que vous vous occupiez de leur mère. Vous avez aidé l'agent Collins à faire monter les enfants dans son véhicule de patrouille et ils se sont éloignés, après quoi elle ne les a plus revus.

Whiteside attendit que Mitchell en dise plus, mais n'eut droit qu'à son regard incisif.

Quand il fut évident qu'elle n'ajouterait rien, il répondit :

— Ouais, ça, c'est sa version. Et vous pouvez bien la raconter aussi souvent que vous voulez, ça ne la rendra pas plus vraie. Au dire de son mari, cette femme est instable depuis des années. Dieu sait quels fantasmes elle a dans la tête. C'est du pipeau, tout ça. Que Collins et moi on ait enlevé ses enfants. Enfin, bon, dans quel but ? Qui a déjà entendu une chose pareille ?

Mitchell lui adressa un sourire froid.

— Moi, en fait. Ce soir même.

Whiteside regarda Mitchell, puis Showalter, qui haussa les épaules, et revint à Mitchell.

— Entendu quoi ? demanda-t-il. Arrêtez de me prendre pour un con, Mitchell.

Le sourire se fit plus aigu.

— On m'a raconté une histoire intéressante, cet après-midi. Celle d'un homme dont la femme voyageait en voiture avec leur petite fille. La femme a été arrêtée par un flic d'une petite ville et inculpée de je ne sais quelle soi-disant infraction. Quand elle a voulu savoir comment allait sa petite, le flic lui a répondu : « Quelle petite ? Vous étiez seule quand je vous ai arrêtée. » Ça ne vous rappelle rien ?

Il se remémora l'homme au bar-restaurant, cet après-midi, celui qui avait commandé un deuxième sandwich, à emporter, qui prétendait savoir ce que Whiteside avait fait.

— Donc quelqu'un d'autre a imaginé la même histoire.

Et alors ? Laissez-moi deviner : c'est un Chinois qui vous l'a racontée ?

— Un Américain d'origine asiatique, oui, c'est bien ça. Ce qui pourrait aussi vous rappeler quelque chose, c'est que le soupçon de culpabilité s'est porté sur la mère. Tout le monde était convaincu qu'elle avait tué son enfant quelque part entre leur domicile et l'endroit où l'officier de police l'avait arrêtée.

— Nous vivons dans un grand pays, dit Whiteside. Des arrestations, il doit y en avoir des centaines de milliers tous les jours. Et combien de disparitions d'enfants ? Et sur le nombre, vous devriez le savoir, sur le nombre d'enfants disparus, combien de fois apprend-on que ça a été l'œuvre d'un parent ? Vous avez donc entendu une histoire du même genre racontée par un autre barjot. Les fous s'attirent entre eux. Je suis sûr que vous l'avez déjà constaté, ça aussi.

Mitchell ne se départait pas de son foutu sourire, comme si elle détenait tous les secrets du monde entre ses dents. Whiteside se concentra sur l'effort qu'il faisait pour conserver un air imperturbable, vaguement agacé de cette intrusion mais sans plus.

— Certains détails étaient intéressants, cela dit, déclara Mitchell.

Whiteside eut envie de la gifler pour faire disparaître ce sourire.

— Tels que ? releva-t-il.

— Vous avez entendu parler du Dark web, bien sûr ?

— Il me semble, répondit-il en haussant les épaules. C'est un peu les ruelles mal famées d'Internet. Les gens s'y échangent des trucs pornos pédophiles, du moins, c'est ce que j'ai entendu dire.

— Entre autres choses, dit Mitchell. Pornographie enfantine, exécutions filmées, logiciels illégaux, matériel de hacking, tout ce dont certains individus peuvent vouloir discuter en secret avec ceux qui ont les mêmes centres d'intérêt. Toutes les formes d'activités illégales, en fait. Il s'y organise des ventes d'armes ou de drogue, et même des meurtres commandités. Et dans un infect petit recoin, m'a-t-on dit, un groupe d'hommes richissimes fait appel à des policiers corrompus pour se procurer des enfants.

La bouche de Whiteside se dessécha, sa langue se colla à son palais. Une goutte de sueur froide commença à rouler lentement le long de sa colonne vertébrale. Mais il conserva une mine imperturbable, n'eut pas un battement de cils, pas un tressaillement. Qu'il s'autorise la moindre mimique, si minime soit-elle, et il ne lui resterait plus qu'à appliquer le canon de son arme contre sa tempe ici et maintenant. Il tâcha de retrouver un peu de salive, se libéra la langue, et répondit :

— Ça, je ne suis pas au courant. Mais ça a l'air d'être un sale truc.

— En effet, dit Mitchell. Je suppose que vous n'iriez pas jusqu'à proposer spontanément de remettre tous vos ordinateurs, tablettes et smartphones à mon collègue, l'agent Abrahms, pour qu'il se livre à un examen ?

Nouvelle goutte de sueur. Et tressaillement. Sous l'œil gauche, il perçut comme un infime effleurement. Mitchell le vit, son regard revint dessus à plusieurs reprises.

— Vous supposez bien, dit-il. Si vous voulez fouiller quoi que ce soit m'appartenant, il faudra me fournir un mandat. Sur ce, je crois que j'en ai assez entendu comme ça. J'ai besoin de sommeil, je rentre chez moi. Si vous voulez m'interroger à nouveau, arrêtez-moi et faites-le en présence d'un avocat.

Il se leva, écarta la chaise d'un coup de pied, alla jusqu'à la porte et lança :

— Je vous souhaite une bonne nuit à tous les deux.

Dans le bureau, la lueur de l'écran se reflétait sur le visage juvénile d'Abrahms. Les écouteurs dans les oreilles, il griffonnait sur un bloc-notes. Whiteside résista à l'envie d'envoyer voltiger son stylo d'une claque et de déchirer les notes. Il gagna d'un pas martial les toilettes pour hommes, ouvrit la porte d'un coup de pied et la claqua derrière lui.

Il passa devant l'urinoir, entra dans l'unique cabine et s'y enferma.

— Putain, fit-il. Putain de chierie de merdier à la con.

Des tremblements lui montèrent des entrailles, s'emparèrent de ses bras, ses jambes, ses mains se mirent à tressauter. Il se cala un doigt entre les dents et mordit, fort, recherchant la lucidité qui aurait dû s'ensuivre, mais rien ne vint. Ses poumons se gonflaient puis se vidaient à mesure que l'air entrait et sortait, comme si une main géante actionnait sa poitrine. Une multitude d'étoiles noires papillotaient dans son champ visuel, sa tête semblait flotter quelque part, loin au-dessus de ses épaules. Ses poumons s'actionnaient plus vite, plus fort, son cœur accélérant pour suivre le mouvement.

Crise de panique.

Je fais une crise de panique, se dit-il.

Il se laissa tomber sur la cuvette des toilettes, se tenant aux parois de la cabine pour garder l'équilibre.

— Nom d'un chien, dit-il. Merde.

Il se pencha, mit la tête entre ses genoux. *Respire*, se dit-il. *Respire. Inspire par le nez, un–deux–trois–quatre, bloque, un–deux–trois–quatre–cinq–six–sept, expire par la bouche, un–deux–trois–quatre–cinq–six–sept–huit. Et recommence, inspire, bloque, expire.*

Finalement, le monde se calma suffisamment pour qu'il puisse lever la tête et s'éloigner de la vieille puanteur d'urine et d'excréments. Au bout d'une ou deux minutes de plus, il pouvait respirer presque normalement. Une de plus, et il parvenait à se remettre debout.

Il chercha son téléphone portable dans sa poche. Il hésita, sachant qu'il ne devait pas utiliser son téléphone principal, mais il n'avait pas le temps d'aller chercher l'autre. Pour la cinquième fois de la soirée, il appela Collins. Écouta la tonalité, convaincu qu'elle ne répondrait pas.

— Allô ?

Il réprima un hoquet de surprise.

— Allô ? Ronnie ?

— Mary, écoutez-moi. Ne venez pas au bureau. Ne rentrez pas chez vous. Retrouvez-moi dans une demi-heure. Vous savez où.

— Ronnie, qu'est-ce qui se…

Whiteside raccrocha, fourra le téléphone dans sa poche. Il tira la chasse d'eau, sortit de la cabine, se lava les mains. Puis il traversa le bureau à grands pas sans un regard pour Mitchell, Showalter ou Abrahms, et gagna sa voiture.

Danny s'éveilla dans une obscurité totale, avec l'impression nauséeuse d'être en train de tomber, désorienté. Quelques instants s'écoulèrent avant qu'il se rappelle où il était : dans la réserve, à l'étage du magasin de meubles qu'il avait exploré un peu plus tôt.

Après avoir laissé Audra à la pension, il avait directement regagné sa voiture et quitté Silver Water, s'éloignant de la plaine pour monter dans les collines. Là, il s'était arrêté pour attendre que le ciel vire du bleu sombre au noir.

Il avait regardé le ruban orange, à l'horizon, se faire dévorer par les montagnes, et songé à la beauté de cette région. Danny ne s'était pas souvent aventuré hors de San Francisco dans sa vie. Mya avait parlé de voyager quand Sara serait plus grande. D'explorer l'Amérique, peut-être même l'Europe. Ce rêve était devenu poussière, comme sa femme.

Quand l'obscurité eut englouti la terre, il retourna en ville, longeant tous phares éteints les maisons basses des abords, puis franchit le pont et tourna dans la ruelle au bout de la rue principale. Là, il laissa sa voiture, invisible depuis la rue, et longea l'arrière des propriétés jusqu'au moment où il retrouva le magasin de meubles. En deux minutes, il était à l'intérieur ; l'endroit ne possédait pas d'alarme. À l'étage, il trouva un carton plein de coussins. Il le vida, ménagea une sorte de nid, et programma son téléphone pour qu'il sonne à 3 heures du matin.

Bien réveillé à présent, lucide, il consulta sa montre :
2 h 46. Qu'est-ce qui avait bien pu le tirer de son sommeil ?
Il tendit l'oreille.

Là, du mouvement, un pas. Un frottement. Cuir sur
lino, tissu contre tissu.

Danny tendit la main vers le petit tas d'objets qu'il avait
posé à côté de son nid : chaussures, portefeuille, téléphone.
Il avait laissé le Smith & Wesson modèle 60 et les balles
dans la voiture de location, cachés dans le coffre, sous
la roue de secours, avec les câbles, la pince coupante, le
scotch, le couteau, et les autres articles qu'il avait achetés
à la quincaillerie, à Phoenix.

Bruit dans l'escalier. Deux paires de pieds. L'une plus
lourde que l'autre.

Il savait qui venait, et se sentit soulagé de ne pas avoir
emporté le pistolet. S'il l'avait eu, cela leur aurait fourni le
prétexte qu'il leur fallait pour l'abattre. Il se leva, mit ses
possessions dans ses poches, recula jusqu'au mur et leva
les mains en l'air.

Piétinements, chuchotements derrière la porte qui menait
à l'escalier. Un rai de lumière longea les contours du battant.

— Je vous entends, lança Danny. Entrez. Je ne suis pas
armé.

Silence pendant un instant, puis la porte s'ouvrit à la
volée, la lampe torche l'éblouit. Il abaissa la main droite
pour s'abriter les yeux.

Cliquetis, puis le néon du plafond s'alluma en grésillant.

Whiteside et Collins se tenaient devant lui, en civil l'un
comme l'autre. Collins braqua un Glock en direction du
torse de Danny pendant que Whiteside éteignait la torche.

— Que de passage, hein ? lança-t-il.

— Je me suis dit que j'allais rester un jour de plus, dit
Danny, les mains toujours en l'air. Comment m'avez-vous
trouvé ?

— Pas difficile. Je savais que vous ne quitteriez pas

la ville comme on vous l'avait ordonné, et il y a plein de propriétés inoccupées, alors j'ai cherché des signes d'effraction. Et vous voilà.

— Me voilà, confirma Danny.

— Vous auriez dû aller au motel de Gutteridge, reprit Whiteside. Ce n'est pas le luxe, mais, bon sang, c'est mieux que ça.

— Je ne suis pas difficile.

— Ouais, et vous avez la langue bien pendue, en plus. Du coup, ça me met dans l'embarras : est-ce que je vous arrête pour vagabondage, pour effraction, ou les deux ?

— Je pourrais aussi tout simplement m'en aller, suggéra Danny. Sans histoires.

— Sans histoires ? (Whiteside s'esclaffa.) Vous me faites marrer, là, carrément. Des histoires, vous en avez fait plein. Vous dites que vous n'êtes pas armé ?

— En effet, fit Danny en souriant. Dommage, hein ?

Whiteside lui rendit son sourire.

— Ma foi, ça aurait sans doute simplifié les choses. Ça ne vous ennuie pas que je vérifie, hein ? Mettez les mains sur la tête et avancez d'un pas ou deux.

Danny s'exécuta et se tint tranquille, sans rien dire, pendant que Whiteside le palpait de haut en bas et lui fouillait les poches. Le shérif examina ce qu'il trouva, passant en revue le contenu du portefeuille, détaillant les cartes, comptant l'argent. Il sortit le permis de conduire, lut ce qui y était mentionné puis le remit en place.

Il rendit portefeuille et téléphone à Danny, qui abaissa les mains, prit les objets et les remit dans ses poches.

Il vit arriver le poing de Whiteside, mais trop tard pour le dévier.

Le coup l'atteignit à la mâchoire gauche, lui fit basculer et pivoter la tête. Ses jambes se dérobèrent et la pièce se mit à tanguer. Il s'effondra, son épaule heurtant le sol en premier. Bien que son instinct lui clame de se relever et de riposter, il se contraignit à rester à terre. Sa vision et son esprit s'éclaircissant, il porta la main à sa joue, fit jouer sa mâchoire. Pas de fracture, peut-être une dent ébranlée mais c'était tout. Il avait connu pire.

— Debout, lança Whiteside.

Danny cracha par terre, vit du sang sur le lino.

— Je suis bien là, dit-il.

— Debout, nom de Dieu.

Whiteside lui décocha un coup de pied dans le flanc, sous les côtes. Danny sentit son diaphragme se convulser et l'air jaillir de ses poumons, le privant de souffle. Il tenta de se mettre à quatre pattes pour s'éloigner, mais Whiteside remit ça, lui cognant la cuisse, cette fois.

Danny roula sur le côté, leva les mains, il se rendait.

— Relève-toi, fit le shérif. Je te laisse dix secondes et ensuite je te défonce les côtes une par une.

Danny ramena les genoux sous lui, puis se mit à tousser au point que sa vision se déforma. Whiteside l'empoigna rudement sous le bras et le remit sur ses pieds.

— Maintenant, Mr Lee, fit-il en s'éloignant, j'apprécierais grandement que vous consentiez à mettre vos chaussures et nous accompagner dehors, l'agent Collins et moi-même.

— Vous m'arrêtez ?

Whiteside tira un revolver de l'arrière de son ceinturon. Il arma le chien et braqua le canon sur l'estomac de Danny.

— Non, dit-il. Je ne vous arrête pas.

39

Sean avait les mains en sang et mal aux épaules. Il avait tailladé le bois toute la nuit, enfonçant la lame, piquant, tournant, fourrageant, faisant pleuvoir éclats et échardes. En insérant la lame entre le bord de la trappe et son cadre, puis en la glissant tout le long, il avait réussi à situer l'emplacement du verrou. La trappe se composait de neuf planches maintenues entre elles par des traverses en Z. Il avait envisagé de dessertir le cadre, mais il savait que la lame casserait bien avant qu'il parvienne seulement à l'entamer. Il préféra donc concentrer ses efforts sur le verrou. La planche sur laquelle il était fixé ne faisait qu'un ou deux centimètres d'épaisseur, et le bois en était vieux. Pas pourri, mais moins solide que s'il était neuf. Malgré tout, c'était une besogne lente et dure, et le sang lui coulait sur les avant-bras.

Il avait marqué un temps d'arrêt un peu plus tôt pour se reposer et donner à Louise la deuxième dose d'antibiotiques. La première semblait déjà avoir fait de l'effet : son front était plus frais, elle frissonnait moins. Elle se tenait maintenant assise sur le matelas et regardait son frère perché en haut des marches.

— C'est presque fini ? demanda-t-elle d'une voix éraillée.

— Non, dit-il.

Après une quinte de toux grasse, elle demanda :

— C'est quand que tu auras fini ?

— Je sais pas. J'en ai encore pour un moment.

— Alors quand ?

— Dans un moment, dit-il en haussant le ton.

— Quand on sortira, on retrouvera maman ?

— Ouais.

— Elle sera où ?

— J'en sais rien.

— Alors où on ira ?

— J'en sais rien. On courra, voilà tout, aussi loin qu'on pourra.

— Mais où ?

— J'en sais rien. Écoute, recouche-toi et dors un peu. Je te le dirai quand ça sera fini.

Elle obéit, s'allongea sur le matelas, les mains jointes sous sa joue en guise d'oreiller. Sean s'en voulut un peu de l'avoir rabrouée. Mais il chassa cette pensée et se remit à l'ouvrage.

Un souvenir remonta du fin fond de sa mémoire : un sermon de son père, une des rares fois où Patrick Kinney avait tenté de communiquer avec son fils. Sur l'importance du fait de travailler dur. Rien de bon, dans la vie, ne pouvait s'acquérir sans qu'on y travaille dur. C'était ce qui lui avait valu sa fortune. Mais Sean soupçonnait que l'argent de sa grand-mère y était pour bien plus.

Pour le moment, il avait réussi à dégager deux des vis qui fixaient le verrou à la trappe. Il se disait qu'il devait y en avoir quatre. Tout ce qu'il avait à faire, c'était entamer le bois autour, pousser de toutes ses forces sur la trappe, et le verrou sauterait. Il avait mis des heures à localiser l'emplacement de la première vis, à partir de quoi il avait pu déterminer l'emplacement de la deuxième. Et voilà qu'il peinait maintenant à trouver la troisième.

Sean tenta sa chance plus près du bord. Il planta la lame, l'enfonçant de six ou sept millimètres. Puis il la fit jouer d'avant en arrière dans le sens du bois, puis dans le sens contraire, élargissant l'entaille. Nouveau coup de lame, et même jeu dans un sens puis dans l'autre, et un éclat de bois gros comme un ongle se détacha. À nouveau, il planta la lame et...

Là. Quelque chose de dur, de résistant. La vis. Il fallait maintenant qu'il en dégage le tour, qu'il effrite et détache le bois, mette la vis à nu, sans plus de support.

Il ne put s'empêcher de sourire largement, de savourer ce plaisir brut.

Quelques minutes plus tard, il avait dégagé environ les deux tiers de la vis. Il imaginait déjà les grincements et craquements que ferait le verrou en s'arrachant, la sensation de l'air sur leur visage quand Louise et lui seraient là-bas, dehors, parmi les arbres. Ce serait merveilleux. Encouragé, il fouilla plus fort, plus profond, enfonça la lame de plus belle.

C'est alors qu'elle cassa.

Il avait pesé de tout son poids sur le canif, mis toute la force de ses épaules. Quand la lame céda, il bascula, tomba en avant, tenant encore le manche entre ses doigts ensanglantés. Il le lâcha, tendit la main pour se rattraper à la rampe, qu'il empoigna, poussa un cri quand les échardes entaillèrent sa chair déjà à vif. Son corps se retourna autour de ce point d'appui, ses jambes suivirent le mouvement et il se reçut sur l'épaule.

Il se figea dans cette posture, une main sur la rampe, le dos contre les marches, et regarda le manche du canif dégringoler jusqu'à terre. Levant les yeux, il aperçut la lame, toujours plantée dans le bois. Du bout du pied, il trouva un appui et se redressa, examina sa paume et les échardes plantées dans le talon de sa main.

— Merde, fit-il en arrachant la plus grosse.

— Tu as dit un gros mot, lança Louise.

— Ouais, et je vais en dire d'autres.

Il leva à nouveau les yeux vers la lame, puis les baissa

vers le manche, comprit que leur unique chance venait de leur échapper. Il posa l'avant-bras sur ses genoux, baissa la tête. Puis se mit à pleurer, trop fatigué pour se soucier que Louise puisse le voir.

40

Ils roulaient depuis presque une heure, Danny au volant de sa voiture de location, Whiteside assis derrière lui. De temps à autre, Danny sentait le canon du pistolet au travers du dossier de son siège. Dans le rétroviseur, il voyait le phare unique de la moto, Collins qui les suivait.

La voiture tanguait et tressautait sur le chemin. Ils avaient quitté la route depuis un bon moment pour emprunter des chemins bruts que les fermiers utilisaient avec leurs 4×4 et leurs pick-up. Danny se fit la remarque qu'il ne s'était jamais trouvé aussi loin de la civilisation.

Une seule raison pouvait les pousser à l'amener dans ces parages. Ils ne chercheraient sans doute même pas à l'enterrer. L'abandonneraient dans le désert, et la voiture avec, laisseraient les charognards picorer ses restes jusqu'à ce que quelqu'un se pointe par hasard sur les lieux, d'ici des mois, voire des années. Il repensa à Sara et se demanda s'il la reverrait telle qu'elle était, figée à l'âge qu'elle avait lorsqu'elle était morte, ou si elle aurait grandi. Si quelqu'un lui avait posé la question, Danny aurait nié croire à ce genre de choses, mais tout au fond de lui il sentait le lien qui continuait de le rattacher à sa femme et son enfant.

Il pensa à Audra Kinney et ses enfants, savait qu'ils étaient en vie, quelque part dans le coin. Et se demanda s'il restait de l'espoir pour eux, ou s'ils étaient déjà perdus.

— Ralentissez, dit Whiteside.

Danny souleva le pied de l'accélérateur, le posa doucement

sur la pédale de frein. De trente à l'heure, ils passèrent à quinze, puis dix, se traînant.

— Prenez à gauche, là.

La voiture s'engagea en cahotant et cognant dans une faible descente, pilotée par Danny qui zigzaguait entre les cactus. Les phares dévoilaient, plus loin, les contours d'escarpements rocheux.

— Là, fit Whiteside. Entre ces deux-là. Maintenant, arrêtez-vous. Laisser tourner le moteur.

Danny serra le frein à main, posa les deux mains sur le volant. Il regarda Collins se ranger à côté de la voiture. Elle coupa le moteur de la moto, sortit la béquille d'un coup de talon et mit pied à terre, puis accrocha son casque au guidon. Pour la première fois, Danny remarqua le deuxième casque fixé derrière, et comprit comment le shérif et elle regagneraient la ville.

Collins tira son Glock de son étui, visa la tête de Danny à travers la vitre. Elle ouvrit la portière.

— Descendez, ordonna-t-elle.

Il s'exécuta, sans hâte, d'un mouvement fluide et délié. Collins ne put dissimuler que sa main tremblait quand elle agita le pistolet pour lui signifier d'aller devant la voiture. La portière arrière s'ouvrit et Whiteside sortit. Il contourna la voiture pour les rejoindre. Tous les trois étaient postés dans la lumière des phares.

— Je suppose que vous comprenez ce qui est en train de se passer, lança Whiteside.

— Ouais, fit Danny.

— Alors mettez-vous à genoux.

— Non, fit Danny.

Whiteside s'avança d'un pas.

— Quoi ?

— Je ne me suis agenouillé devant personne depuis la mort de mon père, dit Danny. Et ce n'est pas devant vous que je vais le faire, espèce d'enfoiré.

Du coin de l'œil, il vit bouger Collins dont le pied l'atteignit derrière le genou gauche. Sa jambe céda. Sa rotule s'enfonça dans les petits cailloux.

— Donnez-moi juste une réponse, lança-t-il.

— Désolé, mon ami, mais vous n'avez pas droit aux dernières paroles.

— Pourquoi faites-vous ça ? Vous savez ce que ces enfants vont subir. Vous pensez que le fric vous empêchera de faire des cauchemars ?

— J'ai combattu pendant la guerre du Golfe, dit Whiteside. J'ai vu plus d'horreurs que vous pouvez vous le figurer. Je n'ai pas réussi à dormir une nuit entière depuis que j'ai quitté l'armée, alors je ne crois pas que ça puisse aggraver beaucoup les choses pour moi. Quant au pourquoi de l'affaire, c'est assez simple. J'en ai ras le cul d'être fauché. J'ai cinquante-cinq ans et je ne possède rien. Rien de rien, bon Dieu. Ça vous suffit, comme raison ?

Danny plissa les paupières dans la lumière crue des phares, cherchant à croiser le regard de Whiteside.

— Ma fille s'appelait Sara, dit-il. Elle aimait la danse et la lecture. Elle voulait devenir gymnaste ou dresseuse de chiens, elle n'arrivait pas à choisir. Elle avait six ans quand elle a été enlevée. J'essaie de ne pas penser à ce qu'ils lui ont fait. Mais je ne peux pas m'en empêcher. Ça a tué ma femme. Et ça m'a tué, moi aussi ; sauf que je ne me suis pas couché.

— Bon, allez-y, fit Whiteside à Collins.

Elle posa le Glock contre la tempe de Danny. Il tourna la tête de façon à lire la peur sur son visage. La terreur. Ses épaules qui s'élevaient et s'abaissaient, les mouvements furtifs de ses yeux.

— Ils s'appellent Sean et Louise. Lui a dix ans. Elle, six. Le même âge que ma petite. Vous savez ce qu'ils vont leur faire.

— Fermez-la, fit Collins.

— Tirez, ordonna Whiteside.

— Vous avez des gosses ? demanda Danny. (Il vit une ombre passer sur ses traits.) Vous en avez, hein ? Deux ? Trois ?

— Fermez-la.

Whiteside s'avança un peu plus.

— Putain, Collins !

— Peut-être juste un, dit Danny. Un, c'est ça ? Fille ou garçon ?

Collins lui assena un coup de crosse à la nuque. Éclair blanc, éblouissant, derrière ses globes oculaires. Il tomba en avant, se réceptionna sur les mains, se releva.

— Vous faites ça pour votre gosse ? Tout pour que votre enfant à vous ne souffre pas, c'est ça ? Mais Sean et Louise, eux, ils vont souffrir. Le moindre dollar que vous dépenserez aura coûté à ces enfants leur...

Nouveau coup, nouvelle explosion de lumière, et cette fois Danny s'effondra, sable et cailloux lui éraflant la joue. Une vague de douleur nauséeuse enfla à l'intérieur de son crâne, comme un ballon qui gonfle. *Ne t'évanouis pas*, se dit-il. *Surtout pas.* Il posa les mains sous son torse, se releva à nouveau.

— Mais allez-y, nom de Dieu ! lança Whiteside. Il faut que je m'en charge ?

Danny l'ignora, se tourna à nouveau vers Collins, plantée là, les yeux écarquillés, le souffle rauque, les lèvres retroussées en rictus.

— Vous êtes vraiment prête à laisser Sean et Louise souffrir et mourir pour du fric ? (D'un hochement de tête, il désigna Whiteside.) Lui, il pourra vivre avec ça. Mais vous n'êtes pas comme lui. Hein ? Vous êtes capable d'affronter...

Elle pivota une nouvelle fois, mais Danny était prêt.

Il plongea de côté, de la main gauche, lui agrippa le poignet, l'entraîna dans son élan et la laissa tomber sur lui. De la main droite, il attrapa celle de la femme, lui retourna le bras et souleva, trouva l'index et appuya, déclenchant une détonation, puis une autre. Les deux balles sifflèrent au-dessus de l'épaule de Whiteside. Aucune chance de l'atteindre, mais ce fut assez pour que l'homme se jette à terre.

Danny arracha le pistolet à Collins, lui colla le canon chaud contre la tempe pendant que Whiteside rampait dans la poussière. Collins se débattit, mais Danny appuya plus fort sur le canon du Glock.

— Suffit, dit-il. Tenez-vous tranquille.

Elle obéit, et Danny posa les pieds à plat sur le sol, adossé à la calandre de la voiture. Il se redressa en poussant sur ses jambes, entraînant Collins avec lui. Whiteside se mit à genoux, mais Danny tira une nouvelle balle au-dessus de sa tête.

— À terre, fit-il. Jetez votre arme.

Whiteside s'humecta les lèvres, fléchit le doigt.

— Ne faites pas ça, lança Danny. Je vous explose la tête. Jetez votre arme.

Whiteside resta un instant figé, les yeux brûlants de haine. Puis il jeta son revolver, loin dans la flaque de nuit, hors de portée des phares de la voiture.

— Les mains sur la tête, ordonna Danny.

Puis, dans le creux de l'oreille de Collins :

— Sortez de votre poche les clés de la moto. Jetez-les là-bas.

Il agita le bout du canon du Glock en direction de l'obscurité. Collins s'exécuta. Il entendit un faible tintement dans le noir.

— Allons-y, reprit-il.

Il gagna à reculons le flanc gauche de la voiture, s'arrêta le temps d'ouvrir la portière du conducteur, et maintint le canon du pistolet braqué contre la nuque de Collins pendant qu'il ouvrait la portière arrière.

— Quand je vous le dirai, vous monterez en voiture et fermerez la portière, dit Danny. Allez-y.

Ils montèrent tous les deux en voiture, Collins devant, Danny derrière, pendant que Whiteside, furibond, les regardait faire. Les portières claquèrent à l'unisson.

— C'est bon, fit Danny tandis que Whiteside lui rendait son regard dans le faisceau des phares. Maintenant, ramenez-moi à Silver Water.

Collins partit en marche arrière, Whiteside hurlant par-dessus le bruit du moteur.

41

Audra rêva de la maison de son enfance. Une vieille maison aux abords d'une ville proche d'Albany. La grande cour avec un pommier tout au fond. Les chambres où elle avait peur d'entrer parce que son père avait dit : « Là, non, vous n'y allez pas. » Qu'on entre dans ces pièces-là le mettait en colère, le faisait jouer des poings, et du ceinturon.

Elle rêva de sa chambre tout en haut de la maison, de la façon dont la lumière y entrait à flots. En regardant par la fenêtre, allongée sur son lit, elle ne voyait que du ciel. Comme si la maison flottait loin au-dessus de la terre, et elle faisait alors semblant d'être Dorothée qui s'élevait en tourbillonnant vers le merveilleux pays d'Oz.

Le réveil, sur la table de chevet, la tira de son rêve, et elle eut l'impression de tomber de très haut, son corps rebondissant sur le matelas. Elle rassembla ses esprits, tout en se demandant à quelle heure elle s'était endormie. Peu après minuit, allongée tout habillée, elle avait contemplé le plafond en se demandant ce que faisaient Sean et Louise à cette heure.

En espérant qu'ils dormaient.

En espérant qu'ils n'avaient pas peur.

En espérant qu'ils étaient en sécurité.

Quand elle avait réglé la sonnerie sur 4 h 30, elle n'imaginait pas pouvoir glisser dans le sommeil, pourtant, elle l'avait fait, et elle en était heureuse. Elle s'assit, sortit du lit et gagna la salle de bains pieds nus. Là, elle urina, s'aspergea le visage et le corps d'eau froide devant le lavabo. Se regarda dans le miroir, vit de nouvelles rides autour de ses yeux et sa bouche, un peu plus de gris dans ses cheveux. Sans réfléchir, elle toucha son reflet, traçant du bout des doigts le contour de son visage.

Une émotion subite et nouvelle la submergea : le chagrin. Chagrin pour elle-même, pour la fillette qu'elle avait été, les années perdues dans un couple qui l'avait vidée de son âme, ne laissant derrière lui qu'une femme creuse. Trop tard pour rattraper ces années, mais pas trop tard pour l'avenir. Avec ses enfants, uniquement. Aucune utilité sans eux. Aucune utilité pour quoi que ce soit.

Revenue dans la chambre, elle enfila une chemise propre et la boutonna, toute mal ajustée qu'elle soit. Chaussettes propres, tennis trop grandes d'une pointure. Elle se coula hors de la chambre, referma la porte le plus doucement possible, pour ne pas réveiller Mrs Gerber. Les marches grincèrent sous son poids, la faisant chaque fois tressaillir. Elle rallia le vestibule, se dirigea vers la cuisine, au fond.

Elle ouvrit la porte, s'avança dans la pièce, et vit Mrs Gerber assise à la table, un mug de café devant elle, une cigarette à demi fumée posée sur le bord d'un cendrier propre. Les deux femmes se regardèrent un moment, surprises l'une et l'autre dans une activité qu'elles voulaient tenir secrète.

— Je n'en fume qu'une par jour, dit Mrs Gerber. Deux si j'ai des soucis.

Audra acquiesça et se dirigea vers la porte qui donnait sur le jardin.

— Vous prenez la fuite ? demanda Mrs Gerber.

— Non, dit Audra. Je vais chercher mes enfants.

Mrs Gerber lui adressa un regard appuyé, paupières plissées.

— Je ne leur ai pas fait de mal, dit Audra. Quoi qu'il advienne, souvenez-vous de ça, je vous en prie.

Mrs Gerber plongea la main dans la poche de sa robe de

chambre, en tira un trousseau de clés, le posa sur la table et le fit glisser vers Audra.

— Vous en aurez besoin pour ouvrir la porte et pour le cadenas du portail. (D'un hochement de tête, elle désigna le manteau accroché à la patère, à côté de la porte.) Vous les avez prises dans ma poche. Je les retrouverai dans la ruelle, d'ici un petit moment.

Audra prit les clés, poussa la porte-moustiquaire. Puis tourna la tête et lança :

— Merci.

Comme elle actionnait la clé dans la serrure, Mrs Gerber ajouta :

— J'ai tué mon mari.

Audra se figea, se retourna.

— Il y a presque quinze ans de ça, poursuivit Mrs Gerber. Il est rentré soûl, un soir, et je l'ai attendu en haut de l'escalier. Je ne l'ai même pas poussé. Pas vraiment. J'ai juste tendu la main, à la hauteur de son centre de gravité. Je me souviens encore de l'expression qu'il a eue. Choquée. Et c'est curieux, voyez-vous, mais je me sens davantage coupable de fumer une cigarette que d'avoir regardé cet idiot se fracasser le crâne.

Elle tira une nouvelle longue bouffée et ajouta :

— J'espère que vous les trouverez.

Audra la regarda un moment, puis acquiesça, sur quoi Mrs Gerber en fit autant. Audra se glissa dehors.

Une légère brise balaya la cour, rafraîchissante. Audra gagna le portail, ouvrit le cadenas et sortit dans la ruelle. Elle laissa tomber les clés sur la terre dure.

Elle jeta un coup d'œil dans un sens, puis l'autre, ne vit aucune trace de Danny. Sortit de sa poche le téléphone jetable qu'il lui avait donné la veille. Comme elle cherchait l'unique numéro que contenait la liste des contacts, le téléphone se mit à vibrer dans sa paume. Elle appuya sur la touche RÉPONDRE et plaqua le téléphone contre son oreille.

— Danny ?

— Ouais.

— Où êtes-vous ?

— À deux rues de la pension. Une voiture de la police d'État est en train de faire une ronde dans la rue principale ; ils ont l'air d'y aller mollo mais, quand même, on ne peut pas prendre le risque d'être repérés. Votre ruelle donne dans une autre, à une vingtaine de mètres sur votre gauche. Suivez-la jusqu'à la rue suivante, traversez, et continuez dans la ruelle d'en face. Je suis à l'autre bout. Mais faites attention. Ne vous laissez surtout pas voir, par qui que ce soit.

Audra coupa la communication, rangea le téléphone, et s'engagea dans la ruelle. Elle trouva l'embranchement sur la gauche, comme il venait de le lui dire, tourna et poursuivit jusqu'à la rue suivante. Une voix l'immobilisa à quelques mètres du bout de la ruelle.

— Allez ! lança un homme. Allez, bon sang !

Audra se plaqua contre le mur, aux aguets.

— Bon, d'accord, comme tu voudras, mais je te préviens que, si tu me refais le coup de chier sur le parquet, je te colle un bouchon dans le trou de balle.

Elle regarda un petit homme entre deux âges passer devant l'embouchure de la ruelle, traînant en laisse un petit bâtard trapu. L'homme disparut de sa vue, mais le chien s'arrêta, planté sur le trottoir. Il scruta la ruelle, l'arrière-train frémissant, et lâcha un jappement aigu, sur quoi la laisse s'agita, l'homme lançant au chien de s'amener, bon sang.

Audra compta jusqu'à dix avant de traverser la rue. Elle vit l'homme et le chien qui poursuivaient leur chemin sur le trottoir, le chien se retournant pour la regarder, l'homme tirant sur la laisse. Sur le trottoir d'en face s'ouvrait la ruelle, au bout de laquelle se trouvait une forme sombre qui pouvait être celle d'une voiture. À petites foulées, elle s'y engagea, tête basse, courant le plus silencieusement possible.

En atteignant l'autre bout, elle vit Danny dans l'ombre, appuyé contre une Chevrolet couverte de poussière. Elle s'approcha, hors d'haleine. S'arrêta à moins d'un mètre, vit le sang qui empoissait les cheveux de Danny, sa lèvre tuméfiée.

— Seigneur ! Mais qu'est-ce qui s'est passé ? demanda-t-elle.

Danny sourit, grimaça, porta le bout des doigts à sa lèvre.

— J'ai eu un petit entretien avec le shérif Whiteside. Tenez, j'ai quelque chose pour vous.

Il passa la main derrière son dos et tira de sa ceinture un pistolet. Quand il le lui tendit, la crosse la première, Audra recula.

— Ah, mon Dieu, non ! Pas de ça, dit-elle.

— Prenez-le, insista-t-il. Nous devons être armés.

— Mais je ne sais pas m'en servir.

— C'est un Glock, dit-il. Il n'y a pas de cran de sûreté. Il suffit de viser et d'appuyer sur la détente. Facile. Prenez-le.

Audra se rapprocha. Tendit la main, sentit le métal froid peser sur sa paume. Danny lui referma les doigts sur le canon, l'abaissa vers le sol.

— Ne touchez pas la détente, dit-il. Ne visez que si vous êtes prête à tirer. Compris ?

— Je crois, dit-elle. On va vraiment le faire ? Kidnapper Collins ?

Danny la regarda du coin de l'œil.

— Ah, je ne vous l'ai pas dit ?

Il attrapa la poignée de la portière arrière, qu'il ouvrit en grand, et recula d'un pas.

— Merde, alors, fit Audra.

L'agent Collins était allongée au pied de la banquette arrière, les chevilles attachées à l'aide de câbles à la structure métallique du siège passager, les poignets ligotés dans le dos, une longueur de scotch collée sur la bouche. Elle regarda Audra, les yeux écarquillés.

— Il y a une cabane au nord, dit Danny. Dans les bois,

en altitude, sur le plateau du Colorado, comme l'avait dit votre logeuse. À deux heures de route.

Audra sentit une chaleur lui monter aux yeux, et sa gorge se serrer. Elle prit Danny dans ses bras, lui déposa un baiser sur la joue, s'écarta quand il lâcha un sifflement de douleur.

— Merci, dit-elle.

— On ne les a pas encore trouvés, dit-il. Allons-y. Whiteside est encore dans la nature. Il faut qu'on soit partis depuis longtemps quand il arrivera ici.

Danny au volant, Audra sur le siège passager, ils prirent un chemin de terre menant hors de la ville en direction de l'est, puis obliquant au nord. Le soleil perçait derrière les montagnes, face à eux, et la chaleur montait. Danny mit la climatisation. Il avait hissé Collins en position assise, la tassant contre la portière, les mains toujours liées dans le dos. Elle avait lâché un gémissement étouffé quand il avait arraché le scotch qui lui laissa un rectangle rouge autour de la bouche. Elle leur indiqua comment rejoindre ce chemin, itinéraire autrefois utilisé pour monter à la mine qui avait fermé des années plus tôt. Des ornières s'étaient creusées dans le sol poussiéreux au passage de gros engins, le fantôme de leur piste encore visible dans le jour naissant.

Au bout d'une vingtaine de minutes de mauvais chemin, ils rejoignirent une étroite route goudronnée qui serpentait dans les collines, ponctuée de longues montées rectilignes. La pression de l'altitude bouchait les oreilles d'Audra. Le soleil commença bientôt à griller le paysage alentour, et elle regretta les lunettes de soleil qu'elle avait laissées sur le siège passager de sa propre voiture. Elle abaissa le pare-soleil, mit la main en visière au-dessus de ses yeux.

Un souvenir vieux de quatre jours lui revint alors en mémoire. Une image isolée, mais claire et nette. Obéissant à cette vision, elle posa le dos de la main contre le pare-brise. Au bout d'une ou deux secondes, elle dut la retirer, la peau rougie par la chaleur. Elle se rappela avoir dit à Sean de tenter l'expérience. Il l'avait fait, s'était récrié, aïe, et avait retiré la main en gloussant.

Audra tourna la tête vers la vitre du côté passager, s'efforça de réprimer son souffle houleux et les larmes qui lui montaient aux yeux.

— Pour ce que ça vaut, dit Collins, je suis désolée.

Audra s'essuya les yeux et rétorqua :

— Allez vous faire foutre.

42

Il s'écoula une heure de plus sans qu'aucun d'eux ne dise un mot.

La route montait, montait, sinuait entre les collines comme un ruban débobiné. Ils croisèrent un autre véhicule, une camionnette pick-up conduite par un vieil homme aux cheveux gris. En passant, il souleva l'index du volant en guise de salut. Les longues étendues alternaient avec des virages en épingles à cheveux à mesure qu'ils gagnaient en altitude – le Mogollon Rim, se rappela Audra – et que la température s'abaissait au point que Danny finit par couper la climatisation.

Ils atteignirent un plateau et la route cessa de tourner. Tout autour, des pins, aussi loin que porte le regard d'Audra. Par endroits, le sol versait d'un côté ou de l'autre, et les forêts s'étendaient jusqu'à l'horizon. *Effroyable et magnifique*, pensa-t-elle, *des arbres et rien que des arbres sur des centaines de kilomètres.*

Mes enfants sont quelque part ici, tout seuls, songea-t-elle. *Mais je viens les chercher.*

Une question surgit dans son esprit, de nulle part, appelant impérativement une réponse.

— Combien ? demanda-t-elle.

Danny la regarda.

Audra se retourna sur son siège, regarda Collins.

— J'ai dit : combien ?

Sans cesser de regarder défiler le paysage, Collins répondit :

— Un demi-million. Ronnie touchait une part plus importante. Je ne connais pas le montant total.

— Un demi-million de dollars, répéta Audra. Qu'est-ce que vous comptiez en faire ?

— Payer à mon petit garçon les soins qu'il lui faut. (Les yeux de Collins s'embuèrent.) Il est malade du cœur. Les médicaments coûtent très cher, mon assurance n'en rembourse même pas la moitié. Ma mère a hypothéqué sa maison pour la deuxième fois, et la somme est presque épuisée. Chaque fois qu'il a une crise, il faut l'amener à l'hôpital, et il faut les payer eux aussi. Je n'ai plus rien. Rien. Je voulais juste que mon petit garçon guérisse. C'est tout.

Audra la dévisagea, détailla les traînées de larmes.

— Et vous étiez prête à sacrifier deux autres enfants pour qu'il guérisse.

— Oui. (Collins s'arracha à sa contemplation du paysage et soutint le regard d'Audra.) C'est que ce ne sont pas *mes* enfants.

L'atmosphère fraîchit encore dans l'habitacle. Audra se frotta les bras.

— Là-haut, à une centaine de mètres, dit Collins. Il y a un chemin de terre. Prenez-le.

Danny ralentit et s'engagea dans le chemin, franchissant à grand fracas une grille à bétail. Le sol était plus meuble, plus souple qu'en bas dans le désert, recouvert d'un matelas d'aiguilles de pin qui en atténuaient les reliefs.

— Suivez cette piste pendant quinze, vingt minutes. Ensuite, il faudra finir à pied.

Ils parcoururent en silence la distance qui convenait, puis Collins dit à Danny de s'arrêter.

Audra descendit de voiture, s'étira, frissonna dans l'air frais. Elle dut se rappeler qu'il était encore tôt, l'affichage de la voiture signalant qu'il n'était même pas encore sept heures et demie. Danny fit le tour de la voiture et ouvrit la portière arrière.

— Prenez le Glock, dit-il.

Audra se pencha à l'intérieur de l'habitacle et prit le pistolet dans la boîte à gants. Froid et lourd dans la main, le contact du métal la fit frissonner de plus belle.

— Gardez-le braqué sur elle, dit Danny. Si elle tente quoi que ce soit, tirez-lui une balle dans le bras ou la jambe. Ne la tuez pas.

— J'essaierai, répondit Audra, soulevant l'arme et visant la cuisse de Collins, au-delà de Danny, pendant qu'à l'aide d'une pince coupante il sectionnait les câbles qui maintenaient leur prisonnière.

Danny s'écarta et Collins descendit de voiture. Elle fit deux pas puis tomba, chuta lourdement sur l'épaule, incapable de se réceptionner avec les mains liées dans le dos.

— Merde, lâcha-t-elle.

— Allez, fit Danny en se baissant pour la relever. Marchez un peu. Réactivez votre circulation.

Ils lui laissèrent une minute ou deux pour récupérer, puis Audra demanda :

— Quelle direction ?

Collins regarda par-delà la voiture et répondit :

— Par là. À dix, quinze minutes de marche.

— En route, dit Audra. Marchez devant.

Collins quitta le chemin et partit entre les arbres, suivie de Danny et Audra. Ils avançaient lentement, Audra poussant Collins d'une bourrade entre les omoplates pour lui faire presser le pas. Collins titubait mais ne tombait pas. Elle tourna la tête vers Audra.

— Si vous me libériez les mains, je pourrais marcher plus vite, dit-elle. Je n'ai pas d'équilibre, comme ça.

Audra regarda Danny. Il haussa les épaules.

— Je ne tenterai rien, dit Collins. C'est encore vous qui avez les flingues.

— D'accord, fit Audra en pointant le Glock vers l'épaule de Collins.

Danny sortit de sa poche la pince coupante et s'approcha. Il sectionna le câble et le laissa tomber. Collins se massa les poignets, étira les bras, fit rouler ses épaules.

— Maintenant, en route, fit Audra.

L'air se fit un peu moins froid tandis qu'ils marchaient, et elle sentit la transpiration poindre dans son dos. Des oiseaux chantaient, haut dans les arbres, tandis qu'au sol des petites bêtes remuaient, s'activaient dans l'ombre. Audra gardait les yeux braqués devant, au-delà de Collins, cherchant la cabane.

Elle apparut alors, entre les pins.

Audra se figea. C'était là, ses enfants se trouvaient là-dedans.

Elle se mit à courir. Actionnant les bras, les pieds martelant le sol de la forêt, elle dépassa Danny, puis Collins, courut comme elle n'avait pas couru depuis des années, depuis l'école, quand elle courait par pur plaisir. Danny l'appela, mais elle l'ignora.

— Sean ! (Sa voix retentit parmi les arbres.) Louise !

Sans ralentir, elle déboucha dans la clairière, monta dans la véranda, et ouvrit la porte d'une poussée. Ses pieds dérapèrent sur le plancher quand elle tenta de s'arrêter, et elle perdit l'équilibre, atterrit sur la hanche, se releva, à quatre pattes, sans lâcher le Glock. Rampa jusqu'à la trappe ouverte, appelant leurs prénoms, appelant…

Ouverte ?

Elle vit alors que le bois était entamé sur la trappe retenue par ses chaînes. Vit le verrou arraché, par terre, le cadenas encore pendu après. Elle scruta la cave, constata qu'elle était vide.

Consciente qu'ils ne l'entendraient pas, Audra appela encore une fois ses enfants.

43

Sean et Louise continuaient à marcher. Louise traînait derrière, mais Sean avait renoncé à la cajoler pour lui faire presser le pas. Il s'était rendu compte depuis un moment qu'ils étaient perdus, alors à quoi bon se précipiter ? Mais il fallait qu'ils avancent, quoi qu'il advienne.

— Je veux de l'eau, lança Louise, trois mètres derrière son frère.

— Tu viens de boire, dit Sean. Je te l'ai dit, il faut qu'on la fasse durer. Je ne sais pas combien de temps on va devoir marcher. Peut-être pendant des jours. Il faut qu'on économise nos provisions.

Les provisions en question, Sean les portait dans un sac en plastique : deux bouteilles d'un demi-litre d'eau, quatre barres chocolatées, deux pommes et une banane. Il avait passé les anses du sac autour de son poignet, sa paume piquait et saignait encore. Le sac paraissait incroyablement lourd vu son contenu, et il avait l'épaule douloureuse. Mal dans les poumons, aussi. Il avait beau inspirer le plus profondément possible, il lui semblait qu'il n'avait jamais assez d'air. L'altitude, supposa-t-il, et visiblement Louise en souffrait aussi.

Il ne savait pas depuis combien de temps ils marchaient, mais se doutait que ça devait faire au moins une heure. Le chemin qui ramenait à la route n'étant pas si loin que ça de la cabane, il comprit qu'ils étaient partis dans la mauvaise direction. Il se le reprochait amèrement, maintenant. Dans sa hâte de s'enfuir, il n'avait pas fait attention à la direction qu'ils prenaient. Même s'il avait eu l'impression que le relief montait et descendait à mesure qu'ils marchaient, il aurait peut-être pu trouver un chemin menant en direction de la plaine, mais la forêt semblait garder la même altitude, malgré toute la distance parcourue. Peut-être pourraient-ils faire bientôt halte, partager une des barres chocolatées et la banane. Pas tout de suite.

Ce dont Sean avait envie par-dessus tout au monde, à part revoir sa mère, c'était s'allonger sur le matelas d'aiguilles de pin et s'endormir. Il n'avait pas dormi cette nuit, et ses mains saignaient encore de l'effort fourni. Le manche du canif était resté un temps interminable sur la marche du bas pendant qu'il le regardait, furieux que la lame ait cassé, furieux d'avoir cru que ça n'arriverait pas. Finalement, il avait descendu les marches et ramassé le manche, pour ensuite l'examiner.

Il s'aperçut alors que la lame ne s'était pas vraiment cassée. En fait, le manche s'était ouvert, les deux moitiés se désolidarisant, si bien que la lame était tombée. Il testa leur rigidité, les faisant plier entre ses doigts. Puis s'assit sur la marche du bas et examina de plus belle. Louise s'était endormie et ronflait sur le matelas. Un bon sommeil, pas la léthargie fiévreuse de ces derniers jours.

Il leva la tête vers la trappe et la lame toujours plantée à côté de la troisième vis. Une lame et un manche, c'était tout ce qu'il lui fallait, non ? Il suffisait qu'il trouve un moyen de les assembler à nouveau. En haut des marches, il examina la lame elle-même. Retira son T-shirt, s'en enveloppa la main droite, et empoigna le métal. Poussa, tira, et la lame ressortit.

Le talon épais de la lame se nichait sans peine dans le manche, si bien qu'il suffisait de serrer les deux moitiés autour. Quelque chose pour les lier ensemble. Baissant les yeux, il vit les lacets de ses chaussures. L'instant d'après, il était sur le point de reconstituer le canif. Mais il marqua un temps d'arrêt. Il y avait mieux à faire, non ?

Si. Si, bien sûr.

Il cala la lame à angle droit entre les deux moitiés du manche, de façon à former un T à l'envers. Il se représenta le dispositif : les trois pièces maintenues à l'aide de son lacet, avec peut-être un bout de son T-shirt pour se protéger la main. Sa décision prise, il ne mit pas longtemps à réaliser l'assemblage.

Il se remit alors au travail, son nouvel outil au poing, la lame pointant entre ses doigts, en partie emmaillotée dans le coton, qui n'en laissait dépasser que les deux ou trois centimètres de l'extrémité. Cette fois, il pouvait entamer le bois plus facilement. Malgré tout, il mit des heures, mais ça lui importait peu. Surtout quand il entendit le somptueux craquement qu'émit la trappe quand il la poussa.

À ce moment-là, il eut la conviction que tout allait bien se passer.

Il n'en était plus si sûr, maintenant.

Il s'arrêta, pivota sur lui-même, cherchant une trouée parmi les arbres. Une clairière, un bâtiment, une route. N'importe quoi. Mais il n'y avait rien d'autre à faire que marcher et espérer.

— On peut s'arrêter ? demanda Louise.

— Non, répondit-il, plus durement qu'il l'aurait voulu. Continue.

Il se rappela qu'elle était encore malade. Le pire de l'accès de fièvre était passé, mais l'avait laissée faible et fatiguée. Il lui redonnerait des médicaments quand ils s'arrêteraient.

— C'est ça, la nature sauvage ? demanda Louise.

— Je crois, oui, dit Sean.

— Les gens meurent, dans la nature sauvage, hein ?

— Des fois, peut-être, dit-il.
— Nous, on va mourir ?
— Non, dit Sean. On va pas mourir.
Ils continuèrent de marcher.

44

Audra pointa le Glock vers le front de Collins :

— Où sont-ils ?

Collins était dans la clairière, les mains en l'air.

— Ils étaient ici quand je les ai quittés hier soir. Je ne...

— Où sont mes enfants ?

Audra descendit les marches de la véranda et s'avança vers elle, prête à tirer.

— Je vous jure, dit Collins, que j'ai fermé la trappe hier soir. Ils étaient ici, je vous le promets, ils...

La main gauche d'Audra partit toute seule : elle gifla violemment Collins, qui tituba, la joue virant au rouge vif.

— Quel genre d'animal êtes-vous ? lança Audra.

Collins leva à nouveau les mains, et à nouveau Audra la frappa. Puis une troisième fois, en plein visage. Le sang jaillit du nez de Collins. Danny se mit en retrait, observa la scène d'un air impassible.

— À genoux, ordonna Audra.

Collins écarquilla les yeux.

— Quoi ?

— À genoux, répéta Audra, envahie d'un grand calme. Tout de suite.

Collins se mit à genoux, les mains en l'air, les paumes tournées vers Audra.

— Quelle que soit votre intention, s'il vous plaît, ne faites rien.

— Taisez-vous, dit Audra. Tournez la tête.

— Je vous en prie, supplia Collins.

Audra glissa l'index sur la détente du Glock, appuya le canon contre la tempe de Collins.

— Non, je vous en prie, dit Collins.

Audra regarda Danny.

— Faites ce que vous avez à faire, dit-il.

— Seigneur Jésus, mon Dieu, murmura Collins en joignant ses mains tremblantes, pardonne-moi car j'ai péché.

Une tache sombre se forma autour de l'entrejambe de son jean.

— Seigneur Jésus, pardonne-moi. Veille sur mon petit garçon, Seigneur, je t'en prie, et sur ma mère. Prends pitié de moi, je t'en prie.

Audra la regarda prier, se représenta la balle lui transperçant la boîte crânienne, l'existence de cette femme répandue sur le sol de la forêt.

— Et merde, fit-elle en relevant le Glock. Puis elle abattit le poing, écrasant la crosse sur le crâne de Collins. La force de l'impact lui ébranla le poignet, le bras, et jusqu'à l'épaule.

Collins s'effondra en avant, les paupières papillotantes, un filet de sang noir ruisselant de l'oreille vers la mâchoire. Elle marmonna quelques mots inintelligibles dans le tapis d'aiguilles de pin.

Danny regarda Audra de l'autre bout de la clairière.

— Et maintenant ? lança-t-il.

Audra pivota sur elle-même, examinant les fines traînées de brume qui flottaient entre les arbres.

— On cherche mes enfants.

— Ici ? (Danny la rejoignit.) Ils peuvent être n'importe où, à l'heure qu'il est.

— Dans ce cas, comment fait-on pour les trouver ?

Danny désigna Collins, encore à demi consciente par terre.

— On la ramène en ville. On la livre à Mitchell. Eux, ils peuvent organiser une battue, maintenant que nous savons d'où la faire partir.

— Il faut deux heures pour rebrousser chemin, dit

Audra. Et Dieu sait combien de temps en plus pour décider Mitchell et les flics d'État à bouger.

Elle fit un nouveau tour sur elle-même en se demandant dans quelle direction ils avaient pu partir. S'ils savaient où se trouvait le chemin, ils avaient dû vouloir le rejoindre pour le suivre jusqu'à la route. Elle plissa les paupières, cherchant quelque chose, n'importe quoi.

Elle se figea. Quoi, qu'est-ce que c'était ? Quelque chose avait accroché son regard. Elle pivota à nouveau, lentement, cherchant des yeux, sans trop savoir quoi. Guettant, fouillant, scrutant.

Là.

Du rose sur le fond brun du tapis d'aiguilles. Elle le perdit à nouveau quand la brise agita les branches basses des arbres, masquant la bribe de couleur. Sans un mot, elle se mit à courir, s'enfonça entre les arbres, se baissant pour esquiver les branches, sautant par-dessus les racines.

Était-ce… ? Se pouvait-il… ?

— Audra, attendez, cria Danny.

Elle ignora son appel, continua sans faiblir l'allure jusqu'à l'endroit supposé. Il était là : Gogo. Des aiguilles de pin piquées dans sa fourrure élimée le recouvraient presque entièrement. Audra s'arrêta, essoufflée, prise de vertige, se laissa tomber à genoux et ramassa le vieux lapin en peluche. Le vieux doudou dépenaillé qu'elle avait souvent eu envie de jeter à la poubelle, mais Louise y tenait tant.

Audra porta Gogo à son nez et inspira, s'emplit la tête de l'odeur de Louise.

— Oh ! mon Dieu, dit-elle tandis que ses yeux s'embuaient. Je viens te chercher, ma chérie.

Elle tourna la tête, vit Danny se frayer un chemin pour la rejoindre.

— Ils sont partis par ici, dit-elle. Nous pouvons les suivre.

Un bruit se fit entendre en provenance de la clairière, un gémissement animal. Danny fit volte-face. Audra regarda.

Collins se dirigeait en titubant vers l'autre bout de la clairière, bras écartés pour maintenir l'équilibre, tanguant de droite et de gauche.

— Merde, lâcha Danny avant de s'élancer vers la clairière en tirant un revolver de son ceinturon.

— Laissez-la, cria Audra.

Danny ralentit mais ne s'arrêta pas.

— Les clés sont dans la voiture. Si elle y arrive, elle nous laissera en rade ici.

— Tant pis, fit Audra. Laissez-la s'en aller.

Danny s'immobilisa, se retourna vers Audra.

— Regardez, fit-elle. C'est Gogo. Ma fille l'a perdu en route. Ils sont partis par là.

Il rebroussa chemin vers elle.

— Il y a combien de temps de ça ?

— Vous ne voyez pas ? insista Audra en caressant la fourrure de Gogo. (Un nouvel afflux de larmes déborda de ses yeux.) Il est sec. Tout le reste est trempé de rosée. Gogo est sec, lui. Ça veut dire qu'ils sont passés récemment. En les suivant, nous pourrons les trouver.

Danny s'approcha, s'accroupit, brossa Gogo du bout des doigts.

— Dans ce cas, autant y aller, dit-il.

45

Sean avait l'impression que ses jambes allaient le lâcher. Ses pieds lui faisaient mal, il sentait la douleur cuisante des ampoules à l'intérieur de ses chaussettes. Faire avancer Louise était devenu un combat de tous les instants. Tous les vingt mètres, elle demandait à se reposer, s'asseyait sur le tapis d'aiguilles de pin, qu'il lui en ait donné la permission ou pas. Par deux fois, il l'avait disputée, à un autre moment, il l'avait relevée en la tirant par le bras, et alors elle se mettait à pleurer, à gros sanglots déchirants.

— J'ai pas envie d'être méchant, disait-il, seulement, il faut qu'on continue.

Ils avaient donc marché pendant au moins une heure de plus, voire davantage, tantôt en montée, tantôt en descente. Sean n'avait aucune idée de la direction qu'ils suivaient, et il avait beau fouiller sa mémoire, il n'arrivait pas à se rappeler si le soleil se déplaçait d'est en ouest ou dans l'autre sens. La seule chose qu'il pouvait faire, c'était veiller à l'avoir toujours sur sa droite, sachant que c'était au moins une façon de garder un cap.

— Moi, je marche plus, lança Louise dans son dos.

Sean se retourna pour la voir tomber assise une fois de plus. Il rebroussa chemin à grands pas et s'assit à côté d'elle.

— D'accord, dit-il. Cinq minutes, pas plus. Après, il faudra continuer.

Il sortit une bouteille du sac, en dévissa le bouchon et la tendit à Louise. Elle but, puis la lui rendit. Sean avala une gorgée, la fit tournoyer dans sa bouche, puis rangea la bouteille.

— Je marche plus, fini pour aujourd'hui, dit Louise en promenant les doigts dans les aiguilles de pin brunies, traçant des petits chemins.

— Il faut quand même, dit Sean.

— Non, il faut pas. On peut faire un campement et on marchera de nouveau demain.

— Comment veux-tu qu'on fasse un campement ? rétorqua-t-il. On n'a pas de tente.

— On peut se fabriquer un abri avec des branches, dit-elle. J'ai vu ça à la télé.

— Je ne sais pas faire ça. Et on aura froid, cette nuit.

— On n'aura qu'à faire un feu.

— Je ne sais pas non plus faire ça. Tu sais, on est très haut, ici, en pleine montagne. Il pourrait y avoir des ours. Et des pumas. Peut-être même des loups, je sais pas.

— Dis pas ça, fit Louise, boudeuse.

— Mais c'est vrai, dit-il.

— Non, c'est pas vrai. Comment ça se fait que j'en voie pas ?

— Parce qu'ils sortent surtout la nuit. C'est pour ça qu'il faut qu'on continue d'avancer jusqu'à ce qu'on trouve de l'aide. Il ne faut pas qu'on soit dehors quand les ours et les loups se réveilleront.

— Tu racontes des mensonges, moi, je vais le dire à maman quand elle viendra nous chercher.

Sean attrapa la main de sa petite sœur et la serra dans la sienne, malgré sa paume à vif. Ils s'étaient beaucoup donné la main, ces derniers jours. Il n'avait pas le souvenir de l'avoir fait avant. Peut-être quand elle était toute petite ?

— Écoute-moi bien, dit-il. Tu te souviens que tu m'as demandé tout à l'heure si on allait mourir dans la nature sauvage ? J'ai dit que non, tu te rappelles ?

Louise acquiesça, renifla, s'essuya le nez d'un revers du bras.

— Eh bien, ça, c'était un mensonge, dit Sean. La vérité, c'est qu'on pourrait mourir. Si on ne continue pas de marcher, si on ne trouve pas d'aide, on pourrait mourir là, dehors. Peut-être pas ce soir, mais demain, ou après-demain. On pourrait mourir et ne plus jamais revoir maman.

Louise se mit à pleurer, le visage tout rouge, les épaules secouées de sanglots.

— Je ne dis pas ça pour être méchant, dit-il. Il faut juste que j'arrive à te faire comprendre qu'on doit continuer à marcher. Pour trouver de l'aide, quelqu'un qui puisse appeler maman, ou nous ramener là où elle est. Tu veux revoir maman, hein ?

Louise renifla et répondit :

— Ben oui.

— Alors on doit continuer. Tu es prête ?

Elle s'essuya les yeux et répondit :

— Ouais.

— D'accord. Alors on y va.

Sean se leva, aida Louise à en faire autant. Il s'apprêtait à partir quand elle le tira par la main. Comme il se retournait, elle noua ses bras autour de la taille de Sean, enfouit son visage dans son T-shirt.

— Je t'aime, Sean, dit-elle.

Il la serra contre lui.

— Moi aussi, je t'aime.

Ils se mirent en route parmi les arbres, main dans la main, le soleil toujours sur leur droite. À un moment donné, ils commencèrent à chanter. Des comptines, des chansons que Sean n'avait pas chantées depuis l'école maternelle et qu'il claironnait maintenant à tue-tête, écoutant sa voix retentir dans la forêt. *Le fermier dans son pré, ohé ohé ohé le fermier dans son pré, J'aime la galette, savez-vous comment,* et bien d'autres. Sean avait le tournis, pas assez d'air pour chanter dans de si hautes montagnes, mais il s'en moquait. Il chantait quand même, aussi fort qu'il le pouvait.

Il perdit la notion du temps à force de cheminer, et n'avait donc aucune idée de l'heure qu'il pouvait être quand les arbres commencèrent à s'espacer et qu'il vit un grand pan de ciel, plus loin.

— C'est quoi ? demanda Louise.

— J'en sais rien, dit-il en pressant le pas, tirant sa sœur derrière lui. Il aurait couru s'il avait pu. Quelques instants plus tard, ils sortirent de la forêt. Sean s'attendait à une nouvelle clairière, mais c'était tout autre chose.

Ils se trouvaient au sommet d'une faible pente couverte d'herbes et de broussailles, menant jusqu'à une étendue plate qui semblait interminable. Pareille à une poêle à frire, bords inclinés et fond plat, sauf qu'elle n'était pas ronde. Elle formait plutôt un vague ovale, et s'étendait sur la gauche comme sur la droite aussi loin que portait le regard de Sean. Face à lui, il distinguait l'autre côté de la cuvette, puis à nouveau des arbres. Et au centre cette étendue de terre nue fissurée, pareille à quelque paysage inconnu surgi d'une épopée spatiale.

— C'est quoi ? demanda Louise.

— Je pense que ça devait être un lac, dit Sean. Mais toute l'eau a séché.

— Elle est passée où ?

— Sais pas, dit-il. Elle s'est évaporée, je pense.

— Moi, je sais ce que c'est, dit Louise, l'air toute contente d'elle-même. Quand le soleil aspire toute l'eau, ensuite, ça fait de la pluie à un autre endroit.

— C'est vrai, dit-il. Je pense que c'est ce qui a dû se passer.

Un mouvement, loin, au-dessus des arbres, attira le regard de Sean. Un grand oiseau tournoyant au-dessus des pins. Il mit la main en visière pour s'abriter les yeux, observa les grandes ailes qui bougeaient à peine tandis que l'oiseau décrivait un arc immense dans les airs. Il semblait très éloigné, et pourtant si grand. Le corps et les ailes d'un marron foncé dense et la tête d'un blanc immaculé, de même que sa queue en éventail.

Sean tendit le bras.

— Tu sais ce que c'est, ça ?

— C'est quoi ?

— Un aigle chauve, dit-il. Je suis à peu près sûr que c'est ça.

— Il est drôlement grand, dit-elle.

— Ouais. On a carrément de la chance, tu sais ! C'est rare d'en voir un. La plupart des gens n'en voient jamais en liberté. Regarde, il va se poser.

Ils regardèrent ensemble l'oiseau se laisser planer jusqu'au sommet d'un des plus hauts pins, à au moins deux kilomètres de là, estima Sean, peut-être même plus. L'aigle ralentit, ramena les ailes en arrière, pattes tendues. Le pin se balança sous son poids.

Au-dessus de l'arbre, très haut dans les airs, un infime ruban gris, à peine plus qu'une volute.

Sean s'abrita les yeux, plissa les paupières, scruta.

Est-ce que c'était... ? Oui, c'en était.

— De la fumée ! s'écria-t-il, avant de lâcher un gloussement éperdu.

— Quoi ?

— Il y a de la fumée. Quelqu'un a fait un feu. Il y a quelqu'un, là-bas.

Il serra plus fort la main de Louise et s'engagea dans la pente qui menait au lit du lac asséché, le regard braqué sur le filet de fumée fantomatique.

46

Ils traversèrent la rue à grands pas, Showalter en tête, flanqué d'un policier en uniforme, tenant à la main le mandat d'arrêt. Mitchell suivait, Whiteside à son côté. Le shérif avait l'impression que son cerveau menaçait de lui jaillir des oreilles. La fatigue lui brûlait les yeux comme du sable, et il sentait que ses mouvements étaient saccadés.

— Nom d'un chien, vous êtes sacrément amoché, avait lancé Showalter quand Whiteside était arrivé au local, vingt minutes plus tôt. Le shérif avait tout juste eu le temps d'enfiler son uniforme, mais pas de se raser. Il s'était aspergé le visage d'eau froide, mais ça ne lui avait fait aucun bien.

Whiteside avait eu envie de rétorquer, ou peut-être de gifler cet imbécile de flic, mais il s'était retenu. Il se savait en piètre état, donc susceptible de gestes inconsidérés. Or, il ne pouvait se permettre aucune erreur.

Il avait mis des heures à retrouver la clé de la moto de Collins. Il avait tourné en rond, à tout petits pas, promenant sa lampe-torche dans les cailloux et les broussailles, craignant de tomber sur un serpent plutôt que sur la clé. Un crotale ou un serpent corail pouvaient salement aggraver une situation déjà critique. Ce fut seulement quand le soleil surgit derrière les montagnes qu'il aperçut enfin un scintillement métallique en provenance d'un endroit qu'il avait déjà exploré une dizaine de fois au moins. Il en avait gloussé de joie avant de porter la main à sa bouche, conscient de la note démente de son propre rire.

Il fallait qu'il se tienne. Il le devait.

Mais il sentait qu'il perdait pied. Il savait qu'il suffirait que quelqu'un tire la bonne ficelle et qu'alors il se débobinerait.

Tiens-toi, se dit-il.

Il pouvait sans doute dire adieu au fric, maintenant, mais il était encore libre, et avait bien l'intention de le rester. Il fallait juste qu'il règle deux ou trois choses. Premièrement, la femme. Une fois que Showalter lui aurait notifié son arrestation et l'aurait ramenée en cellule, Whiteside n'aurait plus qu'à trouver un moyen de la voir seule. Il se procurerait un bout de drap, une ceinture, peut-être même la jambe du pantalon qu'elle portait, lui passerait ça autour du cou et la suspendrait quelque part. Les gens se suicident à longueur de temps, en prison. Elle pouvait en faire autant.

Mais il fallait d'abord qu'ils l'arrêtent.

Showalter frappa à la porte d'entrée de la pension. La pâle silhouette de Mrs Gerber attendait déjà derrière la vitre, comme un fantôme errant dans le vestibule. Elle entrouvrit à peine la porte et glissa un œil.

— Madame, lança Showalter, j'ai ici un mandat d'arrêt concernant Audra Kinney. Ce document m'autorise à pénétrer dans les locaux et...

— Elle n'est pas là, coupa Mrs Gerber.

— Je vous demande pardon ?

— En descendant prendre mon petit déjeuner, ce matin, j'ai trouvé la porte de derrière ouverte, et le portail de la cour aussi. J'y suis allée et j'ai retrouvé mes clés par terre, dans la ruelle. En rentrant, je suis allée voir dans sa chambre, mais la dame n'y était plus. Elle a tout laissé en s'en allant.

Mitchell se tourna vers Whiteside, le visage empreint d'une rage contenue.

Showalter agita le mandat sous le nez de Mrs Gerber.

— Vous comprenez bien, madame, que mes collègues et moi allons devoir entrer et fouiller les lieux quand même, n'est-ce pas ?

Mrs Gerber recula en ouvrant grand la porte.

— Allez-y, faites ce que vous avez à faire.

Showalter et le policier disparurent à l'intérieur. Mitchell resta dans la véranda, les mains sur les hanches, secouant la tête.

— Vous n'avez aucune idée de l'endroit où Mrs Kinney a pu aller ? demanda-t-elle.

— Eh bien, répondit la logeuse, si vous voulez mon avis, elle est sûrement partie chercher ses enfants. Vu que personne d'autre n'a l'air de vouloir s'y mettre, je suppose qu'elle fait bien de s'en charger.

Mitchell se hérissa.

— Seriez-vous en train d'insinuer quelque chose, Mrs Gerber ?

— Rien qui me vienne à l'esprit, répondit la logeuse en secouant la tête. Si ce n'est que je sais reconnaître un fou quand j'en croise un, et un mensonge quand j'en entends un. D'ailleurs, shérif Whiteside, vous n'êtes pas le bienvenu chez moi. Alors je vous prierai de quitter ma véranda et de retourner jusqu'au trottoir.

La porte se referma et Whiteside pivota sur ses talons, descendit les marches et traversa la chaussée. Il entendit Mitchell arriver derrière lui en courant pour le rattraper.

— Laissez-moi tranquille, dit-il.

— Shérif, il faut que nous...

Whiteside fit volte-face, lui braqua l'index sous le nez.

— Soit vous m'arrêtez, soit vous me foutez la paix, d'accord ?

Il la planta là et se dirigea vers son bureau et le parking, derrière les locaux. Il craquait, craquait, craquait, tout se déglinguait. Ce monde à la con s'effritait et tombait en poussière. Il secoua la tête comme pour chasser une mouche importune.

— Ça se déglingue, lança-t-il tout haut, incapable de se retenir.

À mi-chemin vers le parking, son téléphone vibra dans

sa poche. Whiteside poussa un cri. Il s'empara de l'appareil, regarda l'écran : le numéro de son propre domicile. Il s'immobilisa. Son front se couvrit d'une sueur froide. Il enfonça la touche verte.

— Qui est à l'appareil ?

— C'est moi, fit Collins.

Whiteside fit un tour complet sur lui-même, cherchant Mitchell. Il ne la vit pas.

— Qu'est-ce que vous faites chez moi ?

— Je n'avais pas d'autre endroit où aller. Je ne peux pas aller chez moi. Et pas non plus au bureau.

— C'est bon, fit-il. Attendez-moi là-bas, personne ne doit vous voir. J'arrive bientôt.

Il courut jusqu'à la voiture de patrouille, monta à bord et démarra. Les pneus crissèrent sur le goudron quand il quitta le parking.

Whiteside tourna pour franchir le portail de sa cour. Sous l'auvent, il aperçut un véhicule recouvert d'une des vieilles bâches qu'il conservait au garage. *La voiture de location de Lee*, pensa-t-il. Il se gara contre le pare-chocs puis gagna à pied l'arrière de la maison. La porte-moustiquaire était entrebâillée. Il s'avança, posa le pied sur l'unique marche et vit que la porte avait été forcée. Elle grinça quand il la poussa pour entrer dans sa cuisine.

— Où êtes-vous ? lança-t-il.

Collins apparut dans l'encadrement de la porte du couloir. Elle avait la joue éraflée, tuméfiée, une coulée de sang commençait à sécher, provenant d'une plaie au cuir chevelu encore fraîche. Il attrapa un torchon près de l'évier et le lui lança. Le relent d'urine et de sueur qui émanait d'elle parvint aux narines de Whiteside.

— Nom de Dieu, vous êtes en train de foutre du sang partout chez moi, dit-il.

Elle appuya le torchon sur sa plaie.

— Je suis désolée. Je ne savais pas quoi faire.

— Qu'est-ce qui s'est passé ?

Des larmes jaillirent des yeux de Collins.

— Il m'a fait conduire jusqu'en ville. Là, il m'a ligotée sur la banquette arrière et il est allé chercher Audra Kinney. Ensuite, ils m'ont obligée à les amener jusqu'à la cabane.

Whiteside sentit quelque chose enfler derrière ses globes oculaires, éprouva comme un poids dans la mâchoire. S'il n'avait pas pu prendre appui sur la table de la cuisine, il serait sans doute tombé.

— Vous les avez amenés là-bas ?

— Je n'avais pas le choix.

— Vous les y avez amenés ?

Sa voix lui déchirait la gorge.

Collins laissa tomber le torchon sur une chaise et recula dans le couloir. Il la suivit, les poings serrés.

— Attendez, écoutez. Ils avaient disparu. Quand on est arrivés sur place, la trappe était ouverte et les enfants avaient disparu. Je ne sais pas où ils étaient. Si je ne m'étais pas enfuie, ils m'auraient tuée. Mais écoutez-moi, j'ai réfléchi. Nous avons encore une alternative. Il faut que nous nous rendions.

— Pas de ça, fit-il.

— Nous n'avons pas le choix ! lança-t-elle d'un ton suppliant tout en reculant dans le couloir.

Il la suivit.

— Taisez-vous, Mary.

— Il n'y a pas d'autre moyen, dit-elle.

— Fermez-la.

— On est foutus, quoi qu'il arrive maintenant, on va tomber. Si au moins je me rends, je pourrais peut-être obtenir un peu…

Il sentit l'arête nasale de sa collègue craquer sous son

poing, et l'éclair de douleur lui remonta jusqu'à l'épaule avant même qu'il se rende compte qu'il avait porté le coup.

Collins s'effondra d'un bloc. L'arrière de son crâne percuta le sol carrelé. Elle cligna des yeux pendant quelques secondes, fixant le plafond. Puis elle toussa, projetant au-dessus de son visage le sang qui lui coulait du nez sur les joues et la bouche.

— Putain, fit Whiteside. Putain de merde.

Il porta les mains à ses tempes et appuya, comme pour maintenir son cerveau en place, comme si son crâne risquait de se fendre et s'ouvrir s'il ne le serrait pas assez fort.

— Nom de Dieu ! cria-t-il d'une voix aiguë et geignarde.

Collins roula sur le côté, puis sur le ventre. Elle tenta de ramener les genoux, de ramper.

Whiteside s'agenouilla, tendit la main vers elle. Elle lui donna des coups sur les bras mais il la souleva, la serra contre lui.

— Pardon, dit-il. Je suis désolé. Je ne voulais pas faire ça.

Elle toussa à nouveau, lui maculant les manches d'éclaboussures rouges. Elle se tordait et se convulsait pour tenter de se dégager.

— Je suis désolé, répéta-t-il.

Le menton de Collins se nicha tout seul au creux du coude de Whiteside quand il lui glissa son bras droit autour du cou, son bras gauche lui maintenant le dessus du crâne. Il serra.

— Vraiment désolé, ajouta-t-il.

Elle rua, ses jambes pédalèrent, ses mains attrapèrent les bras puis les épaules de Whiteside, les ongles cherchant son visage.

— Je suis désolé.

Puis elle se figea. Quand il lui déposa un baiser sur le sommet du crâne, les larmes roulèrent de ses joues et trempèrent les cheveux de la jeune femme.

47

— Vous l'aimiez ? demanda Danny.

— Je croyais que oui, dit Audra. Et j'ai cru qu'il m'aimait, au début. J'avais envie que ce soit vrai. Je me disais que ça s'arrangerait. Qu'il changerait, mais il n'a pas changé.

Ils étaient assis, adossés au tronc d'un gros arbre, chacun d'un côté. Quelques minutes de repos dans leur marche folle au milieu des bois. Qui durait depuis presque deux heures, à en croire la montre de Danny. Audra n'avait plus de voix à force d'appeler ses enfants, sans rien entendre en retour que l'écho de ses propres cris. L'air étant rare, à cette altitude, elle n'aurait sans doute pas dû gaspiller son souffle, mais crier semblait la seule chose à faire.

Le téléphone ne captant aucun signal dans ces parages, ils n'avaient pas d'autre choix que de continuer à marcher. L'application boussole, sur le téléphone de Danny, leur permettait de garder le cap. Malgré tout, le risque de se perdre était réel. Plus loin ils s'aventuraient de la cabane où Sean et Louise avaient été emprisonnés, plus grand était le danger de ne pas parvenir à y retourner. Audra avait accepté de continuer pendant environ une heure et, s'ils ne trouvaient rien, de revenir sur leurs pas et redescendre jusqu'à la route, en espérant qu'une voiture vienne à passer.

— Parlez-moi de votre femme, dit Audra.

— Mya, dit Danny. Un vrai miracle. Elle m'a sauvé la vie. Sans elle, je serais en prison ou mort. Ma petite fille et elle étaient tout ce que j'avais. Et ces salauds me les ont prises. Quand je les trouverai…

Il n'eut pas besoin de finir sa phrase.

— J'espère que vous y arriverez, dit Audra.

— J'ai passé cinq années de ma vie à y réfléchir, dit Danny. À me dire que je n'aurais pas dû laisser Mya partir ce matin-là. J'aurais dû la supplier de rester. Mais j'étais trop orgueilleux, un sale con entêté. Et maintenant elles ne sont plus là et je ne les reverrai plus jamais.

Ils se turent dans le murmure des arbres qui les entouraient, rehaussé de chants d'oiseaux.

Audra entendit Danny renifler. Elle tourna la tête, vit qu'il avait posé la tête sur ses bras. Elle tendit la main, attrapa la sienne.

— On va y arriver, dit-elle. Quoi qu'on doive faire, on le fera.

Il serra sa main en retour.

48

Le lit du lac asséché était plus vaste que Sean l'avait cru. Ils mirent une éternité à le traverser, le sol était dur comme du roc sous leurs pieds. Le soleil s'étant dégagé des arbres, Sean en sentait la morsure sur sa peau, et la chaleur qui dissipait l'air frais de l'altitude.

Le temps qu'ils atteignent l'autre bout, le ruban de fumée s'était épaissi, assombri. Sean garda la main de Louise dans la sienne pendant qu'ils gravissaient la pente et s'enfonçaient à nouveau parmi les arbres. Le froid revint sitôt le soleil masqué par les branches.

Sean scruta les pins, éprouva un instant de panique en constatant qu'il ne voyait plus la fumée. Il s'arrêta, lâcha la main de Louise, et tourna sur lui-même.

— Qu'est-ce qui se passe ? demanda-t-elle.

— Je l'ai perdue.

— Quoi ?

— La fumée. Il faut qu'on suive la fumée, mais je ne la trouve plus.

Il tourna de plus belle, le regard rivé aux bribes de ciel qu'il discernait au travers des frondaisons. *Réfléchis*, s'ordonna-t-il. *Où est le lac asséché ?* Il se posta face à cette direction. À présent, où était l'aigle ? Il tendit le bras comme s'il s'agissait de l'aiguille d'une boussole, pivota jusqu'à ce qu'il soit sûr d'indiquer la bonne direction, puis leva les yeux et regarda intensément.

Là. Dieu merci, elle était là, la petite trace grise dans le ciel.

— Viens, lança-t-il en reprenant la main de Louise.

Ils se frayèrent un chemin entre les arbres. Sean ne lâchait pas des yeux la fumée, de peur de la perdre à nouveau. Mais ils avaient beau marcher vite, et marcher longtemps, la fumée ne semblait pas se rapprocher, fantôme sur fond bleu, mirage qui les attirait toujours plus profond dans les bois.

— On peut s'arrêter ? demanda Louise au bout d'un moment.

— Non, dit Sean. On y est presque.

— Tu disais déjà ça il y a longtemps, et on n'y est toujours pas. On peut s'arrêter et manger une barre chocolatée ?

— Non, dit Sean tout en pressant le pas et en serrant plus fort la main de sa petite sœur. Encore un petit peu et on s'arrête, c'est promis.

Il regarda une nouvelle fois le ciel et s'arrêta si brutalement que Louise le percuta.

Plus de fumée. Il l'avait reperdue. La panique menaçait de l'envahir. Ils étaient maintenant trop loin du lac asséché pour l'utiliser comme point de repère. Sean n'était même pas sûr de pouvoir le retrouver en rebroussant chemin.

— Merde, fit-il.

— Tu as dit un gros mot, dit Louise.

— Je sais. Tais-toi une seconde.

Guetter, fouiller, scruter. Il contempla le ciel jusqu'à en avoir mal aux yeux. Il n'osait pas faire demi-tour de peur de perdre complètement leur direction. Il se concentra et se déconcentra, cherchant même la plus infime volute. Rien. Il abaissa les yeux, prêt à renoncer, mais quelque chose attira son attention. Une petite tache orange fugace. Il releva la tête, observa les arbres.

Là, à nouveau. Comme un œil rougeoyant qui clignait au loin. Un feu, il en était sûr.

Sean lâcha le sac de provisions, empoigna la main de Louise et se mit à courir, l'entraînant à sa suite. Elle protesta, mais il continua, courant aussi vite qu'il le pouvait en la remorquant. Bientôt, une clairière apparut, trouée de lumière entre les arbres.

— Tu vois ? demanda-t-il, le souffle haché.

— Non, dit Louise. Moins vite !

— Regarde, dit-il, c'est un feu.

Il l'apercevait à présent, un bouquet de flammes dansant au-dessus d'un baril métallique. La clairière se rapprochait, Sean courait de plus en plus vite, oubliant ses ampoules aux pieds. Entre les troncs, il distinguait maintenant une petite cabane. Une camionnette pick-up d'un rouge terne sur le fond de verdure.

Ils surgirent dans la clairière et Sean fit halte. D'une pression, il signifia à Louise de s'arrêter. Le baril était installé devant une cabane, couvert d'une grille en fer que léchaient les flammes. Personne en vue.

Des aboiements furieux éclatèrent, qui les firent sursauter. Louise se rapprocha de Sean. Du coin de la cabane sortit un chien, un bâtard dépenaillé au pelage noir et blanc et aux yeux orange luisants. Il s'avança vers les deux enfants, les babines retroussées. Sean se plaça devant Louise, les bras écartés, pour la protéger.

— Qu'est-ce qui se passe, Constance ?

Un vieil homme en treillis kaki délavé sortit de derrière la cabane, les bras pleins de bouts de carton et vieux journaux. En voyant Sean et Louise à la lisière de la clairière, il s'arrêta.

— Tais-toi, Constance.

L'animal continua d'aboyer.

— J'ai dit tais-toi, Constance, nom de nom !

Les aboiements se muèrent en un grondement sourd. La chienne gardait les yeux rivés sur les visiteurs.

— Couchée, lança le vieil homme. Couchée, Constance, file. M'est avis que ces deux-là sont un peu petits pour venir nous cambrioler.

Constance trottina jusqu'à la véranda, se retournant

pour regarder Sean et Louise, et se coucha en rond dans un panier. Le vieil homme alla jusqu'au baril, laissa tomber sa brassée de carton et journaux, et retira la grille à l'aide d'une paire de pincettes. Puis il ramassa son chargement et jeta le tout au feu. Un envol de flammes et d'étincelles bondit du baril, accompagné d'un surcroît de fumée. Il remit la grille en place avant de se tourner vers Sean et Louise.

— Alors, vous deux, qu'est-ce que des petits gosses comme vous fabriquent ici, dans le trou du cul de nulle part ?

Sean s'avança. La chienne redressa la tête et aboya. L'homme lui cria de se taire, nom de nom. Puis il se retourna vers Sean et dit :

— Explique-toi, mon gars.

— On est perdus, monsieur. On a besoin d'aide.

Le regard du vieil homme alla de Sean à Louise, puis revint au garçon.

— Ah bon ? Eh ben, alors, je crois que vous feriez bien d'entrer, dit-il.

49

Whiteside fourra dans son sac les quelques centaines de dollars qu'il lui restait. Il enjamba le corps de Collins et posa le sac à côté de la porte de derrière. Quelques vêtements et le peu d'argent qu'il avait. Pas très reluisant, comme bilan d'une vie.

Des considérations du même genre n'avaient pas cessé de l'accabler tout au long de l'heure qu'il venait de passer à écumer la maison, rassemblant tout ce qu'il avait besoin d'emporter. Comme quoi, au bout de cinquante-cinq ans, il n'avait toujours rien à son actif. Chaque fois que cette idée resurgissait, il s'arrêtait net, emporté par une vague de chagrin et de remords, tâchant de ne pas se mettre à pleurer comme un gamin.

Il n'avait aucune idée de sa destination. Descendre vers la frontière semblait le choix évident, mais, une fois qu'il serait au Mexique, que faire ? Avec trois cents dollars et un peu de petite monnaie, il n'irait pas bien loin. Mais quelle autre solution lui restait-il, maintenant ?

Son dernier soin fut de détruire toute trace de ses conversations sur le Dark web. Son vieil ordinateur portable était posé sur la table de la cuisine. Il n'y connaissait pas grand-chose mais savait que, si les fédéraux mettaient la main dessus, ils trouveraient forcément tout ce qu'il leur fallait le concernant.

En plus d'un cadavre dans son couloir ?

Un gloussement ridicule lui monta à la gorge. Il porta la main à sa bouche. Ça devenait trop, pensa-t-il. La folie perçait et explosait avant même qu'il puisse la réprimer. Plus de ça. L'heure était venue.

Il attrapa l'ordinateur, le retourna et en examina le dessous. Un cache rectangulaire pourvu d'une encoche permettait d'accéder au disque dur. Il glissa l'ongle dans l'encoche et déverrouilla le cache, retira le disque dur, en arracha le câble ruban et le jeta par terre. Sa boîte à outils se trouvait dans le bas du placard. Il en sortit le marteau arrache-clou et s'accroupit à côté du disque dur. Cinq ou six coups bien assenés, et il jugea que le disque dur était on ne peut plus détruit. Il en laissa les morceaux par terre et gagna le couloir, enjambant une fois de plus le cadavre de Collins.

Whiteside s'arrêta, regarda la morte.

Que faire ? Il pouvait se contenter de la laisser là, sachant que Mitchell et ses collègues viendraient le chercher à un moment ou un autre et trouveraient Collins. Ou tenter de la dissimuler. Peut-être la mettre dans le coffre de la voiture de location garée dehors ?

À quoi cela servirait-il ? Peut-être à rien, mais il avait le sentiment qu'il fallait le faire quand même.

Comme il se penchait pour empoigner les chevilles de Collins, son téléphone se mit à vibrer dans sa poche, lui arrachant un cri. Il l'attrapa, regarda l'écran, ne reconnut pas le numéro. Son pouce enfonça la touche verte. Il approcha l'appareil de son oreille, sans rien dire.

Au bout de quelques instants, une voix masculine lança :

— Allô ?

— Qui est à l'appareil ? demanda Whiteside.

— C'est Ronnie ?

— Oui. Qui est à l'appareil ?

— Salut, Ronnie, comment vas-tu ? C'est Bobby McCall, de Janus.

Le shérif Bobby McCall, qui avoisinait les soixante-dix ans, officiait dans le comté de Janus depuis plus de quarante ans. Il avait deux assistants de plus que Whiteside, et un budget plus confortable.

Whiteside s'éclaircit la voix, se ressaisit.

— Salut, Bobby, qu'est-ce que je peux faire pour toi ?

— Écoute, je viens de recevoir un appel radio de John Tandy, un vieux encore plus croulant que moi qui vit au diable dans la forêt. Il habite un endroit perdu au milieu de nulle part, pas très loin du lac Modesty, ou de ce qu'il en reste depuis la sécheresse. Ce vieux foutraque était déjà survivaliste bien avant que le mot existe. Il habite là-haut avec ses flingues et ses couteaux, et n'en sort jamais sauf pour aller faire des provisions à peu près une fois par mois. Toujours est-il que John m'a appelé par radio – il n'a pas le téléphone, là-haut – pour me dire que deux gamins venaient de se pointer sur le pas de sa porte.

Whiteside déglutit, submergé par une vague vertigineuse.

— Deux gamins ?

— Ouais, m'sieur, un gars et une fille. Il dit qu'ils sont sortis du bois et lui ont demandé de l'aide. Évidemment, j'ai pensé à ce qui se passe chez toi, à Silver Water, et j'ai appelé ton bureau. Pas moyen de joindre quelqu'un, alors j'ai essayé ton numéro de portable. J'espère que tu ne m'en voudras pas.

Whiteside posa le front contre le mur.

— Pas du tout. Le père des gamins a promis une récompense, du coup, les lignes téléphoniques sont saturées d'appels. Tu as bien fait. Merci.

— De rien, mais le truc c'est que, comme je disais, John Tandy est le vieux foutraque par définition. Il y a à peine deux mois de ça, il m'a passé un appel radio pour me dire que des types du gouvernement, NSA, services secrets ou je ne sais quoi, l'espionnaient depuis les bois. Le mois d'avant, c'étaient des soucoupes volantes qui survolaient le lac, sauf que pas des vraies soucoupes volantes mais des engins expérimentaux que le gouvernement testait. Donc il faut que je précise : il y a de grandes chances pour que le vieux John ait entendu parler du remue-ménage d'en bas, dans le comté d'Elder, des deux gamins portés disparus, et qu'il se soit simplement imaginé les voir surgir devant chez lui. Je dirais même que c'est probable. Il a proposé de me les amener en voiture, mais je me suis dit que j'allais d'abord en discuter avec toi, voir comment tu voulais procéder.

— Ne le laisse pas déplacer les gosses, répondit Whiteside trop vite, d'un ton trop coupant. Il souffla. C'est le FBI qui mène la danse, et personne d'autre. Il y a la bonne femme, Mitchell.

— Cette dame noire que j'ai vue à la télé ?

— Ouais, voilà. C'est une dure à cuire, qui ne supporte pas qu'on prenne des décisions pour elle. Tu vois le genre. Elle va vouloir former une équipe pour monter chez le vieux. Si elle apprend que je t'ai laissé te débrouiller sans elle, elle me les coupera en rondelles. Il vaut mieux lui passer la main.

— Je me demande, dit McCall. Comme je disais, John Tandy est un survivaliste, sa cabane est truffée de flingues du sol au plafond. S'il voit s'amener des fédéraux, il est capable de sortir en canardant.

— Je vais te dire un truc, répondit Whiteside, je pourrais souffler à Mitchell et son équipe de s'arrêter à ton bureau en passant et de t'emmener avec eux ? Comme ça, tu pourrais arrondir les angles avec le vieux Tandy.

Silence pendant que McCall réfléchissait.

— Ma foi, ça pourrait se faire, dit-il. Comme je te l'ai dit, il est plus que probable que ça sera une pure perte de temps pour tout le monde. On va monter là-haut et le vieux John Tandy nous dira que les gamins sont partis il y a dix minutes. Mais si c'est comme ça que tu penses faire… Tu as un numéro où je pourrais la joindre ?

— Ne t'inquiète pas, je vais transmettre, dit Whiteside.

Toujours ça que tu n'auras pas à faire. Tu connais les coordonnées GPS de l'endroit ?

— Ouais. Tu as de quoi noter ?

— Bien sûr. Vas-y.

Whiteside se griffonna les chiffres sur le dos de la main, remercia McCall et raccrocha. Puis il s'adossa au mur et une cascade de gloussements afflua en lui. Il rit si longtemps et si fort qu'il en avait le tournis et les genoux tremblants. Quand il pensa ne plus être en mesure de supporter ça, il se gifla très fort, une, deux, trois fois. Ses pensées s'éclaircirent brutalement.

Il se redressa et lança :

— Bon. Tu sais quoi faire.

Le corps de Collins n'avait plus d'importance, désormais. Ils la trouveraient bien assez tôt, quoi qu'il fasse d'elle. Il devait maintenant s'atteler à une tâche plus urgente.

Whiteside quitta la maison par la porte d'entrée et gagna le côté passager de sa voiture de patrouille. Il ouvrit la boîte à gants, passa la main sous le tableau de bord et trouva le téléphone. Il attendit que l'appareil s'allume et ouvrit le navigateur Internet. Aussitôt, il se connecta au forum.

Nouveau message.

De : AssistantRouge

Objet : Re : Articles à vendre

Cher AZMan,

L'échange aura lieu aujourd'hui, à 16 heures, à l'endroit convenu. Quand ce sera chose faite, les sommes seront déposées sur le compte que vous avez mentionné. Veuillez confirmer, je vous prie.

Une fois de plus, je vous rappelle à quel point la prudence est importante. La sécurité est notre souci premier.

Cordialement,

AssistantRouge

Whiteside enfonça la touche RÉPONDRE :

À : AssistantRouge
Objet : Re : Articles à vendre
Cher AssistantRouge,
Je confirme que l'échange se fera aujourd'hui à 16 heures,
comme convenu.
Meilleurs sentiments,
AZMan

Il envoya le message, éteignit le téléphone et le fixa à sa place, sous le tableau de bord. Puis il regagna la maison, prit son sac et retourna à la voiture. Quelques minutes plus tard, il avait entré dans le GPS de son téléphone ordinaire les coordonnées dictées par McCall et quittait sa cour à bord de son véhicule de patrouille.

Une heure cinquante-quatre, annonçait le calculateur d'itinéraire.

Dans moins de deux heures, il les aurait récupérés.

Quelques heures de plus et il serait en route vers le sud et la frontière, avec trois millions de dollars en poche.

50

Forum privé 447356/34
Admin. : RR ; membres : DG, AD, FC, MR, JS
Fil de discussion : Ce week-end
Initiateur : RR

De : RR, samedi 10 h 57

Messieurs, c'est parti. Le vendeur a confirmé la remise des articles dans l'après-midi. Mon assistante s'en occupera. Mon chauffeur passera prendre les arrivants à l'aéroport en deux groupes : à 17 heures et 18 heures, respectivement.

N'oubliez pas : nous avons également trois articles d'importation, de quoi nous occuper.

Dans l'attente de vous retrouver tous, mes amis, pour passer une charmante soirée.

De : DG, samedi 11 h 05

Je pars à l'instant pour l'aéroport, j'espère dormir un peu pendant le vol. J'ai hâte de vous retrouver tous, mais plus encore de voir les articles.

De : FC, samedi 11 h 13

Idem. À bientôt.

De : MR, samedi 11 h 14

Suis en route. Ce sera une soirée inoubliable.

De : AD, samedi 11 h 20
Je suis ravi que tout soit en bonne voie. À très vite !

De : JS, samedi 11 h 27
Magnifique. Encore merci à vous tous qui m'avez permis de me joindre au groupe. Je ne saurais vous dire à quel point j'apprécie de rencontrer des gens dont les goûts correspondent aux miens. Je me suis si souvent senti seul, sur la touche, avec mes sentiments, mais c'est terminé.
Merci à vous, RR, de vous être procuré ces articles. Nous avons tous vu les photos aux actualités, et vous aviez entièrement raison, ils sont magnifiques.

51

Danny s'arrêta et s'appuya d'une main contre un arbre, hors d'haleine. Il sortit son téléphone de sa poche, consulta la boussole. Pour autant qu'il le sache, ils avaient suivi la direction que, selon eux, les enfants avaient empruntée en plus ou moins droite ligne. N'ayant jamais été scout, il ne connaissait strictement rien à l'orientation, mais ils avaient semblait-il tenté le coup comme il convenait. Ils n'avaient rien trouvé, mais au moins essayé.

— On devrait rebrousser chemin, maintenant, lança-t-il, sachant qu'elle allait regimber.

— Non, rétorqua Audra. Ce sont des enfants. Ils ne peuvent pas être allés bien loin. On ne peut pas laisser tomber.

— Il ne s'agit pas de savoir jusqu'où ils sont allés, dit-il. (D'une poussée, il s'écarta de l'arbre et se retrouva face à face avec elle.) Ils n'ont aucun moyen de s'orienter. Ils ont pu dévier dans n'importe quelle direction. Et il n'est pas question de laisser tomber, mais de rebrousser chemin par où nous sommes venus, retrouver la route, essayer d'atteindre une ville. Là, on pourra joindre Mitchell, lui expliquer ce qui s'est passé, et ils organiseront une battue. Ils ont des avions, des chiens, tout le nécessaire. Ils savent, eux, comment chercher quelqu'un dans un coin comme ici. Nous, pas.

Les yeux d'Audra s'emplirent de larmes qu'elle essuya du revers de la main.

— Mais on est tout près. Ils sont ici, je le sais.

Danny la prit dans ses bras.

— Plus on avance, plus on perd de temps. On ne peut pas continuer à errer comme ça. Si ça se trouve, quelqu'un les a déjà retrouvés. Il faut qu'on rejoigne une ville, ou qu'on aille quelque part où les téléphones fonctionnent, et qu'on appelle Mitchell.

— Encore une heure, supplia-t-elle. Une demi-heure.

— Non, Audra, il faut que…

Elle écarquilla soudain les yeux et lui plaqua une main sur la bouche.

— Écoutez, dit-elle.

Il obéit, n'entendit rien. Il retira la main d'Audra et inspira, prêt à protester, mais elle remit la paume devant ses lèvres pour le faire taire.

— Écoutez.

Alors il entendit. Un vrombissement pas très loin. Un grondement mécanique. Le bruit d'un moteur, croissant et décroissant à mesure qu'il égrenait ses vitesses.

— Par ici, fit Audra. On court.

Elle s'élança parmi les arbres et Danny suivit. Bien qu'il ait mal aux poumons, aux jambes, aux reins, il soutenait le rythme, courant quelques mètres derrière Audra. Il vit, plus loin, les arbres se raréfier, la lumière changer. Une route ou un chemin, là-bas. Le bruit du moteur s'amplifiait.

Le chemin – ce n'était guère que ça, il le distinguait, maintenant – montait en pente vers la gauche, menant plus haut dans la forêt. Au bas de la pente, sur la droite, Danny aperçut une tache blanche. Une voiture, gravissant péniblement la côte, le moteur lancé.

— Allons-y, lança Audra, essoufflée, atteignant presque la lisière des bois.

La voiture se rapprocha et Danny distingua l'insigne doré, l'inscription bleu foncé. Les gyrophares rouge et bleu sur le toit.

— Non, s'écria-t-il. À terre.

Si Audra l'entendit, elle n'en laissa rien paraître. Elle continua de courir, ses pieds martelants le sol. Danny puisa au fond de lui-même pour une ultime accélération. L'effort lui arracha un cri, mais il attrapa le bas de la chemise d'Audra, s'y agrippa. Elle tomba à genoux et il s'abattit de tout son poids à côté d'elle.

— Qu'est-ce que vous...

— Attendez, fit-il. Regardez.

La voiture passa devant eux, avec l'inscription nette : SHÉRIF DU COMTÉ D'ELDER. Et son chauffeur avec ses grosses mains et ses larges épaules.

— Whiteside, fit Audra.

— Ouais, confirma Danny, qui peinait à reprendre son souffle.

— Qu'est-ce qu'il fait ici ?

— Je n'en sais rien, dit Danny. Mais ce n'est pas une coïncidence.

— Il faut qu'on le suive.

— Ouais, mais en restant dans les bois. Allons-y.

Ils longèrent le chemin, le laissant toujours à main droite, tandis que le bruit du moteur déclinait au loin, et progressèrent à petites foulées régulières jusqu'à ce que leur parviennent des détonations.

Alors ils accélérèrent.

52

Sean était assis en face du vieil homme, les mains sur la table. La fatigue lui alourdissait les paupières, lui encotonnait la tête. Couchée sur une banquette recouverte de fourrures, Louise dormait d'un profond sommeil entrecoupé de petits ronflements et sifflements. De temps à autre, une toux franche lui déchirait la poitrine.

Les murs de la cabane étaient tapissés d'armes à feu fixées à l'aide de crochets. Carabines, fusils, pistolets, deux ou trois arcs, des carquois pleins de flèches, et même une arbalète. Sean n'arrivait pas à compter combien il y en avait. Le vieil homme avait dit s'appeler John Tandy. Il avait passé un appel grâce à une radio reliée à une batterie de voiture. Une odeur fade flottait dans la cabane, comme si l'air stagnait là depuis des années.

— Ça va, petit ? demanda Tandy en grattant sa joue râpeuse. Tu veux une cigarette ?

— Non, merci, monsieur, dit Sean.

— Tu veux boire un coup ?

Sean ne s'était pas rendu compte jusqu'alors à quel point il avait soif. La perspective d'un peu d'eau, peut-être même gazeuse, le poussa aussitôt à se passer la langue sur les lèvres.

— Oui, s'il vous plaît, dit-il.

Tandy se leva, alla fouiller dans un coffre, à côté de la cheminée, et en sortit deux bouteilles en verre. Il les rapporta, fit sauter les capsules contre le bord de la table, et en posa une devant Sean.

De la bière, se dit le garçon.

— Dommage qu'elle soit pas fraîche, dit Tandy. J'ai pas de frigo. Je te ferais bien à manger, mais le shérif McCall devrait arriver d'une minute à l'autre. Quand il sera là, par contre, rends-moi service, tu veux bien ?

— Comment ça ?

— Lui dis pas que j'ai fait du feu. Je suis pas censé en faire, vu la sécheresse qu'on a dans le coin. Ça pourrait faire cramer toute la forêt.

— Je ne dirai rien.

Tandy cligna de l'œil.

— T'es un bon gars.

Sean regarda la bouteille. Tandy sortit de sa poche une blague à tabac, en tira un étui de feuilles et entreprit de se rouler une cigarette.

— Bois, dit-il. Ça te fera du bien.

Sean prit la bouteille, la porta à ses lèvres, prit une petite gorgée. Il s'efforça de ne pas grimacer, mais ne put s'en empêcher.

— Qu'est-ce qu'y a ? demanda Tandy en allumant sa cigarette. Ils ont pas de bière, là d'où tu viens ?

— Pas pour les enfants, dit Sean.

Tandy lâcha un unique aboiement de rire accompagné d'un tourbillon de fumée.

— Mon père à moi, quand il m'a donné ma première bière, j'avais cinq ans, et six pour ma première cigarette. Ma mère l'en a jamais remercié, note bien, mais je me suis pas plaint.

Sean but une nouvelle gorgée. Moins mauvaise, celle-ci.

— Vous vivez seul ? demanda-t-il au vieux.

— Ouaip, fit Tandy. Depuis la mort de ma mère. Ça fait, oh, bien vingt ans, maintenant. Elle est enterrée dehors, dans la cour, avec mon père. Tu as toujours tes parents ?

— Oui, mais ils se sont séparés. On vit avec notre maman.

— Tu t'entends bien avec ton père ?

Sean secoua la tête.

— On l'intéresse pas vraiment.

— Ça doit être vrai, dit Tandy en tirant une bouffée sur sa cigarette. Les hommes, tu sais – à part toi et moi –, c'est tous des salopards. C'est pour ça que je reste tout seul.

Sean promena un nouveau regard autour de la pièce.

— Vous aimez les fusils.

— Je crois qu'on peut le dire. Et je compte bien les garder jusqu'au jour de ma mort. Et le type du gouvernement qui viendra essayer de me les prendre, eh ben, il faudra qu'il soit prêt à se battre à mains nues.

Sean but une nouvelle gorgée de bière. Le goût n'en était plus du tout désagréable, maintenant.

— Le type du gouvernement ?

— Les fédéraux, expliqua Tandy.

Il avança le buste au-dessus de la table et poursuivit à mi-voix, d'un ton furieux.

— Ils sont partout, ces salopards. Toujours là à me surveiller. Ils se figurent que je m'en rends pas compte, mais si. Le premier d'entre eux qui pointera son museau, il prendra deux décharges de chevrotine dans le cul, je te le dis, moi.

Sean pouffa, sans trop savoir pourquoi il trouvait ça drôle.

— Regarde ça, là, dit Tandy en désignant le sol.

Sean vit une trappe, et l'envie de rire lui passa aussitôt.

— Mon père a creusé cette cave de ses mains, et il a bétonné les murs, à l'époque où on croyait que la bombe risquait de nous tomber dessus d'un jour à l'autre. Je continue de stocker les rations qu'il faut. Assez de conserves pour tenir au moins deux ans. Si les fédéraux se pointent ici, je les expédie en enfer d'un coup de fusil et ensuite je m'enferme dans mon abri. Les types du gouvernement auront pas John Tandy, ça, non, jamais de la vie.

Dehors, Constance grogna.

Tandy se retourna sur sa chaise pour regarder par la fenêtre.

— On dirait que le shérif McCall se décide enfin à débarquer, dit-il.

Il se leva et alla ouvrir la porte. Sean entendait le moteur, à présent, qui gravissait le chemin menant à la clairière. Il rejoignit Tandy pour voir arriver le shérif. La voiture de patrouille blanche surgit du couvert des arbres.

— Attends voir, fit Tandy. C'est pas McCall, ça.

Un froid glacé saisit l'estomac de Sean. Le véhicule ralentit et s'arrêta, le moteur tournant au ralenti. Sean scruta le pare-brise, mais ne put discerner le conducteur. Le regard rivé sur la voiture, Tandy lança :

— Fiston, va donc me chercher le fusil qu'y a là-bas, tu seras un bon gars.

Sean alla au fond de la pièce, prit l'arme et en testa le poids. Fusil d'assaut, estima-t-il, du genre de ceux qu'il avait vus dans des films. Il le rapporta à Tandy, qui le lui prit des mains et le garda contre sa jambe, braqué vers le sol. Sean se glissa derrière le vieil homme, risquant un œil en direction du véhicule.

— Descendez de cette bagnole, lança Tandy. Que je vous voie.

Quelques instants s'écoulèrent avant que la portière s'ouvre. Constance bondit en aboyant comme une furie.

— Constance, pas bouger, fit le vieux.

La chienne se figea en grondant.

Le shérif Whiteside descendit de voiture, et aussitôt la vessie de Sean réclama un répit.

— Non, lâcha le garçon.

Tandy tourna la tête et demanda :

— Qu'est-ce qui va pas ?

— Pas lui, dit Sean. Le laissez pas nous emmener.

Tandy leva son fusil en direction du torse de Whiteside.

— Bougez pas de là où vous êtes, l'ami, dit-il. J'ai passé un appel radio au shérif McCall, et vous êtes pas le shérif McCall. Dites un peu voir qui vous êtes.

— Je suis le shérif Ronald Whiteside, de Silver Water, comté d'Elder. Vous avez peut-être vu aux actualités que ces enfants sont portés disparus depuis maintenant quatre jours, alors je suis venu pour les ramener à leur mère. Vous pourriez peut-être me rendre le service de rappeler votre chien.

— J'ai pas la télé, alors je suis pas trop au courant des actualités. De toute façon, le gamin que j'ai ici me dit qu'il veut pas s'en aller avec vous. Alors je crois que vous avez fait le trajet pour rien. Vous feriez mieux de vous en retourner, maintenant, et de rentrer là d'où vous venez.

Whiteside maintenait sa portière ouverte entre Tandy et lui.

— Je crains de ne pas pouvoir faire ça. Ces enfants doivent être rendus à leur mère, et j'ai promis à la dame que je les lui ramènerais sains et saufs. Alors évitons de faire des ennuis.

Tandy répondit en souriant :

— Ma foi, l'ami, on dirait bien que c'est vous qui en avez eu, des ennuis. Vu que vous êtes pas rasé depuis au moins deux jours et que vous avez du sang plein la chemise, je dirais que vous mijotez rien de bon. Alors vous avez à peu près dix secondes pour remonter en voiture et déguerpir avant que je dise à Constance de vous sauter à la gorge.

Le vieil homme jeta un bref coup d'œil à Sean et lui glissa à voix basse :

— Descends dans la cave avec ta sœur et mettez les verrous.

Sean regarda la trappe.

— Non, fit-il.

— Fais ça tout de suite, mon gars. Allez, va !

Sean courut à la banquette où Louise, qui s'était réveillée, se frottait les yeux.

— Qu'est-ce qui se passe ? demanda-t-elle.

— Il faut qu'on se cache, dit-il en lui agrippant la main

pour la faire descendre de la banquette. Il l'entraîna jusqu'à la trappe, lui lâcha la main et s'empara de la poignée. Il avait beau tirer fort, la trappe bougeait à peine.

— Aide-moi, dit-il.

Louise noua les mains autour de celles de son frère et, ensemble, ils tirèrent sur la poignée. La trappe s'entrouvrit, et Sean la maintint le temps de voir l'échelle qui menait à la cave.

— Descends, dit-il.

— Non, fit Louise.

— Fais ce que je te dis.

Elle posa les pieds sur le premier barreau et descendit, tremblant de tous ses membres. Quand elle sauta à bas du dernier barreau, Sean se glissa à son tour dans l'ouverture, tâchant tant bien que mal de retenir la trappe de l'épaule pendant qu'il s'engageait sur l'échelle. Il entendit Tandy dire quelque chose, lancer un ultime avertissement, avant que la trappe se referme hermétiquement. À tâtons dans le noir, Sean chercha le verrou, le trouva et le poussa. La trappe était fermée.

Il dévalait les derniers centimètres quand les premières détonations retentirent.

53

Whiteside sortit son arme de service, un Glock 19 qu'il garda derrière la portière, hors de la vue du vieil homme. Il était certain que Tandy n'hésiterait pas à le plomber d'un coup de M16 sans même lui laisser le temps de viser, et encore moins de tirer.

— Dites voir, lança-t-il au vieux. Si vous baissiez votre fusil et que vous passiez un appel au shérif McCall ? Il vous expliquera que c'est lui qui m'a appelé pour me demander de monter ici.

— J'ai pas envie de faire ça, dit Tandy. Je sais pas si vous avez compté, mais les dix secondes sont passées, et plus que passées. Je vais vous laisser encore une chance de vous en aller. Vous la prenez ?

Whiteside se tint prêt.

— Je crois pas, non, dit-il.

— Bon. (Tandy hocha la tête et cracha sur le sol de sa véranda.) Constance, chope-le !

La chienne s'élança comme si elle avait deux ressorts sous le train arrière. Whiteside se jeta dans la voiture, tirant à lui la portière pour se protéger, mais son pied gauche resta dehors. La chienne attrapa le talon de la chaussure, arrachant quasiment toute la semelle en crêpe, mais ses dents transpercèrent le cuir. Whiteside hurla en essayant de dégager son pied. L'animal grondait et secouait la tête en tous sens, refusant de lâcher son trophée.

Whiteside ouvrit la portière en grand, pointa le pistolet contre le dos de la chienne et tira deux fois entre les omoplates.

Les oreilles fracassées par les détonations, il l'entendit couiner mais elle ne desserra pas les dents, alors même que ses pattes cédaient sous elle. Du pied droit, Whiteside lui assena des coups sur le museau et, alors que ses yeux devenaient vitreux, la chienne finit par le lâcher.

Il tenta de sortir de son véhicule mais une balle siffla au-dessus de sa tête. Il s'accroupit derrière la portière, et une autre balle fracassa la vitre. Une pluie d'éclats de verre s'abattit sur sa tête et ses épaules.

Whiteside compta : un, deux, trois, se représentant mentalement l'endroit où Tandy se tenait dans l'embrasure de la porte en tâchant d'évaluer la distance entre eux deux. Puis il se redressa, l'arme pointée au travers de la vitre brisée, les deux viseurs alignés, et appuya trois fois sur la détente.

La troisième balle atteignit l'épaule droite de Tandy, qui tomba à la renverse à l'intérieur de la cabane. Whiteside entendit le fracas de la chute du vieil homme, puis de son arme. Suivi d'une bordée de jurons.

Whiteside se leva et sortit de derrière la portière, le Glock braqué vers la cabane. À l'intérieur, dans l'obscurité, les jurons s'étaient mués en gémissements étouffés. Whiteside s'avança à pas lents, prudents, dérivant vers la gauche pour ne plus être visible depuis la porte.

Il discerna du mouvement à l'intérieur, au ras du sol, et s'accroupit instinctivement de côté. L'éclair qui jaillit du canon illumina la cabane pendant une fraction de seconde, faisant surgir de l'obscurité les yeux grands ouverts de Tandy et ses dents. La balle alla déchiqueter des branches de pin à l'autre bout de la clairière.

Whiteside se baissa et courut en direction de la véranda, hors du champ visuel du vieil homme. Il atteignit la cabane, se plaqua contre la paroi, sous la fenêtre, et tendit l'oreille.

— Salopard de fils de… fils de…

Il se releva jusqu'au ras de la fenêtre, à l'affût le temps de voir Tandy orienter vers la vitre le fusil qu'il tenait de la main gauche. Whiteside se jeta à terre en même temps que la fenêtre explosait. À quatre pattes, il se dirigea vers l'entrée, les genoux au supplice.

En arrivant près de l'encadrement de la porte, il glissa le bras à l'intérieur et fit feu au jugé, par trois fois, très bas. Silence pendant quelques instants. Seul l'écho des coups de feu retentissait parmi les arbres, puis il entendit un hurlement de douleur. Tête basse, il s'avança, risqua un regard à l'intérieur.

Tandy gisait sur le dos, le fusil à côté de lui. Une balle lui était entrée sous le pied gauche, la deuxième s'était logée dans l'aine, la troisième, dans le haut de la cuisse gauche. Mais il respirait encore, avec un atroce couinement aigu.

Whiteside se releva tant bien que mal, le regard et l'arme toujours braqués sur Tandy. Il entra dans la cabane, s'approcha du vieil homme et, d'un coup de pied, expédia le fusil hors de sa portée.

— Où sont-ils ? demanda-t-il au vieux tout en le contournant par la droite.

— Va te faire foutre, répondit Tandy d'un faible filet de voix.

Whiteside posa le pied sur l'épaule blessée du vieil homme, appuya. Tandy hurla.

— Où sont-ils ?

Tandy se mit à rire et siffla :

— T'es encore là ? dit-il. Je croyais t'avoir dit d'aller te faire foutre.

Whiteside scruta l'intérieur sombre de la cabane. Une porte ouverte menant à une chambre, aucune trace de qui que ce soit là-dedans. Et rien dans cette pièce qui permette de se cacher.

Puis il avisa la poignée scellée dans le sol.

— Pas grave, fit-il. Je crois que je les ai trouvés.

Whiteside pointa le canon du Glock à deux centimètres du front du vieil homme. Il ne lui laissa pas le temps de jurer une dernière fois.

54

Audra courait aussi vite que son corps épuisé le lui permettait, martelant la terre et les aiguilles de pin, sans plus se soucier de rester sous le couvert des arbres. Danny suivait quelques mètres derrière, le souffle aussi net et régulier que celui d'Audra était haché. Plus loin, sur leur droite, elle distinguait un espace découvert, le lit d'un lac que la sécheresse avait fait disparaître. D'où que viennent les détonations, elle savait que ce chemin devait y mener.

Combien de coups de feu avait-elle entendus ? Elle n'aurait su le dire. Ils s'étaient répondu, deux sons distincts, l'un sec et net, l'autre une explosion qui roulait entre les arbres. Le dernier avait semblé terriblement final, comme une affaire conclue.

Le chemin n'en finissait pas de grimper. Audra avait l'impression que ses poumons allaient jaillir de sa poitrine. Les muscles de ses cuisses faiblissaient à mesure qu'ils réclamaient de l'oxygène, et ses foulées devenaient plus hésitantes. Elle tituba, ses bras moulinèrent tandis qu'elle continuait, emportée par l'élan, mais Danny lui empoigna le haut du bras, la redressa, la remit dans la course.

— Par là, fit-il entre deux souffles.

Il désignait un plus petit chemin obliquant vers une clairière, une cabane et des voitures visibles entre les arbres. Audra se laissa guider et, sans comprendre comment, elle puisa quelque part un restant d'énergie qui la propulsa.

En atteignant la clairière, alors qu'elle ouvrait la bouche

pour appeler ses enfants, Danny la lui couvrit d'une main pour la faire taire. Il la prit par le bras, la contraignit à s'arrêter.

Il pointa l'index vers ses yeux, puis son oreille. Regarder. Écouter.

Ils s'avancèrent ensemble vers le bord de la clairière, à couvert, aux aguets. La voiture de patrouille de Whiteside était garée face à l'entrée de la cabane, le coffre ouvert. Un chien gisait dans une mare de sang et de bouts de verre, à côté de la portière côté conducteur. Un mince filet de fumée s'élevait paresseusement d'un baril, sur le côté de la maisonnette. La porte d'entrée était entrebâillée, une des fenêtres, en miettes.

Danny s'avança le premier, s'accroupissant au fur et à mesure, veillant à maintenir la voiture entre la cabane et lui. Audra suivit, courbée en deux. Elle attrapa le pistolet qu'elle avait glissé dans sa ceinture. Danny s'arrêta à côté de la portière ouverte, jeta un coup d'œil par l'emplacement béant de la vitre. Le verre crissa sous les pieds d'Audra quand elle le rejoignit.

— Regardez, chuchota Danny. Dans l'encadrement de la porte.

Audra scruta l'obscurité et discerna les pieds d'un homme, comprenant aussitôt qu'il s'agissait du corps de l'occupant des lieux. Puis elle entendit un grognement étouffé en provenance de la cabane, suivi de jurons grommelés. Elle regarda Danny et il acquiesça, oui, il entendait aussi. Il lui montra du doigt le coin droit de la cabane, où la fenêtre était encore intacte, puis désigna le sol, pour lui signifier de rester baissée.

Il gagna l'arrière de la voiture, fit le tour et longea le côté passager, Audra sur ses talons. Il examina la porte pendant quelques instants avant de s'élancer, courbé en deux, jusqu'à la cabane. Il s'arrêta au pied de la véranda, puis s'y engagea, à pas comptés, aussi lentement qu'il le pouvait.

Nouveaux jurons et grognements en provenance de l'intérieur.

D'un geste, Danny invita Audra à le rejoindre. Elle prit une inspiration, puis s'élança en courant, tête baissée. Elle atteignit la véranda, en regarda le sol de planches et se demanda comment elle allait pouvoir les franchir sans les faire grincer. Danny lui fit signe à nouveau et elle traversa la véranda en deux enjambées légères, presque sans un bruit.

— Allez, grogna la voix, à l'intérieur.

Audra entendit un grand craquement suivi de bruits de ferraille. Puis des coups rythmés, accompagnés de grognements sourds. Elle se redressa un peu et regarda par la fenêtre. Une chambre, un simple lit une place au cadre métallique au centre, le mobilier minimum. Danny s'avança vers la porte, centimètre par centimètre, les frottements de sa progression couverts par le bruit provenant de l'intérieur, Audra juste derrière lui.

Quand ils atteignirent la porte, Danny se mit debout et Audra le contourna pour se poster à côté de lui, imitant sa posture, le Glock pointé, prêt à tirer.

À l'intérieur, à genoux, le shérif Ronald Whiteside, la chemise éclaboussée de sang, s'attaquait à une trappe à l'aide d'un pied-de-biche, le front ruisselant de sueur, les dents serrées. Il ne vit pas entrer Danny et Audra, son univers se limitant exclusivement à la tâche qui consistait à ouvrir la trappe et qu'il avait presque terminée.

Sur un dernier craquement, le dispositif qui la maintenait fermée céda. Whiteside poussa un rugissement triomphant, changea son outil de main pour attraper la poignée. Il tira et ouvrit.

— Whiteside ! lança Danny.

Le shérif pivota sur lui-même en entendant son nom, les

yeux écarquillés. De la main droite, il tenta de s'emparer du pistolet posé par terre. Danny tira, mais Whiteside plongea à plat ventre et la balle alla se ficher dans le mur.

Le pistolet en main, il roula sur le côté, s'engouffra dans l'ouverture de la cave et disparut.

55

Whiteside bascula dans le noir et, d'instinct, lâcha le pied-de-biche pour tendre la main, ses doigts heurtant le premier barreau de l'échelle avant d'empoigner le deuxième pendant que l'outil dégringolait à grand bruit jusqu'en bas. Le poids de son corps lui vrilla l'épaule. Ses doigts lâchèrent prise et le sol en béton lui gifla le dos. Il poussa un cri de douleur.

Au-dessus, des pas traversèrent la pièce en courant, puis Lee apparut au bord de l'ouverture. Whiteside pointa son Glock et tira deux fois dans la trouée de lumière. Lee disparut. Whiteside roula sur le côté, dans le noir, puis se mit à quatre pattes.

— Nom d'un chien, siffla-t-il entre ses dents.

La douleur lui irradiait le dos, menaçant de supplanter tout le reste, mais il la fit taire au prix d'un effort de volonté. Elle ne lui était d'aucune utilité pour l'instant. Réprimant un nouveau cri, il se força à se relever, recula du rectangle faiblement éclairé que la trappe ouverte dispensait sur le sol de béton brut.

Son talon buta dans le pied-de-biche, par terre, et le fit tituber. Quelque chose de lourd lui cogna l'arrière de la tête et se balança dans le noir. Il tendit la main, trouva une lampe-torche accrochée à une poutre du plafond. Sans la lâcher, il tourna sur lui-même dans le noir, sondant du regard les ténèbres plus ou moins profondes. Il alluma la torche : un puissant faisceau fendit l'obscurité, projetant des ombres dansantes dans la cave tandis que la torche se balançait au bout de sa ficelle.

Whiteside balaya du regard les rangées de conserves, les tas de couvertures et de vêtements, le WC chimique. Là, derrière une pile de cartons, au fond de la pièce, le garçon et la fille. Whiteside s'avança vers eux en titubant, le Glock braqué sur le torse de la fille.

Il se jeta sur eux. Le garçon se débattit mais il le gifla violemment puis le traîna par le col jusqu'au pied de l'échelle, attrapa ensuite la fille et fit de même. De son bras libre, il les empoigna tous les deux, tout hurlants, et serra. Il braqua le Glock vers la trappe.

— M'man ! cria le garçon.

— La ferme, dit Whiteside. Tu te tais sinon je vous tue tous.

La tête de la femme apparut dans l'ouverture. Le garçon l'appela de plus belle.

— Écoutez-moi, lança Whiteside. Vous allez sortir de là, vous et votre ami, sinon, j'explose la tête à vos gamins.

Le visage disparut de l'ouverture et, pendant une fraction de seconde, Whiteside crut que la femme avait obéi à son injonction. Puis ses pieds apparurent et trouvèrent l'échelle.

D'en haut :

— Audra, non !

Elle descendit, sans arme, pendant que Whiteside pointait le pistolet sur elle. Quand elle arriva en bas, elle se retourna pour lui faire face, le regard flamboyant dans la lumière de la torche qui se balançait entre eux. Le visage de Lee resurgit au-dessus.

— Audra, qu'est-ce que...

— Restez là-haut, dit-elle. S'il tente de sortir de cette cave, abattez-le.

— Audra, écoutez...

— Faites ce que je dis, lança-t-elle en s'avançant d'un pas vers l'homme.

— Vous feriez mieux de reculer, dit Whiteside. J'emmène ces enfants, un point c'est tout.

— Non, fit Audra en se rapprochant encore. Vous ne me les reprendrez pas.

Whiteside recula, entraînant avec lui le garçon et la fille.

— Stop, nom de Dieu ! lança-t-il, et sa voix résonna entre les murs de béton.

— Sean, Louise, reprit Audra, ça va aller.

— La ferme ! riposta Whiteside en agitant le canon de son arme dans sa direction. Je les emmène. Ne m'obligez pas à leur faire du mal. J'ai tué Collins. J'ai tué le vieux. Si vous me poussez à bout, je tuerai de nouveau, vous pouvez me croire.

Elle s'avança encore et dit :

— Lâchez mes enfants.

Un rire hystérique monta aux lèvres de Whiteside, mais il le ravala.

— Écoutez, dit-il, un type va me verser un million de dollars par enfant. Trois millions pour les deux. Alors vous pouvez toujours supplier, pleurnicher et menacer tant que vous voulez, rien de ce que vous pouvez dire ne vaut plus de trois millions, hein ?

Audra se baissa et ramassa le pied-de-biche, qui racla le sol quand elle s'en empara. Elle le tint à bout de bras, le long de sa jambe.

— Pour la dernière fois, dit-elle, lâchez mes enfants.

Whiteside regarda le pied-de-biche qu'elle tenait.

— Qu'est-ce que vous comptez faire avec ça ? demanda-t-il.

Elle le regarda droit dans les yeux, et Whiteside sentit le doigt froid de la peur se poser sur lui.

Audra brandit alors le pied-de-biche et le fit tourner au-dessus de sa tête, expédiant en vol plané la lampe torche dont l'ampoule explosa en s'écrasant contre le mur.

56

Audra se jeta à terre en voyant le canon du pistolet cracher un éclair, les oreilles assourdies par la détonation. Au travers du vacarme, elle entendit des petits pieds détaler dans le noir, puis un cri rauque, furieux.

Elle se mit à genoux et s'avança dans le noir, courbée.

Nouvel éclair, cette fois dans la direction qu'avaient prise les fuyards. Elle retint son souffle pendant qu'une pluie de béton pulvérisé s'abattait par terre, jusqu'à ce que lui parvienne à nouveau le piétinement précipité, qui se dirigea vers le fond de la pièce, cette fois.

Whiteside tira à nouveau, et Audra sentit la balle siffler au-dessus de sa tête. Elle se laissa tomber à plat ventre et resta immobile pendant que des conserves dégringolaient à grand bruit et qu'un liquide s'écoulait en glougloutant d'un récipient. Le shérif poussa un cri de rage, sa voix se haussant jusqu'à devenir un hurlement strident.

Audra rampa à plat ventre, le regard rivé sur l'emplacement du dernier éclair, tenant le pied-de-biche au-dessus du sol de peur de se trahir.

— Saloperie de bonne femme, cria Whiteside. Allez vous faire foutre !

La voix au-dessus de sa tête. Elle en situa l'origine. Encore quelques centimètres, le béton râpeux lui écorchant genoux et coudes.

— Saloperie, cria-t-il à nouveau d'une voix réduite à un geignement aigu.

Audra se mit à genoux, arma les deux bras et balança le

pied-de-biche de toutes ses forces. Le métal rencontra de l'os, Whiteside hurla. Elle l'entendit s'effondrer à terre et se leva, le pied-de-biche brandi au-dessus de la tête, prête à l'abattre n'importe où sur le corps de l'homme.

Elle vit flamboyer à nouveau le canon, plus bas, cette fois, et sentit quelque chose de chaud lui heurter l'épaule. Avant que son cerveau n'ait le temps d'enregistrer la douleur, elle assena un grand coup de pied-de-biche, sentit quelque chose se briser. Frottement métallique du pistolet qui glissait sur le sol de la cave, fracas du pied-de-biche qui lui tombait des mains, et nouveau hurlement de douleur.

Audra poussa un rugissement, une fureur animale se déversant du plus profond de son être. Elle enfourcha l'homme et abattit sur lui ses poings, les brandit à nouveau pour les abattre de plus belle, sans relâche, chacun des coups lui expédiant des décharges dans les poignets, les coudes, les épaules. Elle entendait le bruit de la chair martelée, qui résonnait comme de la musique, et elle se mit à rire et rire à pleine gorge jusqu'à ce qu'elle n'ait plus le moindre souffle.

Quelqu'un criait, arrêtez, arrêtez, je vous en prie, mais la voix semblait loin dans l'obscurité, gémissement pitoyable dépourvu de tout sens pour Audra.

Une lueur emplit la pièce, un clignotement vif, et elle aperçut Whiteside à terre, les bras levés pour se protéger le visage. Puis un cognement métallique et à nouveau des éclairs lumineux, qui donnaient l'impression que Whiteside gesticulait sous elle, tout en soubresauts et giclées rougeâtres.

— M'man, fit Sean.

Elle se figea, poings ensanglantés en l'air, et se retourna vers la voix de son fils.

Là-bas, à l'autre bout de la pièce, la lampe-torche entre les mains, sa sœur à son côté. Il agita la lampe, la cogna contre sa paume pour tenter de la maintenir allumée.

— M'man, arrête, dit-il.

Derrière eux apparut Danny, le revolver braqué sur Whiteside.

Audra laissa retomber les bras. Elle s'arracha au corps de Whiteside, se dirigea vers ses enfants, à genoux, les bras grands ouverts. Ils accoururent, pressèrent la peau chaude et moite de leur visage contre la sienne, et elle les enfouit dans son étreinte, leurs corps se rejoignant.

Dans la lumière vacillante qui dansait autour d'eux, elle se mit à pleurer.

57

Le soleil était loin au-dessus des arbres et baignait la clairière d'une chaude lumière. Audra sentit la chaleur sur sa peau et savoura. Le soleil dans le ciel aurait pourtant dû être la dernière des choses auxquelles Audra attache de l'importance à ce moment-là. Mais c'était comme ça.

Whiteside était assis dans la véranda, tête basse, le crâne ensanglanté, son bras droit enflé sur les genoux, les poignets liés par ses propres menottes. Il avait hurlé de douleur quand Danny avait remis en place son bras cassé. À présent, il tremblait, la sueur se mêlant au sang qui lui coulait du nez et des lèvres, formant des traînées rouge clair qui lui ruisselaient sur le menton.

Debout face à lui, Sean le regardait. Il avait demandé s'il pouvait avoir un pistolet à braquer sur Whiteside pour le surveiller. Audra avait douté un instant que son petit garçon ait le cran de pointer une arme sur quelqu'un. Puis elle discerna une nouvelle froideur dans son regard et changea d'avis. Cette découverte lui avait fait un coup au cœur qui la perturbait encore. Elle refusa quand même. Whiteside ne risquait pas de bouger de là.

Danny avait trouvé une vieille trousse de secours dans la cave de la cabane, et pour l'heure il soignait l'épaule d'Audra. Louise était nichée sur les genoux de sa mère. Une simple égratignure, dit-il, mais qui fit un mal de chien quand il vaporisa du désinfectant sur la plaie. Il y appliqua ensuite de la gaze et du sparadrap pour maintenir le tout.

— Ça va aller, dit-il. Il faudra faire poser quelques points quand on retrouvera la civilisation, mais vous survivrez jusque-là.

Il allait se lever, quand Audra lança :

— Dites !

Il resta accroupi à côté d'elle.

— Merci, dit-elle. Je vous dois… tout.

Il leva la main et lui caressa la joue.

— Prenez soin d'eux. Ça sera bien assez.

Quand Danny se releva, Audra appela Sean d'un signe. Il la rejoignit dans la véranda et se pelotonna contre elle. Un élancement traversa le bras d'Audra quand elle le lui passa autour des épaules, mais elle chassa la douleur et déposa un baiser sur la tête de son fils, qui se penchait vers elle.

Danny s'approcha de Whiteside, posa un pied à côté de lui, sur le plancher de la véranda, et se baissa pour lui demander :

— Où et quand devait se faire l'échange ?

— Allez vous faire foutre, répondit Whiteside.

Danny lui donna un coup au bras. Whiteside hurla.

Louise enfouit la tête dans la poitrine de sa mère, mais Sean regarda. Audra le serra contre elle, lui détournant le visage.

Danny tira de l'étui accroché à son ceinturon un couteau qu'il avait pris au mur de la cabane du vieil homme. Il l'approcha des yeux de Whiteside, le métal scintillant au soleil. Puis il empoigna l'oreille gauche du shérif, posa la lame contre la chair.

— Dites-moi, lança-t-il, sinon, je vais vous faire voir pourquoi on m'appelle l'homme au coutcau.

— À 16 heures, cracha Whiteside entre ses dents. À mi-chemin entre ici et Las Vegas. Dans un supermarché désaffecté, sur le bord de l'autoroute I-40.

Danny lâcha l'oreille de Whiteside et lui demanda :

— Ça fait quoi, deux heures de trajet ?

— À peu près.

Danny consulta sa montre, se tut un instant, puis lança :

— Il faut deux heures, voire deux heures et demie, pour retourner à Silver Water. Il faut qu'on y aille. Livrer ce salopard à Mitchell.

— Non, fit Audra.

Danny la regarda, décontenancé.

— Quoi ?

— L'échange est prévu à 16 heures, à deux heures de trajet d'ici, en direction du nord-ouest.

— Selon lui.

— Quelle heure est-il ? demanda-t-elle.

Danny consulta à nouveau sa montre.

— 13 h 40.

— Je peux me charger de Whiteside, reprit Audra. (Elle regarda la camionnette délabrée et rouillée garée devant la cabane, puis tourna la tête vers Danny.) Aidez-moi simplement à le mettre dans la voiture de patrouille et je le ramènerai. Il y aura une grille entre lui et nous. Il ne peut plus nous faire de mal. Vous, prenez la camionnette et allez au rendez-vous. Trouvez ces hommes. Et posez-leur la question que vous avez posée aux autres, à ces flics qui ont enlevé votre petite fille.

Danny la dévisagea un moment, puis détourna les yeux.

— Je connais déjà la réponse.

— Non, insista Audra. Vous n'en êtes pas sûr.

Il soupira, d'un souffle tremblant.

— Je n'ai peut-être pas envie de savoir. Je me suis peut-être habitué à l'idée de ne jamais retrouver ces hommes.

— Je ne crois pas que ce soit vrai, dit Audra. Vous ne connaîtrez la paix que quand vous saurez.

— Et si je leur demande et qu'ils ne me donnent pas la vraie réponse…

Son regard revint se planter dans celui d'Audra, et elle se rendit compte qu'il lui demandait une permission, comme si elle était à même de la lui donner.

— Dans ce cas, vous ferez ce que vous avez à faire, dit-elle.

À travers la crasse qui recouvrait le pare-brise de la camionnette pick-up, Danny regarda le SUV noir qui entrait sur le parking désert. Il consulta sa montre : 15 h 55. Lui-même était arrivé presque un quart d'heure plus tôt. La vieille camionnette avait tellement grincé et couiné en chemin qu'il avait craint qu'elle n'arrive pas à destination. Mais ça n'avait plus d'importance. Si tout se passait comme il l'espérait, il n'en aurait plus besoin.

Le parking déployait sur des centaines de mètres en tous sens son goudron décoloré par le soleil. Situé comme il l'était à huit cents mètres de l'autoroute, il aurait dû être bondé de voitures, de clients arrivant et repartant avec leur argent et leurs sacs de provisions. Au lieu de quoi les bâtiments étaient blottis les uns contre les autres comme des enfants abandonnés. Une vente immobilière mal menée, sans doute un effet collatéral de la crise économique. Quelqu'un avait dû y laisser sa chemise, pensa Danny.

Le SUV traversa le parking au ralenti pour venir le rejoindre. Du fait des vitres teintées, il ne pouvait en discerner les occupants. Et, malgré la poussière qui recouvrait le pare-brise, eux le verraient bien avant qu'ils les voient. Il avait disposé une pile de couvertures sur le siège passager pour donner l'impression que quelqu'un s'y tenait pelotonné. Le fusil d'assaut qu'il avait pris chez le vieil homme était là, à portée de sa main.

Allait-il mourir aujourd'hui ?

Danny se dit que ça se pouvait. Et que ça n'avait pas

d'importance. Du moment qu'il faisait ce qui devait être fait. Du moment qu'il découvrait ce qu'il tenait à savoir. Du moment qu'ils payaient.

Le SUV s'arrêta face à la camionnette, à dix mètres de distance. Danny attendit, aux aguets. Les occupants du SUV firent de même. Il allongea la bras vers le siège passager, fit glisser le fusil sur ses genoux, la crosse bien calée dans sa paume, le doigt sur la détente. À en croire sa montre, une pleine minute s'écoula avant qu'il se passe quoi que ce soit.

Finalement, la portière conducteur du SUV s'ouvrit. Quelques secondes plus tard, un homme de haute taille au crâne rasé, vêtu d'un costume noir, en descendit. Laissant la portière ouverte, il s'avança lentement de quelques pas vers la camionnette. Danny les compta tandis qu'il approchait, évaluant le temps qu'il faudrait à l'homme pour regagner le SUV s'il s'avisait de fuir. L'autre s'arrêta à mi-distance entre les deux véhicules, les mains ouvertes le long du corps, planté sur ses deux pieds.

Danny abaissa sa vitre. L'homme pencha la tête, paupières plissées, en écoutant le couinement de la vitre. Quelques secondes de silence, à nouveau. L'homme tourna la tête le temps d'un bref coup d'œil au SUV, puis son regard se reporta sur la camionnette.

Maintenant, se dit Danny.

Il ouvrit la portière en grand, se glissa hors de la camionnette, leva le canon du fusil et le braqua par la vitre ouverte. L'homme écarquilla les yeux et tenta un geste affolé vers le holster qu'il portait sous sa veste.

— Pas de ça, lança Danny.

L'homme n'entendit peut-être pas. Ou peut-être crut-il qu'il pourrait dégainer et tirer assez vite. Quelle que soit la raison qui l'anima, quand la décharge le renversa sur le goudron, il laissa dégringoler son pistolet.

Danny n'hésita pas. Il contourna la portière ouverte

et s'avança vers le SUV sans se soucier des gargouillis et hoquets de l'homme qu'il venait d'abattre. En approchant du SUV, il entendit une voix féminine entrecoupée :

— Ah, mon Dieu, disait-elle, je vous en prie, mon Dieu, non, non, ah, mon Dieu, non, oh non...

Il ralentit en arrivant à la portière conducteur restée ouverte. À l'intérieur, il vit la femme, couchée en travers des sièges avant, le levier de vitesse pris dans la poche de son tailleur bleu marine, agrippée à deux mains au volant pour essayer de gagner le siège conducteur. Une quarantaine d'années, longs cheveux roux attachés pour en discipliner les boucles. Elle leva les yeux vers Danny en clignant des paupières.

— Ne me tuez pas, je vous en prie, dit-elle.

Danny examina l'arrière de l'habitacle, ne vit personne.

— Où alliez-vous les emmener ? demanda-t-il.

— À Las Vegas, dit la femme. Il y a une soirée. Dans une maison de Summerlin.

Elle lui donna un nom, celui du propriétaire, le meneur, et Danny se remémora son visage. Un milliardaire d'Internet, aussi connu pour sa philanthropie que pour sa fortune.

— Il y a cinq ans de ça, dit Danny, vous vous rappelez une petite fille ? Six ans. Cheveux noirs, yeux noirs.

La femme secoua la tête et lâcha le volant.

— Je ne sais pas, dit-elle. Il y en a eu tellement.

Danny lui appliqua le canon du fusil sur le dessus du crâne. Elle ferma très fort les yeux.

— Je ne me rappelle pas, je suis désolée, s'il vous plaît, non, je vous en prie, je vous en prie, non...

— Amenez-moi là-bas, ordonna-t-il.

Elle ouvrit les yeux, retint son souffle et demanda :

— Vous me laisserez la vie sauve ?

— On verra, répondit Danny.

Audra roulait. Le vent, par la vitre brisée, balayait ses cheveux trempés de sueur, lui rafraîchissant le front. Sean et Louise, blottis l'un contre l'autre sur le siège passager, dormaient profondément. La grille en métal les protégeait de Whiteside assis derrière. Elle le voyait dans le rétroviseur, affalé contre la portière, les yeux mi-clos, la lippe molle, une traînée de mucus ensanglanté sur le menton.

Elle avait utilisé le téléphone de Whiteside et son GPS pour regagner le comté d'Elder. Elle conduisait depuis deux heures, et il restait encore une vingtaine de minutes. Sa plaie à l'épaule la brûlait et la démangeait à chaque mouvement, mais elle s'en moquait. Elle ne désirait plus qu'une chose au monde, à cette heure, se glisser dans un lit avec ses enfants et dormir en les serrant dans ses bras.

Quelques minutes de plus et elle aperçut le panneau indiquant Silver Water. Elle ralentit, se rangea sur le bas-côté et serra le frein à main. Un peu plus loin, de l'autre côté de l'embranchement, se trouvait l'endroit où Whiteside l'avait arrêtée à peine trois jours plus tôt.

— Collins avait raison.

La voix de Whiteside la fit sursauter. Elle leva les yeux vers le rétroviseur et croisa le regard de l'homme, ses yeux luisants.

— À quel propos ? demanda-t-elle.

— J'aurais dû vous tuer, dit-il.

— Mais vous ne l'avez pas fait. Et de toute façon vous vous seriez quand même retrouvé là où vous êtes. Même si vous aviez touché tout cet argent, ça vous aurait condamné. Vous le savez, n'est-ce pas ?

Il détourna les yeux, puis la regarda à nouveau.

— Vous feriez une chose pour moi ? demanda-t-il.

— Quoi ?

Whiteside exhala un soupir proche du sanglot. Une larme roula sur sa joue souillée de sang.

— Tuez-moi, répondit-il. Mettez-moi une balle dans la tête et jetez mon corps quelque part dans le désert.

Ce fut au tour d'Audra de détourner les yeux. Elle contempla le doux relief du désert, les montagnes au loin, l'océan de bleu au-dessus.

— Je sais que vous en avez envie, reprit-il.

Elle tourna la tête vers le rétroviseur, planta son regard dans celui de Whiteside.

— J'en ai envie, oui. Mais je ne le ferai pas. Ne vous inquiétez pas, vous aurez ce que vous méritez.

Elle tourna la clé dans le démarreur, enclencha la position *drive* et repartit. Tourna à l'embranchement, monta la route sinueuse en se rappelant ce trajet à l'arrière du même véhicule, derrière cette même grille, quand elle n'avait aucune idée de ce qui l'attendait. Un profond chagrin l'envahit tandis qu'elle atteignait le sommet de la côte et amorçait la descente dans la cuvette, à l'autre bout.

Les mêmes épingles à cheveux, les mêmes groupes de maisons, la même pauvreté qu'à peine quelques jours plus tôt, mais complètement différents, cette fois. Elle savait que rien ne serait plus jamais pareil, ni pour elle ni pour ses enfants.

Whiteside se mit à renifler et geindre à l'arrière tandis qu'elle approchait du pont sur ce qui restait de la rivière, le traversait, et entrait dans Silver Water. Il se cogna la tête contre la vitre, une fois, deux fois, trois fois, y laissant une traînée de sang.

Audra engagea le véhicule de patrouille dans la rue principale et la remonta jusqu'au bout, où des voitures de la police d'État stationnaient devant les locaux du shérif et la mairie. Des camions de presse étaient garés le long de la rue grouillante de journalistes apparemment désœuvrés. Elle arrêta la voiture au beau milieu de la chaussée et coupa le moteur. Puis, posant la main au centre du volant, elle enfonça le klaxon en continu jusqu'à ce que flics et journalistes lèvent la tête. Elle ouvrit alors la portière du conducteur et la laissa pivoter aussi loin que le permirent les charnières.

Un des flics d'État aperçut Audra et s'écria :

— Oh, mon Dieu, c'est elle !

Elle se dégagea et descendit de voiture, luttant contre l'épuisement. Le flic, remarquant le Glock qu'elle tenait à la main, sortit son propre pistolet.

— Lâchez votre arme !

Les autres flics accoururent, l'arme au poing, eux aussi. Une douzaine, voire plus. Concert de cris et sommations : couchez-vous, lâchez votre arme. Audra leva les mains en l'air, sans lâcher le Glock, le doigt bien dégagé de la détente. Mais elle n'était pas disposée à s'en tenir là. Pas encore.

Les journalistes se précipitèrent vers la voiture, braquant leurs caméras. Les flics s'avancèrent, resserrant le cercle. Le concert de voix se fit plus sonore. À terre. Lâchez votre arme. Sans les caméras, ils l'auraient abattue, Audra en était sûre. Elle aurait dû être terrifiée mais un calme lisse s'était emparé d'elle dès qu'elle avait arrêté la voiture. Même avec une douzaine de pistolets braqués sur elle, prêts à lui faire exploser le crâne, elle n'arrivait pas à se défaire de la paix profonde qui l'habitait.

Une voix se détacha par-dessus les autres. Audra la reconnut : celle de l'agent spécial Mitchell.

— Arrêtez ! Ne tirez pas ! Ne tirez pas !

Elle se fraya un chemin en force parmi les flics, essoufflée, les yeux écarquillés.

— Audra, donnez-moi cette arme.

— Pas encore, répondit Audra en reculant jusqu'à la portière arrière, les mains toujours en l'air. De la gauche, elle attrapa la poignée et ouvrit. Whiteside en dégringola, l'épaule la première, sans tout à fait tomber à terre. Audra l'empoigna par le col et finit de le tirer hors du véhicule. Il hurla de douleur en roulant sur le goudron.

Mitchell secoua la tête :

— Audra, bon sang, qu'est-ce que vous avez fabriqué ?

— Cet homme a enlevé mes enfants, répondit Audra. Relevant la main gauche, elle gagna l'avant de la voiture à pas lents et réguliers.

Les flics la tenaient en joue, certains se remirent à crier.

— Ne tirez pas ! répéta Mitchell.

Audra fit le tour de la voiture jusqu'au côté passager et ouvrit la portière. Sean s'était réveillé, mais Louise dormait toujours. Mitchell s'avança jusqu'à la voiture et regarda à l'intérieur.

— Ah, mon Dieu, fit-elle.

Pivotant sur elle-même, elle cria aux flics :

— Baissez vos armes. Baissez immédiatement vos armes.

Un par un, lentement, les flics s'exécutèrent. Mitchell se retourna vers Audra, la main tendue.

— Donnez-moi cette arme, dit-elle. S'il vous plaît.

Audra n'hésita pas. Elle baissa les mains et lui remit le pistolet. Mitchell ouvrit le magasin, vida la chambre.

Audra s'accroupit à côté de la portière ouverte, tendit la main et caressa les cheveux de Sean, effleura la joue de Louise. La fillette ouvrit alors les yeux.

— Maman, lança-t-elle. On est à la maison ?

— Pas encore, mon cœur, répondit sa mère. Mais on y sera bientôt. Allez, venez.

Elle prit Louise dans ses bras et la sortit de la voiture. Sean suivit. Les bras de Louise noués autour du cou, ses jambes autour de la taille, la main de Sean dans la sienne, Audra traversa la foule des flics et des journalistes. Sans prêter attention aux yeux écarquillés et aux bouches bées, aux questions qu'on lui criait.

Plus loin dans la rue, Mrs Gerber attendait devant la porte ouverte de la pension, les mains devant la bouche, les yeux pleins de larmes.

Mitchell accourut derrière.

— Où allez-vous, Audra ?

Audra tourna la tête et, sans ralentir le pas, lança par-dessus son épaule :

— Mettre mes enfants au lit.

60

Quand ils arrivèrent à l'hôpital de Scottsdale, les infir-
mières tentèrent de les séparer, de les mettre dans des
chambres individuelles. Audra refusa, se cramponna à
Sean et Louise. Ce fut Mitchell qui s'interposa, insista
pour que l'hôpital fournisse une même chambre privée
pour eux trois. Le mieux que put proposer l'établissement
fut une unité annexe de deux lits.

L'un des deux était donc inoccupé, à cette heure, Audra
et ses enfants étant blottis tous les trois dans l'autre. On
avait administré une nouvelle dose d'antibiotiques à Louise,
qui ronflait doucement, maintenant, la tête sur le sein
gauche d'Audra. Sean reposait de l'autre côté, regardant
la télévision fixée au mur.

Audra s'était lassée des nouvelles diffusées en boucle.
Les mêmes images hachées la montrant en train de faire le
tour de la voiture, Whiteside en dégringolant, les enfants
sur le siège passager. Les journalistes avaient épuisé leur
stock de superlatifs et l'histoire commençait à perdre de
son acuité, à donner l'impression qu'elle était prête à se
décliner dans un temps du passé.

La seule nouveauté de la dernière heure avait été l'image
de Patrick aidant sa mère à monter dans une voiture noire
devant un hôtel, puis annonçant qu'il n'avait aucun commentaire à faire tandis que les journalistes s'attroupaient autour.

Quand tout serait calmé, Audra, elle, aurait un commentaire à faire. Quand la presse viendrait lui quémander un
récit, elle leur raconterait toutes les manœuvres infectes

que son mari et sa mère avaient déployées. Laisserait leurs riches et puissants amis les voir tels qu'ils étaient en réalité. Elle savourait cette perspective, mais ce n'était pas pour maintenant.

Audra attrapa la télécommande et s'apprêtait à éteindre le poste quand le ton du présentateur changea. Il consulta un feuillet que quelqu'un avait déposé devant lui.

« Laissons un instant de côté les événements de Silver Water, dit-il, sa voix se faisant hésitante à mesure qu'il lisait. Nous venons d'apprendre qu'une fusillade a causé la mort de plusieurs personnes dans une luxueuse demeure du quartier de Summerlin, à Las Vegas. Le nom du propriétaire des lieux n'a pas encore été dévoilé, mais on nous précise qu'il s'agit d'un personnage public très influent et fortuné, du milieu de l'industrie de la haute technologie. Les détails sont sommaires, mais il semble qu'un ou plusieurs tireurs se soient introduits entre 18 et 19 heures dans cette propriété retirée et aient ouvert le feu sur ses occupants. Le nombre de morts n'est pas encore établi, ni ce qu'il est advenu du ou des tireurs. Nous savons en revanche que toutes les victimes étaient adultes, et que les vies de trois jeunes enfants ont été épargnées. Plus d'informations dès que nous en disposerons. »

Le présentateur passa ensuite à un rassemblement politique à Washington, où des manifestants défilaient dans une rue en agitant des pancartes et en scandant des slogans. Audra éteignit le téléviseur.

— C'était Danny ? demanda Sean.

— Je ne sais pas, dit Audra.

— J'espère qu'il...

Sean ne put formuler sa pensée, trop écrasante pour lui.

— Moi aussi, dit Audra.

Elle déposa un baiser sur la tête de son fils en respirant son odeur, toujours présente malgré la douche qu'il avait prise un peu plus tôt.

Mitchell avait accompagné Audra dans la pension de Mrs Gerber, l'avait laissée coucher les enfants pour qu'ils fassent un somme pendant qu'elles s'entretenaient dans le couloir. Whiteside avait été arrêté sur-le-champ ; il était recherché depuis la découverte du corps de Collins chez lui, dans l'après-midi. Il était maintenant quelque part dans le même hôpital, où on soignait son bras et ses autres blessures. Audra avait fait jurer à Mitchell de ne pas lui laisser l'occasion de se suicider. De veiller à ce qu'il soit jugé pour ce qu'il avait fait. Il serait placé sous surveillance accrue, lui avait assuré Mitchell.

Les jours suivants allaient être difficiles ; Mitchell avait prévenu Audra, bien que ce soit superflu. Les interrogatoires n'en finiraient pas, les autorités et la presse feraient la queue pour lui soutirer la moindre information. Mais pour l'heure le monde était paisible. Audra savoura ce calme pendant qu'elle le pouvait.

— On va toujours à San Diego ? demanda Sean.

— Je ne crois pas, non, répondit Audra.

— On va retourner à New York ?

— Tu en as envie ? Il y a ton père, là-bas.

Sean réfléchit un moment, puis répondit :

— Non, je n'ai pas envie d'y retourner.

— Moi non plus, dit Audra.

— Alors où est-ce qu'on va aller ?

Il tourna la tête pour la regarder, et elle discerna l'homme dans son regard.

— Je n'en sais rien, dit Audra. Mais on trouvera. Ensemble.

Remerciements

Des gens nombreux et variés m'ont aidé à donner forme à ce roman. À tous, j'adresse toute ma gratitude.

Mes agents, Nat Sobel, Judith Weber, et tout le personnel de Sobel Weber Associates, qui ont travaillé dur pour moi et m'ont apporté un soutien incroyable, de même que le toujours génial Caspian Dennis, de l'agence Abner Stein.

Nathan Robertson, Molly Stern et tout le monde chez Crown ; Geoff Mulligan, Faye Brewster, Liz Foley et tout le monde chez Harvil Secker et Vintage Books ; merci à vous d'avoir tenté le coup avec mon roman.

Trois personnes m'ont apporté une aide inestimable dans les recherches qu'a nécessitées cet ouvrage, à qui je dois conséquemment plusieurs bières : mon vieil ami l'excellent auteur Henry Chang, qui m'a aidé à donner vie à Danny Lee ; John Doherty, de l'université de l'Arizona du Nord, qui m'a emmené sur les routes de l'État pour une visite dont les détails émaillent les pages du présent ouvrage ; l'inspecteur Jim McSorley, de la police de Los Angeles, qui m'a conseillé pour tout ce qui avait trait à l'aspect juridique. Toute erreur ou liberté à l'égard de la réalité ne peut être imputée qu'à moi.

Un merci particulier à mes nombreux amis de la communauté littéraire non policière, dont l'amitié et le soutien me permettent de continuer.

Et à ma famille, sans qui ce livre n'existerait pas.